LE GRAND LIVRE
DU JARDIN

LE GRAND LIVRE
DU JARDIN

PETER McHOY ET TESSA EVELEGH

Traduit de l'anglais par JÉRÔME GOUTIER, DANIÈLE MOREAU et JOËLLE TOUATI

Sélection
Champagne
inc.

Édition originale publiée en 1999 en Grande-Bretagne par Lorenz Books
sous le titre *The Practical Encyclopedia of Garden.*
Planning, Design & Decoration

© 1999, Anness Publishing Limited
© 2001, Manise, une marque des Éditions Minerva
(Genève, Suisse) pour la version française

Responsable éditoriale Joanna Lorenz
Éditrice Caroline Davison
Assistante d'édition Emma Hardy
Responsable de fabrication Ben Worley
Maquettiste Ian Sandom

Traduit de l'anglais par Jérôme Goutier,
Danièle Moreau et Joëlle Touati

ISBN 2-84198-165-7
Dépôt légal : avril 2001
Imprimé à Hong Kong

Distribué par
Sélection Champagne Inc.
Montréal, Québec
(514) 595-3279

■ CI-DESSUS : Cette élégante urne en pierre est un bel objet de décoration convenant à tous les jardins.

■ PAGE 1 : Les fleurs violettes et blanches constituent un assortiment classique.

■ PAGE 2 : Un joli chemin dallé permet de structurer le jardin.

■ PAGE 3 : Cette grimpante, *Mina lobata,* a été plantée au-dessus de soucis.

■ PAGE DE DROITE, EN HAUT : Ce *Convolatus sabaticus* dégringole joliment d'un pot en terre.

■ PAGE DE DROITE, EN BAS : En été, un pot bien garni éclairera un coin du patio.

Sommaire

INTRODUCTION

Tous les jardins gagnent à être soigneusement conçus et planifiés selon le style
et le décor choisis. Ce livre vous permettra de donner le maximum d'impact à
votre jardin. La première partie de l'ouvrage, consacrée à la conception et au plan du
jardin, montre combien il est important d'en déterminer initialement le style général.
Les styles sont variables, mais le jardin le plus réussi sera celui qui vous plaît.

Une sélection judicieuse de photographies et de plans précis vous guidera
pour constituer les premiers schémas des structures et des plantations.
En découvrant les techniques utilisées par d'autres jardiniers pour mettre en valeur
leur jardin, vous apprendrez à tirer le meilleur parti du vôtre.

Le jardin constituant généralement un prolongement de la maison, rien ne vous
empêche d'harmoniser le style des deux. Lorsque les plans de base seront terminés,
vous pourrez choisir des éléments de décoration qui rappelleront ceux de la maison.
Ainsi, la seconde partie fait la part belle aux créations originales et au choix des
différents objets et matériaux pour apporter votre touche personnelle à l'ensemble.

Grâce à la variété des jardins présentés dans cet ouvrage, retenez celui
ou ceux qui s'adapteront le mieux à besoins et envies,
et créez une « pièce » extérieure où il fera bon vivre toute l'année.

■ **CI-DESSUS**
Une souris en pierre, disposée dans la végétation,
donne une note d'humour à un coin du jardin.

■ **PAGE DE GAUCHE**
L'abondance de ces fleurs aux couleurs vives
est due à une minutieuse sélection des plantations.

CONCEVOIR ET

·····································

RÉALISER SON JARDIN

·····································

■ **CI-DESSUS**
Les allées et les bordures de buis soulignent
les massifs de ce jardin d'herbes classique.

■ **PAGE DE GAUCHE**
Les boules de buis taillé et les arceaux recouverts de plantes grimpantes
définissent nettement la structure de cet élégant jardin.

INTRODUCTION

Si parmi les jardiniers que nous sommes, beaucoup prennent plaisir à travailler dans leur jardin, rares, en revanche sont ceux qui sont entièrement satisfaits, car il y a toujours quelque chose à améliorer. Certains souhaiteraient posséder un jardin plus grand, tandis que d'autres se contenteraient d'un terrain plus petit ou plus fonctionnel. Cependant, nous devons nous résoudre à faire au mieux avec ce que nous avons. Nous voudrions souvent mettre en œuvre des projets d'améliorations ou d'embellissements mais nous ne savons pas toujours comment faire.

Le jardinage ne consiste pas seulement à faire pousser des plantes, mais aussi à les mettre en valeur pour donner à un jardin tout son intérêt. Les styles de jardins sont très nombreux et ce qui plaît à une personne peut déplaire à une autre : ce qui importe, c'est que le plan de votre propre jardin vous satisfasse avant tout. Ce livre a pour objectif de vous aider à créer un jardin qui soit le reflet de vos goûts, de votre personnalité et de vos envies.

En s'inspirant de l'expérience de jardiniers passionnés qui ont su tirer le meilleur parti de terrains peu prometteurs, cet ouvrage pratique vous aidera à réaliser les premiers plans de votre jardin et vous guidera dans le choix des plantations et la réalisation de constructions simples.

■ **CI-DESSUS**
Un coin du jardin où il fait bon se détendre.

■ **PAGE DE GAUCHE**
Le mur et l'allée en briques s'intègrent parfaitement aux plantes.

CONCEVOIR FACILEMENT SON JARDIN

....

Vous pouvez faire appel à un professionnel pour la conception
de votre jardin, mais c'est une démarche coûteuse qui vous procurera
moins de satisfaction que si vous le créez vous-même.

Ce chapitre vous initie aux techniques de base qui vous permettront
de dessiner facilement le plan de votre jardin. De nombreuses idées originales
vous sont proposées dans les chapitres suivants ; inspirez-vous en librement,
mais veillez à ce que le plan final corresponde le plus possible à vos désirs.

En appliquant les différents conseils et en vous entraînant à dessiner
sur papier, vous apprendrez rapidement à concevoir votre jardin sans difficulté.

■ **CI-DESSUS**
Un jardin étonnant où l'eau et le dallage s'harmonisent parfaitement.

■ **PAGE DE GAUCHE**
Ce jardin de campagne, parfaitement conçu, marie généreusement
des massifs colorés de fleurs et d'arbustes.

FAIRE LE POINT

Si vous concevez et plantez un jardin à partir d'un terrain vierge, vous commencerez par établir une liste de souhaits ; si au contraire vous redessinez un jardin existant, la première étape consiste à choisir ce que vous voulez conserver.

Ne laissez jamais un élément existant vous imposer le style de votre nouveau jardin : cherchez à l'intégrer. Vous pouvez par exemple, être limité par un arbre de grande taille ou un garage inesthétique. Déplacer un garage et son chemin d'accès n'est pas chose simple ; en revanche, le tracé des allées est parfaitement modifiable et souhaitable quand celui-ci mène de façon inesthétique dans le jardin.

Établissez une liste détaillée de ce que vous souhaitez conserver, intégrer ou améliorer.

LISTE DE SOUHAITS

Notez vos désirs avant de commencer à dessiner. Vous ne les réaliserez probablement pas tous, mais le fait de décider ce qui est prioritaire vous évitera d'importants oublis.

Selon vos goûts, prenez en compte ce que vous jugez indispensable – que ce soit un endroit pour étendre le linge ou la mise en place d'un point d'eau –, puis les éléments d'importance secondaire.

Lors de la conception de votre jardin, gardez toujours présents à l'esprit ces éléments principaux, en essayant d'en intégrer le plus grand nombre, sans toutefois compromettre l'équilibre général.

L'espace dont vous disposez limitera sans doute ce que vous pourrez garder de façon définitive : exploitez avant tout les éléments essentiels et en fonction de l'espace restant, optez pour les éléments secondaires.

LES ÉLÉMENTS ESSENTIELS

	Indispensable	Important	Souhaitable
Plates-bandes d'annuelles	[ ]	[ ]	[ ]
Massifs de vivaces	[ ]	[ ]	[ ]
Massifs d'arbustes	[ ]	[ ]	[ ]
Arbres	[ ]	[ ]	[ ]
Pelouse	[ ]	[ ]	[ ]
Zone de graviers	[ ]	[ ]	[ ]
Terrasse	[ ]	[ ]	[ ]
Barbecue	[ ]	[ ]	[ ]
Sièges/mobilier	[ ]	[ ]	[ ]
Rocaille	[ ]	[ ]	[ ]
Bassin	[ ]	[ ]	[ ]
Fontaine/pièces d'eau	[ ]	[ ]	[ ]
Espace plus sauvage	[ ]	[ ]	[ ]
Serre/véranda	[ ]	[ ]	[ ]
Kiosque/tonnelle	[ ]	[ ]	[ ]
Abri de jardin	[ ]	[ ]	[ ]
Verger	[ ]	[ ]	[ ]
Jardin d'aromates	[ ]	[ ]	[ ]
Potager	[ ]	[ ]	[ ]
Treillis/arche/pergola	[ ]	[ ]	[ ]
Bac à sable/aire de jeux	[ ]	[ ]	[ ]
Endroit pour le linge	[ ]	[ ]	[ ]
Emplacement poubelles	[ ]	[ ]	[ ]
Tas de compost	[ ]	[ ]	[ ]
. . . .	[ ]	[ ]	[ ]
. . . .	[ ]	[ ]	[ ]
. . . .	[ ]	[ ]	[ ]
. . . .	[ ]	[ ]	[ ]
. . . .	[ ]	[ ]	[ ]
. . . .	[ ]	[ ]	[ ]
. . . .	[ ]	[ ]	[ ]

■ **PAGE DE DROITE**

Le croquis de base doit être simple et ne faire apparaître que les informations indispensables à votre projet de nouveau jardin.

RELEVÉS ET MESURES

Pour éviter de commettre des erreurs qui pourraient vous coûter cher, commencez par faire un croquis sur papier du jardin en l'état et ajoutez-y l'essentiel de vos idées.

Laissez de la place sur les marges pour les mesures et notez uniquement les dimensions des principales structures que vous souhaitez retenir – arbres, allées ou garage. Les petits jardins rectangulaires sont plus faciles à mesurer : compter les panneaux de clôture suffit parfois à en calculer les dimensions. Pour déterminer

Si votre jardin est grand, divisez-le en plusieurs plans que vous pourrez réunir par la suite, mais faites figurer l'ensemble d'un petit jardin sur une seule feuille de papier.

l'emplacement des autres éléments, mesurez perpendiculairement à partir des limites du terrain.

Dans un jardin de forme plus complexe, procédez de même en utilisant une ficelle placée à 90° sur un des côtés que l'on sait droit, et mesurez, toujours perpendiculairement par rapport à cette ligne.

MATÉRIEL NÉCESSAIRE

• Un ruban plastifié de 30 m, facile d'emploi, qui ne se détend pas.

• Un mètre à ruban de 2 m pour de plus petites dimensions.

• Des piquets pour prendre des repères et maintenir en place l'extrémité du mètre à ruban (par exemple des brochettes métalliques).

• Crayons, gomme et taille-crayons.

• Un écritoire à pince avec du papier millimétré.

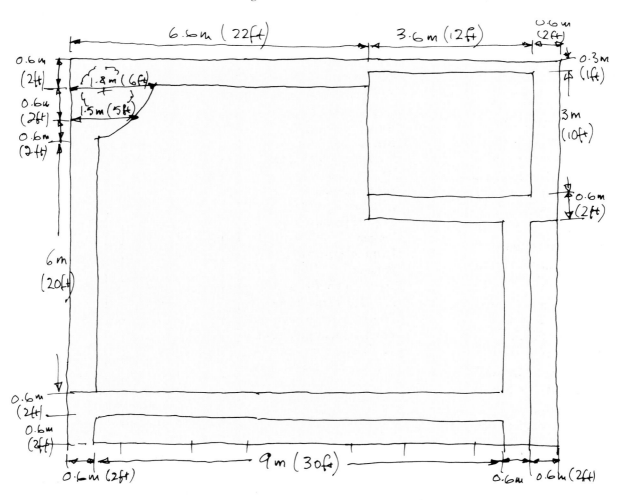

TRACER LE PLAN SUR PAPIER

Quand on redessine un jardin, l'intérêt commence dès que la structure de base figure sur le papier et que l'on opère des transformations, en appliquant ses idées. Le dessin à l'échelle est le stade suivant qui permet d'atteindre ce but.

Dès que le croquis rudimentaire du jardin se transforme en plan précis dessiné à l'échelle, le projet se concrétise, certains rêves prennent forme, et les étapes suivantes vont s'en trouver simplifiées.

Seul un dessin à l'échelle permet d'ajouter de nouveaux éléments : l'évaluation de la taille des massifs, des pelouses, de la surface des pavages et par conséquent le choix de matériaux adaptés.

Utilisez pour ce dessin du papier millimétré, en bloc ou à la feuille en fonction de la taille de votre jardin (en vente en papeterie ou dans des magasins spécialisés).

Choisissez une échelle qui vous permette de faire figurer votre plan sur une seule feuille, ou plusieurs assemblées s'il n'est pas possible de faire autrement. Pour la plupart des petits jardins, l'échelle 1/50e convient (2 cm pour 1 km) ; pour un jardin plus grand, l'échelle 1/100e est plus adaptée.

Dessinez tout d'abord les contours du jardin et l'emplacement de la maison, avec celui des portes et des fenêtres. Ajoutez tous les éléments que vous désirez conserver. Vous devez avoir pris toutes les mesures nécessaires du jardin qui figurent maintenant sur le croquis.

Pour obtenir un plan très clair, éliminez ce qui n'apparaîtra pas dans le projet final. Sur le croquis à droite, la tonnelle a été représentée car son emplacement convenait et il aurait été difficile de la déplacer. L'arbre dans le coin a disparu du projet final, mais reste présent à ce stade car il aurait pu être retenu dans un projet différent.

CONSEILS PRATIQUES POUR LE DESSIN

Appliquez ces conseils si vous n'avez encore jamais dessiné de plan de jardin :

• Dessinez d'abord les limites extérieures du jardin, ainsi que l'emplacement de la maison et tout autre élément majeur, et assurez-vous de l'exactitude des dimensions avant d'ajouter tout autre élément.

• Dessinez ensuite les éléments faciles à positionner, si vous êtes suffisamment sûr de leur emplacement et si vous avez décidé de les maintenir dans le projet final : massifs rectangulaires, bassin circulaire ou abri de jardin…

• Tracez à l'encre les éléments fixes et définitifs, comme les limites du terrain, les allées. Dessinez au crayon ceux susceptibles d'être déplacés, vous ne les passerez à l'encre qu'en dernier lieu.

• Dans la mesure du possible, utilisez un compas pour dessiner les courbes et les cercles. Si cet instrument ne convient pas à toutes vos lignes courbes, vous pouvez acheter des règles flexibles pour réaliser les moins régulières.

UTILISER VOTRE PLAN

1 Même les dessinateurs les plus expérimentés réalisent un grand nombre de croquis grossiers avant de dessiner la version définitive. Pour ne pas avoir à redessiner le plan de base, photocopiez-le ou utilisez du papier calque.

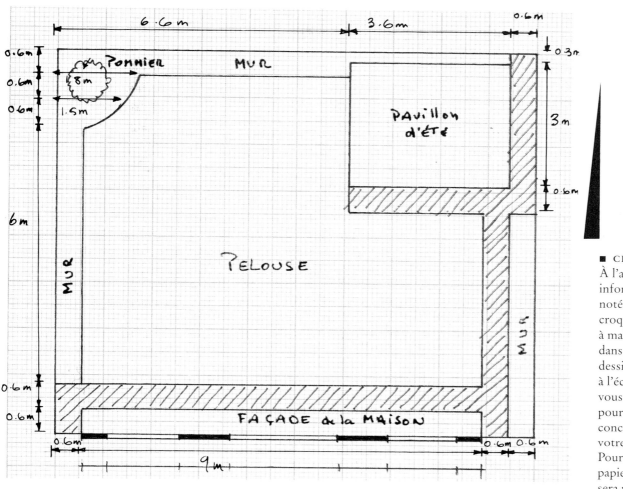

■ CI-CONTRE
À l'aide des informations notées sur un croquis réalisé à main levée dans le jardin, dessinez un plan à l'échelle que vous utiliserez pour la conception de votre projet. Pour ce faire, le papier millimétré sera plus efficace.

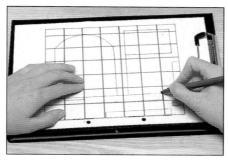

2 Si vous disposez d'une planche à dessin, utilisez plusieurs couches de papier calque pour expérimenter toutes vos nouvelles idées. Si votre jardin est petit, une planche munie d'un clip s'avère suffisante pour maintenir en place le papier calque.

3 Si vous souhaitez travailler avec différentes couleurs, vous pouvez utiliser des crayons faciles à gommer.

4 Découpez dans du papier les éléments que vous voulez inclure dans le dessin final, tels que mobilier de terrasse, massifs ou bassin surélevés, et déplacez-les jusqu'à ce qu'ils vous semblent à la bonne place. Utilisez ce procédé uniquement après avoir retenu un plan définitif. Votre jardin manquerait certainement de cohérence, si vous vous basiez sur ces éléments pour le concevoir.

CONCEPTION DU PLAN

La première étape dans la conception ou l'amélioration d'un jardin est souvent la plus difficile. Puis dès que vous commencerez à dessiner, les idées afflueront au fur et à mesure, notamment si vous avez en tête certains jardins que vous aimez. Vous pouvez tout à fait vous en inspirer, sans toutefois essayer de reproduire un autre jardin qui ne serait sûrement adapté ni à la taille ni au style du vôtre ; mais considérez-le comme une référence qui vous permettra de développer de nouvelles idées.

Si vous optez pour un jardin avec des lignes fortes plutôt que des contours souples, déterminez d'emblée quels types de formes vous souhaitez : rectangulaires, diagonales ou circulaires. Quel que soit votre choix, toutes peuvent s'adapter à votre jardin. Si vous retenez des motifs circulaires, vous pouvez faire se recouvrir les cercles ; veillez dans ce cas à créer des courbes douces là où les cercles se rencontrent. Une fois le style retenu, dessinez une grille et placez-la au-dessus du plan afin de faciliter le dessin (voir page de droite). Dans un petit jardin clos, vous pouvez baser votre grille rectangulaire ou diagonale sur l'espacement des poteaux de clôture (habituellement 1,80 m).

Dans l'exemple suivant, c'est la grille rectangulaire qui a été retenue, mais vous pouvez vous entraîner avec d'autres grilles. Une grille diagonale est souvent plus efficace quand de vastes espaces sont disponibles sur les côtés de la maison. La terrasse peut, par exemple, être disposée à 45° par rapport à un angle de la maison.

Les dimensions et la forme du jardin déterminent le plus souvent le choix de la grille, mais n'hésitez pas à en essayer d'autres et voyez laquelle est la plus adaptée.

Considérez les grilles comme une aide possible à votre projet, mais si une idée précise de style vous tient à cœur, exploitez-la. De nombreux jardins superbes n'ont pas été conçus sur ce principe, et ont progressivement évolué au fil du temps.

À LA RECHERCHE D'IDÉES

Ne vous désespérez pas si vous manquez d'inspiration ou si les premières tentatives vous semblent décevantes. En appliquant les conseils suivants, vous obtiendrez de façon certaine des plans réalisables, qui vous satisferont :

• Consultez des livres ou des magazines afin de choisir un style particulier : il peut être formel ou naturel ; privilégier les plantes ou les structures de paysagisme ; opter pour davantage de feuillage, de textures, de couvre-sols ou prévoir une multitude de fleurs colorées, et des massifs aux contours droits ou aux courbes souples et naturelles.

• Étudiez un grand nombre de jardins pour trouver et retenir des idées. Ne vous laissez pas influencer par une plante spécifique, vous pourrez être amené à la changer.

• Dessinez une grille, si elle peut vous être utile, et placez-la par-dessus votre plan. Elle vous facilitera la tâche.

• Dessinez de nombreux croquis, sans chercher à ce stade à obtenir un projet abouti. Jetez le plus d'idées possible sur le papier.

• Ne vous préoccupez pas encore des plantations, mais définissez les lignes et les motifs.

• Ne perdez pas de temps à dessiner le motif des pavages et ne pensez pas au choix des matériaux.

• Dressez une liste des points principaux que vous préférez. Puis oubliez-les pendant une journée. Il est important de prendre un peu de recul.

• Si l'une de vos premières esquisses vous plaît toujours, commencez à la compléter avec des détails : pavages, gravier, positions des éléments essentiels. Ne vous préoccupez toujours pas à ce stade des plantations.

• Si, après un deuxième examen, aucun de vos premiers croquis ne vous séduit, recommencez. De nouvelles idées se superposeront sûrement aux premières.

• Si vous trouvez difficile de visualiser les dimensions, utilisez des piquets et de la ficelle pour délimiter les massifs au sol, et modifiez le plan si besoin est.

LE PLAN :
PREMIERS PAS

1 Dessinez toutes les structures que vous conserverez – ici par exemple, la tonnelle – et le type de grille retenu, sauf si vous souhaitez un style très naturel où son emploi ne se justifie pas. Afin d'obtenir un plan clair et éviter toute confusion, utilisez une couleur différente pour les lignes de la grille.

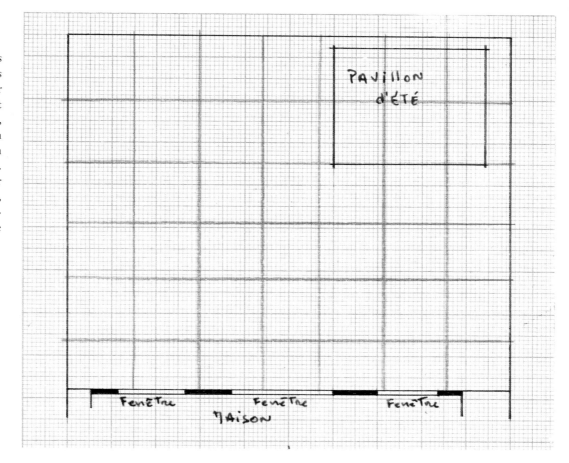

2 Superposez des couches de papier calque ou des photocopies pour essayer un grand nombre de plans. Même si vous êtes satisfait de votre premier essai, dessinez plusieurs variantes. Vous pouvez toujours revenir à votre première idée si elle vous semble la meilleure.

À ce stade de la conception du jardin, n'intégrez aucun autre détail (mobilier, plantes) que les éléments majeurs (arbres, grands arbustes). Quand vous avez obtenu un plan qui vous plaît, dessinez au crayon certains éléments comme le mobilier de terrasse, en utilisant du papier découpé.

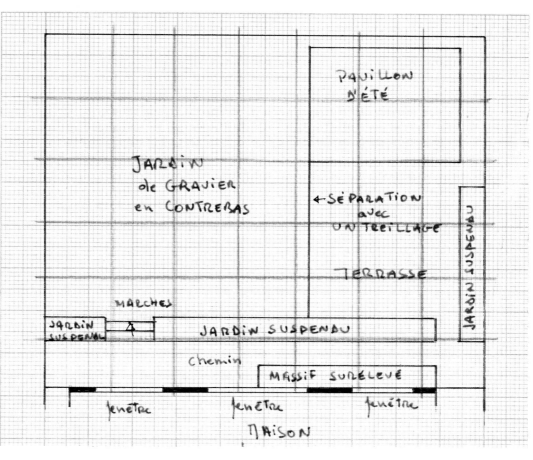

LES FORMES DE BASE

Après avoir choisi le style
de jardin qui vous séduit le
plus et les structures que
vous souhaitez intégrer, il est
temps de passer maintenant
de la théorie à la pratique.

PREMIÈRES IDÉES

Il se peut que la taille, la forme
ou la situation de votre jardin
ne soient pas appropriées
au style que vous avez choisi.
Pour contourner cet obstacle,
gardez néanmoins ce style
présent à l'esprit sans tenter
de le recréer fidèlement.

Dans le cas où vous ne pouvez
pas réaliser intégralement un
jardin japonais, il vous suffira
d'introduire un seul élément
pour l'évoquer.

Si vous analysez comment
sont conçus les plus beaux jardins
formels, vous constaterez que
presque tous ont comme point
de départ une des trois options
décrites ci-dessous. Vous apporterez
votre touche personnelle par
des plantations judicieuses et
des variations originales.

■ **CI-CONTRE**

THÈMES CIRCULAIRES Ils sont très
utiles pour masquer la forme rectangulaire d'un jardin. Vous pouvez opter pour
des pelouses, des terrasses ou des massifs
circulaires que vous ferez se chevaucher
ou s'imbriquer pour créer un jardin raffiné. Des plantes garniront les espaces
situés hors des cercles.

À l'aide d'un compas, essayez différents arrangements pour obtenir une
composition esthétique. N'hésitez pas à
modifier les rayons et à superposer les
cercles si nécessaire.

■ **PAGE DE
DROITE,
À GAUCHE**

**UTILISER LES
DIAGONALES**
Cette méthode
crée une
impression
d'espace en
conduisant le
regard à travers
le jardin.
Dessinez d'abord
une grille à 45°
par rapport
à la maison ou
à la clôture
principale. Puis
utilisez cette
grille pour
positionner
les différents
éléments.

■ **PAGE DE
DROITE,
À DROITE**

**LES
RECTANGLES**
Ce sont les
formes le plus
souvent retenues,
parfois même
inconsciemment.
C'est un principe
efficace pour
un aspect plutôt
formel ou pour
diviser un jardin
long et étroit
en sections plus
intimes.

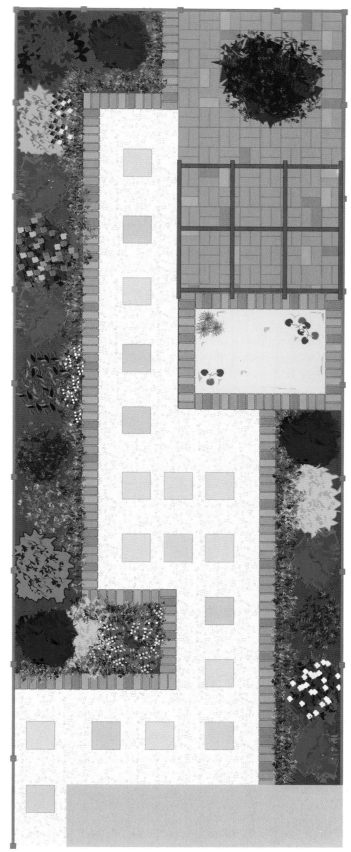

STYLES FORMEL ET NATUREL

Certains jardiniers aiment les lignes droites, un environnement ordonné et bien tenu, tandis que d'autres préfèrent un style naturel et rustique où les plantes semblent pousser naturellement. Ce dernier type de jardin est plus adapté à une vie de famille, car la pelouse fournit un lieu de détente pour les adultes et une aire de jeux pour les enfants.

Il faut, dès le début, déterminer si les options décrites précédemment conviennent ou non à votre style de vie et votre style de jardinage – un jardin de facture plus décontractée sera mieux adapté à une famille avec de jeunes enfants. Les personnes plus intéressées par les fleurs et le feuillage que par divers aménagements et constructions se plairont parmi les massifs généreux, les allées cachées, les bancs nichés sous une tonnelle ou à observer la vie dans un bassin.

Ceux qui préfèrent la décontraction d'un jardin de curé, parfois composé uniquement de massifs de part et d'autre d'un chemin ou d'une pelouse, trouveront un jardin structuré peu attrayant. Le charme d'un jardin de curé réside dans la disposition des plantes, souvent peu planifiée, avec des semis spontanés au milieu d'autres plantations, ainsi qu'entre les dalles.

Si c'est le type de jardin qui vous plaît, suivez vos envies, mais n'oubliez pas que d'autres éléments et courbes fluides sont importants. Tonnelles, pergolas, objets d'ornement, bancs de jardin bien situés et un bon sens des plantations sont tout aussi appropriés dans ce style de jardin que dans un autre plus structuré.

■ CI-CONTRE ET PAGE DE DROITE

Ces dessins montrent à quel point deux jardins de mêmes dimensions peuvent être différents, selon le style choisi. La décision de donner un côté plus ou moins formel se prend au début du projet.

LÉGENDES DU PLAN

1 Objet d'ornement
2 Jardin aromatique
3 Abri de jardin
4 Treillages
5 Grimpantes contre le treillage (lierre, vigne vierge, clématite)
6 Cadran solaire ou bassin à oiseaux
7 Massifs
8 Arbustes (ou buis taillés) dans de grands pots
9 Banc de jardin
10 Bassin avec une fontaine
11 Arche
12 Groupe de grands arbustes
13 Mur écran
14 Mobilier de terrasse
15 Potager
16 Arche en treillis
17 Chemin
18 Maison

STYLE FORMEL

STYLE NATUREL

■ CI-DESSOUS
Dans ce jardin, les plantations ont un aspect naturel alors que le dessin symétrique est formel.

LÉGENDES DU PLAN

1 Banc de jardin
2 Pelouse
3 Herbacées et bulbes
4 Arbustes
5 Thym et autres plantes aromatiques entre les pavés irréguliers
6 Banc en métal blanc
7 Bassin
8 Jardin humide

9 Cornouillers à tiges rouges
10 Conifères nains et bruyères
11 Bassin à oiseaux ou cadran solaire, entouré de plantes à la base
12 Arbre
13 Maison

FORMES INHABITUELLES

Vous pouvez tirer parti des contours problématiques de votre terrain pour créer un jardin différent. Grâce à son originalité, ce qui auparavant était une zone difficile à planter provoquera bientôt l'admiration des autres jardiniers. Les sept dessins proposés ici illustrent des cas peu faciles, qui avec de l'imagination et un plan soigné, se transforment en jardins pleins de promesses.

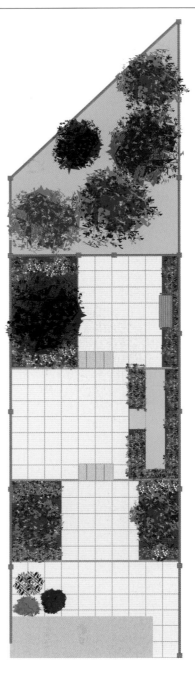

■ **CI-DESSUS, À GAUCHE ET AU CENTRE**
LONG ET ÉTROIT Le plan à gauche présente un dessin basé sur le thème des cercles. La zone pavée près de la maison peut servir de terrasse, et l'autre à l'extrémité peut dissimuler un endroit pour étendre le linge, invisible depuis la maison. Si dans un autre cas, c'est le fond du jardin qui est le mieux exposé, inversez les rôles des parties pavées. Le fait de donner un angle au chemin transversal reliant les deux cercles, et de planter de petits arbres ou de grands arbustes qui arrêtent le regard, suscite l'impression d'un jardin à explorer. Le plan à droite montre l'emploi de diagonales pour atteindre un effet semblable.

■ **CI-DESSUS**
LONG ET EN POINTE Si le jardin est long et se termine en pointe, essayez de cloisonner la partie principale, tout en laissant un passage ou une arche afin d'inviter à la découverte sans révéler la forme exacte. Vous pouvez aménager cette pointe en potager ou, comme ici, en verger.

Ajoutez un intérêt supplémentaire en étageant les trois zones dallées ; le jardin paraîtra ainsi moins long. Par contre, une longue perspective agrandit le jardin.

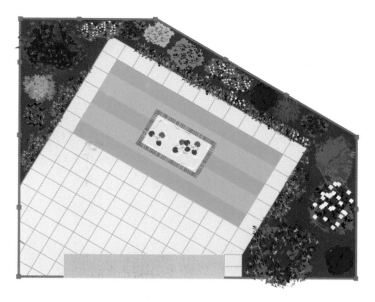

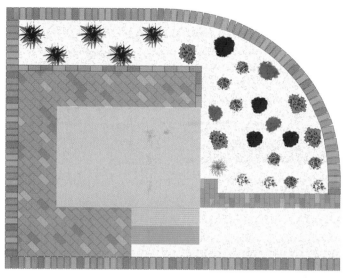

■ **CI-DESSUS**
JARDIN SITUÉ DANS UN ANGLE Dans un lotissement, les jardins situés dans un angle sont souvent plus grands que les terrains voisins et offrent des possibilités intéressantes. Ce dessin a été réalisé pour tirer le meilleur parti de l'espace disponible sur le côté de la maison, en en faisant ainsi un élément majeur du jardin plutôt que l'habituel coin sans intérêt.

■ **CI-DESSUS**
JARDIN SITUÉ DANS UN ANGLE ARRONDI Les terrains de cette forme sont plus difficiles à exploiter. Sur ce plan, la maison est entourée à gauche d'une terrasse, séparée du reste du jardin par un muret qui la rend plus intime. Pour plus d'agrément, une allée sépare le jardin de gravier et l'accès au garage. Rochers, gravier et plantes architecturales, tels phormiums et yuccas, s'harmonisent avec la courbe audacieuse créée par le coin du terrain.

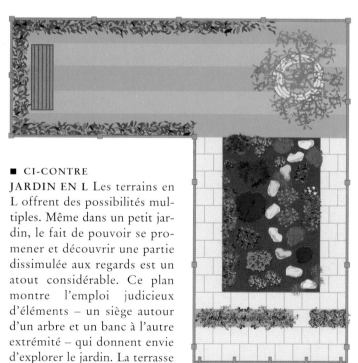

■ **CI-DESSUS**
CARRÉ ET RAMASSÉ Un petit espace carré tel que celui-ci laisse peu d'initiative pour des dessins élaborés, il ne faut donc pas le surcharger. Pour donner plus de profondeur, le point de vue est placé sur la diagonale au fond du jardin. Le sol de la terrasse est légèrement surélevé et ce changement de niveau crée un intérêt supplémentaire. Une pelouse peut être difficile à entretenir dans un jardin minuscule, mais vous pouvez la remplacer par une espèce qui exige une tonte moins fréquente.

L'emploi de la diagonale contrebalance la forme rectangulaire de base et permet d'utiliser au mieux l'espace disponible.

■ **CI-CONTRE**
JARDIN EN L Les terrains en L offrent des possibilités multiples. Même dans un petit jardin, le fait de pouvoir se promener et découvrir une partie dissimulée aux regards est un atout considérable. Ce plan montre l'emploi judicieux d'éléments – un siège autour d'un arbre et un banc à l'autre extrémité – qui donnent envie d'explorer le jardin. La terrasse partiellement couverte d'une pergola est séparée du reste du jardin par un massif surélevé.

S'ADAPTER AUX PENTES

Les jardins en pente sont beaucoup plus difficiles à dessiner sur papier que les jardins plats, mais l'enjeu est plus stimulant. Tout dépend bien sûr du degré de la pente, de ses dimensions et de son aspect, et si elle est montante ou descendante à partir de la maison ; il est, dans de tels cas, moins facile de s'inspirer de plans dessinés par d'autres. Mais certains inconvénients peuvent se transformer en avantages. Les changements de niveaux sont intéressants et conviennent parfaitement aux rocailles et aux ruisseaux avec cascades.

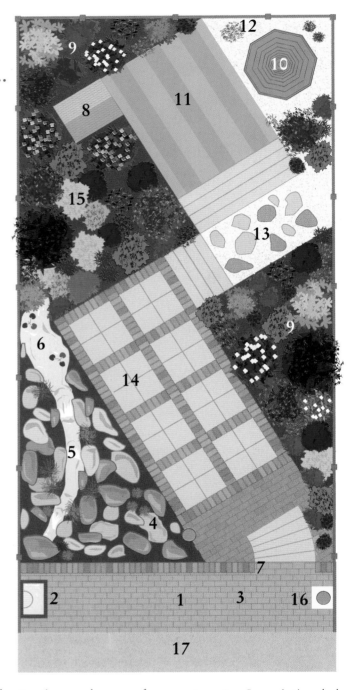

LÉGENDES DU PLAN

1 Terrasse
2 Fontaine murale sur petit bassin
3 Briques ou dallage
4 Rocaille qui suit la pente descendante vers une zone pavée plate
5 Ruisseau avec cascades
6 Bassin qui disparaît dans les arbustes
7 Muret de rétention
8 Abri de jardin
9 Arbustes
10 Tonnelle avec perspective sur le jardin et jolie vue en contrebas
11 Pelouse
12 Gravier planté d'alpines
13 Zone gravillonnée et pavage naturel
14 Dallage encadré de briques
15 Arbres et arbustes
16 Ornement sur socle
17 Maison

■ CI-DESSUS, À DROITE
PENTE DESCENDANTE Une pente descendante, avec une jolie vue, est plus facile à aménager qu'une pente montante. Il est cependant conseillé de dissimuler une perspective disgracieuse derrière des plantations d'arbres et d'arbustes dans la partie la plus basse du jardin, qui pourra ainsi servir de coin repos.

Ce plan révèle plusieurs principes importants à respecter lors de la conception d'un jardin en pente et intègre des terrasses de façon inhabituelle à la déclivité naturelle. Les travaux de terrassement sont longs et coûteux : il faut creuser la terre et construire des murs de rétention sur des fondations solides. Évitez de déplacer la couche arable d'une partie supérieure de la pente vers une plus basse, car cette zone se retrouverait avec un sol difficile à cultiver. Il faut toujours mettre de côté cette couche arable, creuser et niveler les couches inférieures, puis remettre en place la terre prélevée en premier lieu ; cela représente évidemment beaucoup de travail.

Les terrasses ainsi réalisées sont des zones plates où l'on peut marcher, se relaxer, et ce plan en contient plusieurs sur toute la longueur du jardin. Le problème de la couche arable ne se pose plus puisque les surfaces sont pavées. Le maintien de la pente naturelle sur une grande partie du terrain réduit les travaux importants.

Bien qu'il y ait quelques murs de rétention, les deux murs qui descendent en zigzag sont des escaliers, qui se trouvent tout juste au-dessus du niveau du sol.

En conservant une grande partie de la pente naturelle, vous pouvez également créer une rocaille et un ruisseau artificiel avec une suite de cascades.

Une allée doit serpenter le long d'une pente plutôt que descendre en ligne droite, ce qui ne ferait qu'accentuer la différence de niveau.

Si la pente
est abrupte
immédiatement
après la maison,
une terrasse
surélevée fournit
une surface
plate et permet
d'éviter les
marches dès
la sortie de
la maison.

■ CI-CONTRE

PENTE MONTANTE Une pente montante est un défi : les perspectives ouvertes sont limitées et les parties supérieures peuvent aboutir sur des talus. Dans ce cas, des terrasses sur plusieurs niveaux auraient un effet oppressant, mais un jardin « secret », parcouru de sentiers sinueux, flanqués d'arbustes, serait un compromis intéressant. Si quelques murs de rétention sont nécessaires, il est toujours possible de les dissimuler par des plantations judicieuses.

Il est préférable d'éviter le gazon sur ces pentes, difficiles d'accès avec les engins d'entretien, mais si vous souhaitez de la verdure, le thym est un bon substitut : il ne réclame qu'une taille occasionnelle aux ciseaux.

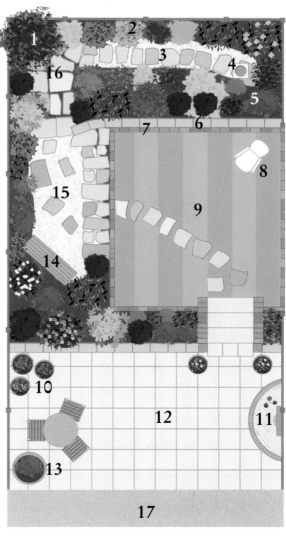

LÉGENDES DU PLAN

1 Arbre de petite taille
2 Arbustes
3 Dallage en pierre naturelle sur gravier
4 Ornement sur socle
5 Arbustes nains sur le talus
6 Mur de rétention
7 Bordure pavée
8 Chaise longue
9 Pelouse de thym
10 Plantes en pots
11 Fontaine murale sur un petit bassin
12 Terrasse
13 Arbuste ou petit arbre en conteneur
14 Siège
15 Pavage en pierre naturelle dans du gravier
16 Chemin en pierre naturelle
17 Maison

LES JARDINS DE FAÇADES

Ces jardins sont assez problématiques, surtout quand il faut y prévoir un passage pour la voiture. C'est sans doute pour cela qu'ils sont souvent ternes, alors qu'ils sont le premier lieu que découvrent les visiteurs. Il convient donc de les rendre plus accueillants. Même les jardiniers passionnés, propriétaires d'un joli jardin derrière leur maison, semblent se désintéresser de ce coin triste. Ces deux petits jardins, aux problèmes typiques, ont été agréablement transformés, grâce à un peu d'imagination et des plantations bien pensées.

COMME UN JARDIN DE CURÉ

Il était difficile de trouver un jardin plus banal : une allée en ciment, une plate-bande étroite sur la terrasse pavée en face de la fenêtre, une autre plate-bande en bordure du jardin, un cerisier à fleurs au milieu d'une pelouse rectangulaire. La solution cependant pour ce jardin est simple, comme le montre l'illustration du jardin redessiné (ci-dessous, à droite). Ce style de jardin de curé comprend toutes sortes de plantes qui poussent et se mélangent généreusement, ne nécessitant que peu d'entretien.

Le chemin dallé qui mène à la porte d'entrée invite à la découverte du jardin et de ses plantes. Le visiteur marche au milieu des plantations qui s'étalent sur les dalles. Le plan du jardin a été inversé : les plantes forment le cœur du jardin, elles ne sont plus reléguées sur les bords. N'hésitez pas à supprimer une pelouse – vous pouvez bénéficier de feuillages et de couleurs toute l'année en choisissant des arbustes persistants et des fleurs en fonction de la saison.

PROBLÈMES

❧ Bien que le cerisier ait une floraison spectaculaire et un feuillage coloré à l'automne, il n'est intéressant que quelques semaines par an. Son emplacement central excluant toute transformation importante, il est préférable de le supprimer.
❧ La clôture en bois accentue le côté terne de l'ensemble.
❧ Les plates-bandes, trop petites, n'attirent pas l'attention et ne permettent pas la plantation d'arbustes et de vivaces.

SOLUTIONS

❧ La pelouse et l'arbre ont été supprimés et remplacés par un mélange d'arbustes nains, de vivaces herbacées, d'annuelles rustiques et de nombreux bulbes à floraison printanière.
❧ Les dalles au milieu créent un raccourci vers la porte d'entrée (et rendent le désherbage plus facile).
❧ La clôture a été remplacée par des murets qui donnent au jardin une atmosphère moins confinée.

SURPRENANTE INTIMITÉ

L'agencement actuel de ce jardin situé dans un coin n'a pas vraiment été pensé, car formes et angles variés s'y heurtent. Le nouveau plan a retenu l'ancien chemin en courbe, à cause de sa base massive en béton et parce qu'il aurait été compliqué de changer l'emplacement de la plaque d'égout. Toutes les autres lignes ont été simplifiées, et les plantes choisies sont mieux adaptées. Le ruisseau en courbe sur la droite dynamise le jardin et procure un doux murmure.

PROBLÈMES

🍃 La plate-bande à gauche était une rocaille peu esthétique, comme dans la plupart des petits jardins où elles manquent de relief et d'espace.

🍃 Le cerisier aurait pris des proportions trop grandes, plaçant l'ensemble du jardin complètement à l'ombre.

🍃 Ces plates-bandes de petite taille, garnies d'annuelles en été, sont tristes en hiver. La longue ligne droite du sentier est sans grâce.

SOLUTIONS

🌿 La rocaille a été pavée, et de ce fait, l'accès au garage ne divise plus la surface plantée.

🌿 Le gravier qui a remplacé le gazon, réduit l'entretien au minimum et met bien les plantes en valeur.

🌿 Des conifères nains et de taille moyenne apportent une note verticale et de ce fait une certaine intimité. Vous pouvez rendre cette partie du jardin intéressante tout au long de l'année en choisissant des espèces aux ports variés dans différents tons de vert ou de doré.

🌿 Grâce au pas japonais, serpentant parmi les conifères, le visiteur ne découvre le jardin qu'au fur et à mesure de sa progression.

🌿 L'ancien chemin a été conservé, mais recouvert d'un pavage irrégulier, plus harmonieux.

🌿 Un plan d'eau attire toujours la vie sauvage dans un jardin.

🌿 Un ruisseau d'eau courante longe l'allée et termine sa course dans le bassin par une cascade.

■ CI-CONTRE

Ce petit jardin aurait pu se composer d'une pelouse bordée de plates-bandes, mais ses plantations naturelles, comme celles d'un jardin de curé, présentent un intérêt tout au long de l'année.

Savoir créer des illusions

Il est parfois tentant de faire croire que son jardin est plus grand que la réalité. Les quelques exemples de trompe-l'œil présentés ici devraient vous permettre de le faire. En appliquant certains « trucs » simples, vous résoudrez des problèmes complexes, tels que savoir détourner le regard d'éléments inesthétiques en attirant l'attention sur un centre d'intérêt particulier.

■ CI-CONTRE
On a l'impression ici de se trouver dans un grand jardin qui se prolonge au-delà de l'arche. Tout n'est qu'illusion, puisqu'il s'agit d'un miroir.

■ CI-DESSUS, À GAUCHE ET À DROITE
Un petit jardin ressemble très vite à une boîte si ses limites (clôture ou mur) sont visibles, car elles écrasent l'ensemble. Le fait d'ajouter un massif d'arbustes tout le long de ces limites les rend encore plus évidentes. Faire empiéter plus largement les massifs sur la pelouse, dont une partie s'estompe derrière les plantations masque les délimitations et laisse supposer que le jardin continue.

■ CI-DESSUS, À GAUCHE ET À DROITE

Il est souvent difficile d'éviter une allée rectiligne ; de plus, un élément dominant placé en son extrémité raccourcit la distance. Pour donner plus de profondeur à votre terrain, faites en sorte que le sentier soit légèrement sinueux et qu'il aille en se rétrécissant. Un élément décoratif de hauteur plus réduite accentuera cet effet et renforcera l'impression de perspective.

■ CI-DESSUS, À GAUCHE ET À DROITE

Un long chemin rectiligne attire le regard vers les limites du jardin, sauf si celui-ci est très grand. Essayez d'intégrer un élément qui arrêtera le regard à un certain niveau du chemin. Une courbe autour d'un élément de décoration, un grand arbuste ou un petit arbre maintiendront l'attention à l'intérieur du jardin. Si vous ne souhaitez pas modifier le trajet du chemin, essayez de construire une arche qui l'enjambe, et plantez au pied une jolie grimpante pour adoucir les lignes, et prolongez éventuellement cette structure par des treillages de chaque côté.

Préparer le plan des plantations

Les divers éléments de construction décrits jusqu'à présent servent de structure au jardin, mais c'est en dernier lieu, avec les plantes, qu'il prend forme et que se dessine sa personnalité.

Si la structure est importante, le plan des plantations n'est pas pour autant secondaire, plus encore si vous souhaitez que votre jardin conserve un attrait tout au long de l'année.

DÉTERMINER LES CONTOURS

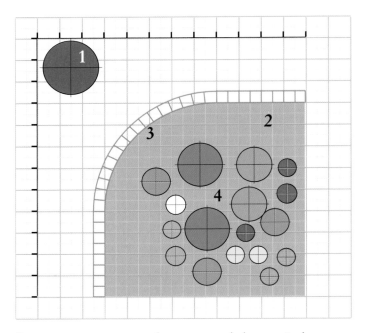

Commencez par marquer les contours de la zone à planter, en notant les distances sur le papier millimétré pour faciliter le positionnement. Certains catalogues ou certains livres contiennent de nombreuses photographies et donnent des informations précieuses telles que la hauteur et l'étalement des plantes. Sachez cependant que ce sont des données variables en fonction du lieu géographique, du climat, du sol et de la saison.

Si vous avez une bonne connaissance des plantes, vous pouvez dessiner directement sur le plan du massif, mais au lieu d'utiliser gomme et crayon, il est plus aisé de déplacer des morceaux de papier découpés à la forme des plantes que vous voulez incorporer. Notez la hauteur, l'étalement et la période de floraison et inscrivez le nom au revers. Vous pouvez les colorier en employant par exemple des rayures pour les plantes panachées et du vert pour les persistantes. Cela vous donnera un aperçu général.

INTÉGRER LES PLANTES

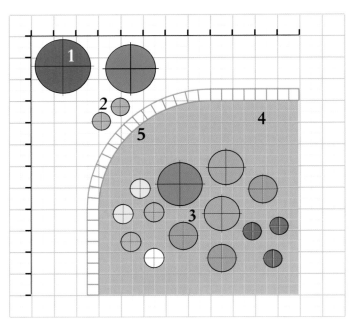

Positionnez sur le plan les symboles en commençant par les grandes plantes ou les plantes principales. Il se peut que vous ayez à les ajuster au fur et à mesure, mais assurez-vous que les plantes-clés sont bien placées et qu'elles domineront les massifs. Pensez aux périodes de floraison, et répartissez équitablement les plantes persistantes : si elles sont toutes regroupées, certains espaces seront complètement dénudés en hiver.

LÉGENDES DU PLAN

1 Cerisier existant (*Prunus* 'Amanogawa')
2 Pelouse
3 Bande pour la tonte
4 Symboles prédécoupés à placer dans le massif

LÉGENDES DU PLAN

1 Cerisier existant (*Prunus* 'Amanogawa')
2 Plantes en place
3 Plantes à positionner
4 Pelouse
5 Bande pour la tonte

DISPOSER LES PLANTES

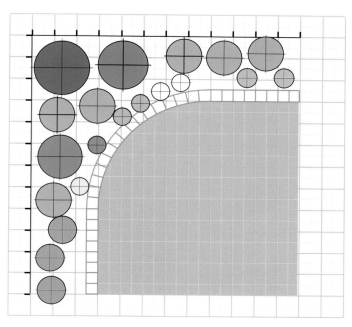

Après avoir positionné les plantes-clés, les plus hautes placées à l'arrière du massif, ajoutez les plantes de taille moyenne en les intercalant entre les plus grandes, afin d'éviter un effet d'escalier inélégant. Finissez avec les plantes basses : l'effet est d'autant plus important qu'elles sont regroupées en masse. On ne remarque pas une petite plante solitaire, et elle finit par disparaître, étouffée par ses vigoureux voisins.

TOUCHE FINALE

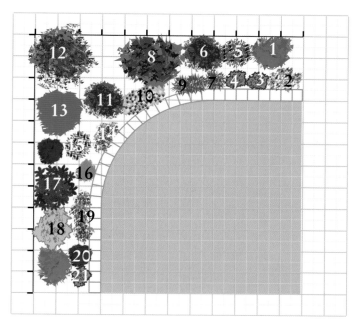

Les premiers plans sont assez dépouillés car ils vous permettent d'explorer agencements et associations variés. Pour mieux visualiser l'effet final, dessinez plus en détail le dernier plan de plantations.

LÉGENDES DU PLAN FINAL

1 *Perovskia atriplicifolia* 1 m
2 Bergenia (persistant) 30 cm
3 *Diascia barbarae* 30 cm
4 *Houttuynia cordata* 'Chameleon' 30 cm
5 Kniphofia 1,20 m
6 Romarin (persistant) 1,20 m
7 *Artemisia* 'Powis Castle' 1 m
8 *Choisya ternata* (persistant) 1,20 m

9 Aster nain 60 cm
10 Ciste 45 cm
11 *Cornus alba* 'Sibirica' 1,20 m
12 *Prunus* 'Amanogawa' cerisier existant 10 m
13 *Camellia* 'Donation' (persistant) 2 m
14 Agapanthe 75 cm
15 Hosta 45 cm
16 Bergenia (persistant) 30 cm

17 *Anemona × hybrida* 75 cm
18 *Potentilla* 'Princess' 75 cm
19 Lavande (persistant) 30 cm
20 *Stachys byzantina* (pratiquement persistant) 30 cm
21 *Mahonia* 'Charity' (persistant) 2,50 m

DES JARDINS D'ENTRETIEN FACILE

Les jardins d'entretien facile peuvent être aussi esthétiques et stylés que ceux réclamant une attention régulière.

Ce type de jardinage convient parfaitement aux personnes trop occupées ou peu enclines à consacrer du temps à la tonte, l'arrosage ou aux corvées comme le désherbage ou la taille des fleurs fanées, mais désireuses tout de même d'avoir un superbe jardin. Des personnes handicapées ou âgées seront également séduites par ce concept.

Un jardin qui nécessite peu d'entretien vous laisse la possibilité de partir sans crainte une semaine ou plus ; dans ce type de jardin vous vous relaxerez beaucoup plus souvent que vous n'y travaillerez.

■ **CI-DESSUS**
Le pavage exige peu d'entretien, mais seules
des plantations nombreuses adoucissent l'effet général.

■ **PAGE DE GAUCHE**
Ce jardin très structuré utilise à bon escient lignes et formes, masses et vides.
Quelques plantes persistantes créent un superbe effet pour un minimum d'effort.

QUELQUES IDÉES

Les jardins réclamant peu d'entretien, souvent créés avec un nombre restreint d'espèces spectaculaires, peuvent aussi être entièrement remplis de plantes. La sélection de celles-ci et leur quantité déterminent le temps passé à leur prodiguer des soins.

■ CI-DESSUS

Les jardins majoritairement composés de gravier et de pierres sont peu exigeants, surtout si vous utilisez des plantes qui tolèrent la sécheresse, telles que la lavande. Dans ce jardin, quelques plantes suffisent à obtenir un bel effet, et l'entretien se limite à une taille qui contrôle leur croissance. Ce jardin fut créé par Hilliers pour le Hampton Flower Show en Angleterre, et les volutes de gravier de différentes couleurs ajoutent un attrait certain ; dans un jardin privé, régulièrement fréquenté, il est sans doute préférable d'utiliser un seul type de gravier.

Les mauvaises herbes ne posent pas de problèmes si la couche est assez épaisse, mais une feuille plastique posée préalablement sur le sol empêchera de façon sûre le développement de celles aux racines profondes. Si besoin est, il est possible de planter à travers le plastique, en l'entaillant avec un couteau à l'endroit choisi.

■ CI-DESSUS

De grandes plantations audacieuses – lin de Nouvelle-Zélande (*Phormium tenax*), bambou *(Arundinaria)*, et même un mélèze *(Larix)* dans un endroit restreint peuvent être très spectaculaires. En dehors du pavage et de la jardinière en briques surélevée, ce jardin ne contient guère que quelques grands pots au milieu de galets et de grosses pierres. La couleur utilisée parcimonieusement, avec les tabacs rouges au fond, n'en ressort que davantage sur le fond vert.

La clôture de bambous laisse pénétrer la lumière pour la bonne croissance des plantes et assure suffisamment d'intimité.

■ CI-CONTRE

Il n'est pas besoin d'un grand espace pour faire impression. Une petite surface, entourée de murs, peut être étonnante si le plan est audacieux. Ici, le nombre limité d'espèces est compensé par la diversité des matériaux au sol. Les lignes droites du plancher contrastent efficacement avec les formes organiques du gravier et des pierres. Seules des plantes non rustiques ont été retenues dans ce jardin sec et très ensoleillé. La plupart d'entre elles, comme les echeverias dans le massif bleu au premier plan, doivent être rentrées l'hiver dans les régions où il gèle.

L'usage de la couleur sur les murs et le bord des massifs, associé au ton chaud du gravier, crée une plaisante harmonie de textures, de teintes et de formes, même en l'absence de plantes.

QUELQUES IDÉES

Qu'ils soient de style formel ou naturel, minimalistes ou riches en structures paysagées, ces jardins exigent un plan rigoureux.

■ **CI-DESSOUS**

Les cours et les jardins clos peuvent être chaleureux et intimes, surtout s'ils sont entourés de grands murs. En maintenant le centre dégagé, on obtient une impression d'espace, mais s'il est dépourvu d'une structure forte et de formes puissantes, un jardin n'aura pas l'air «dessiné».

Un point de mire contribue à procurer cet effet : ici, la rangée de fontaines «têtes de lions» attire l'attention. Toutefois, un tel espace, sans plantes, peut paraître rigide : il faut donc une sélection habile. Les arbres et les arbustes en pots soulignent le style formel, mais contribuent à l'adoucir. N'oubliez pas, pendant l'été, d'arroser quotidiennement les plantes en conteneurs : pensez, le cas échéant, à installer un système d'arrosage automatique.

■ **PAGE DE GAUCHE**

Ces plantes tolèrent la sécheresse et n'exigent pas d'arrosages réguliers. Le gravier, d'une part les met bien en valeur, et d'autre part empêche les mauvaises herbes de pousser.

Les dimorphothecas se cultivent facilement et sont très florifères. Il faut rentrer à l'abri du gel les plantes grasses comme les echeverias et *Agave americana* 'Variegata'.

■ **CI-CONTRE**

Ce tracé démontre l'excellente utilisation des lignes et des formes, des masses et des vides. Il fut créé pour le Chelsea Flower Show de Londres. Des dalles de granit ont été insérées dans le gravier, mais un autre type de dallage aurait été moins coûteux. Des tuiles posées sur la tranche composent un motif original. Une plantation très serrée et en grand nombre de buis, *Buxus sempervirens* 'Suffruticosa', permet d'obtenir rapidement ces blocs taillés. Cette idée peut sembler extravagante car le buis est cher, mais ce sont pratiquement les seules plantes à acheter pour ce style de jardin.

■ **CI-CONTRE**

Complètement à l'opposé de la rigidité formelle des jardins de gravier, celui-ci évoque un paysage sauvage. Une conception subtile laisse penser que la disposition naturelle des rochers et la pente sans limites visibles n'ont pas eu à subir les rigueurs du paysagisme. Lavandes, santolines et graminées se répandent entre les rochers, où couleurs et textures contrastent agréablement.

39

Conseils pratiques

LE SOL DU JARDIN

Même si ce sont les massifs qui attirent l'attention de prime abord dans un jardin, c'est souvent « le sol » – pelouse ou pavage par exemple – qui en occupe la plus grande surface. C'est un élément important, non seulement par le temps d'entretien qu'il réclame, mais aussi sur le plan esthétique.

Vous trouverez de nombreuses idées pour différents revêtements (dallage, plancher, gravier) dans les pages qui suivent, ainsi que des alternatives au gazon. Les plantes couvre-sols sont loin d'être négligeables dans les massifs. Il est primordial de bien comprendre cet aspect du jardin, car c'est celui qui occupera la plus grande partie de votre temps et une part importante de votre budget pour la conception. Essayez également d'évaluer le temps que vous souhaitez consacrer à l'entretien du jardin.

■ **PAGE DE DROITE**
LE PLANCHER Plutôt qu'un dallage, pensez dans certains cas à mettre en place un plancher. Un bois adapté et correctement traité a une longue durée de vie ; il est de plus décoratif et pratique.

SUGGESTIONS *Teintez le plancher d'une couleur assortie au reste du jardin, ou qui s'harmonise avec la décoration de la maison. Le choix des couleurs est limité dans les produits traitant le bois, mais les coloris sont plus variés dans les lasures à appliquer sur un bois déjà traité. Selon la taille, l'espacement et la couleur des planches, l'atmosphère du jardin sera différente.*

■ **CI-DESSUS**
LE GRAVIER Le gravier empêche les mauvaises herbes de pousser (en cas de mauvaise préparation du terrain ou si la couche n'est pas assez épaisse, un désherbant soigneusement appliqué permet de régler le problème pendant une saison). Une surface importante recouverte uniquement de gravier manque de charme : pour y remédier, ajoutez quelques dalles à différents endroits.

SUGGESTIONS *Des dalles peuvent rehausser le gravier. Plutôt que de créer des motifs réguliers, essayez de les disposer de manière à obtenir un style très naturel.*

LE GRAVIER SOUS TOUTES SES FORMES

Les formes de graviers sont multiples – arrondies ou pointues – dans des tailles variées (il est plus difficile de marcher sur les plus gros, mais les très petits peuvent parfois poser un problème), et dans une gamme de coloris étendue. Si la plupart des graviers sont gris, vous pouvez également en trouver dans des tons de brun, de rouge, de vert et même avec une touche de jaune. Ces couleurs varient selon qu'elles sont à l'ombre ou au soleil, que le temps est sec ou humide. Les graviers très clairs brillent au soleil. Les graviers de couleur sont souvent conditionnés en sacs plastique et vendus en jardinerie ; ils conviennent plutôt à de petites surfaces. Faites-vous livrer des grandes quantités, c'est plus économique. Si vous réussissez à vous procurer des échantillons qui vous plaisent, essayez-les dans un coin du jardin.

■ **CI-DESSOUS**

LE GRAVIER Il met très bien en valeur les plantes en pots, et vous pouvez coordonner sa couleur à celle des conteneurs utilisés.

SUGGESTIONS *Videz quelques jolis pots, groupez-les ou empilez-les et placez-les à proximité de plantes. Vous obtiendrez un effet surprenant et décoratif qui vous évitera la corvée d'arrosage quotidienne.*

ÉVITEZ LA MONOTONIE

De grandes surfaces recouvertes d'un même matériau sont ennuyeuses. N'hésitez pas à mélanger différents types de pavages, comme des briques et du bois, ou des pierres naturelles et des briques, ou bien encore des dalles de béton, entrecoupées de bandes de gravier.

■ **CI-CONTRE**

LE PAVAGE Pour une surface aux dimensions raisonnables, préférez la brique ou la terre cuite aux dalles de béton. Vous pouvez varier les motifs selon ce que vous retenez pour la pose – sur cette photo, les briques ont été posées en chevrons. Les tons de la brique et de la terre cuite sont chaleureux et s'accordent bien aux plantes. Assurez-vous auprès du fournisseur que les briques sont adaptées pour l'extérieur – certaines finissent par s'effriter avec la pluie et le gel.

SUGGESTIONS *Adoucissez le bord des zones pavées en faisant déborder les plantes – évitez cependant les plantes rampantes trop envahissantes qui risquent de faire trébucher.*

Conseils pratiques

REMPLACER AVANTAGEUSEMENT LE GAZON

Certains jardiniers prennent plaisir à tondre le gazon – cela peut être une forme d'exercice physique – mais les plus dynamiques finissent par se lasser du temps passé à cette tâche en été, ou sont consternés par l'état de la pelouse trop haute après une absence prolongée.

Il est possible de paver entièrement un jardin de petite taille, mais cette solution ne plaît pas à tout le monde ; de plus, on a toujours tendance à recouvrir une grande partie de cette zone pavée de pots et de conteneurs divers pour apporter une note colorée – et de nouveau se pose le problème de la corvée d'arrosage. Pour beaucoup d'entre nous, seule une pelouse verte peut apporter verdure et beauté au jardin tout au long de l'année. Si vous désirez vraiment une pelouse, vous pouvez remplacer le gazon par autre chose.

■ **CI-DESSUS**
LA MOUSSE Cela peut paraître un choix surprenant à ceux qui achètent régulièrement des désherbants anti-mousses. Mais il existe de nombreuses espèces de mousses, et certaines sont très esthétiques dans un endroit adapté. Dans cette zone ombragée par exemple, un gazon ne se plairait pas, alors que la mousse y prospère.

SUGGESTIONS *Dans les zones ombragées et humides, la mousse remplace bien l'herbe. On la trouve difficilement dans le commerce, ramassez-la plutôt dans la nature.*

■ **PAGE DE DROITE**
LA CAMOMILLE La camomille (*Chamaemelum nobile* ou *Anthemis nobile*) est un substitut de premier choix au gazon. C'est une jolie plante facile à se procurer, qui dégage un arôme quand on marche dessus. Elle n'exige qu'une tonte occasionnelle. Elle présente toutefois quelques inconvénients : elle n'est pas aussi résistante que l'herbe et il n'est pas possible d'utiliser un désherbant sélectif (ce problème est commun à tous les autres substituts au gazon), ce qui rend le désherbage plus fastidieux.

SUGGESTIONS *N'utilisez la camomille que pour de petites surfaces, elle sera plus facile à entretenir, comme ici autour de ce cadran solaire où elle est peu piétinée. Ne la plantez pas dans une partie du jardin où le passage est important.*

■ **CI-CONTRE**

LE TRÈFLE Planter du trèfle n'est pas une idée qui sourit aux jardiniers, car beaucoup s'évertuent à le faire disparaître de leurs gazons. Ceux qui en sont envahis, ont pu toutefois remarquer qu'il reste vert plus longtemps par temps de sécheresse et qu'il forme un tapis épais. Il vous faudra le tondre de temps à autre pour supprimer les fleurs et pour qu'il reste compact et dense.

SUGGESTIONS *Le trèfle convient mieux à une petite surface décorative comme celle illustrée ci-contre. Il crée un tapis d'une apparence luxuriante.*

PRÉPARATION DU SOL

Préparez bien le sol avant la plantation ou le semis de ces substituts au gazon, en vous efforçant d'éradiquer toutes les mauvaises herbes. Comme vous ne pouvez pas utiliser les désherbants sélectifs pour gazon, il vous faudra désherber à la main jusqu'à ce que les plantes soient suffisamment établies et compactes.

■ **CI-DESSUS**

LE THYM Le thym est un autre substitut au gazon, très prisé pour de petites surfaces, en partie pour son feuillage aromatique. Il existe de nombreuses espèces de thyms, et les formes buissonnantes, surtout utilisées dans la cuisine, sont à proscrire. *Thymus serpyllum* est un bon choix, car très dense. Ici, il est en fleur et le violet soutenu contraste joliment avec les dalles en granit du chemin.

SUGGESTIONS *Essayez d'utiliser le thym sur de petites surfaces à proximité d'un banc, ou laissez-le se faufiler entre les massifs, si cette partie du jardin n'est pas trop passante. Il est aussi très décoratif planté entre des dalles.*

Conseils pratiques

REMPLACER LES CONTENEURS

Les jardins d'entretien facile présentent souvent de grandes zones pavées ou recouvertes de gravier, et les plantes couvre-sols ou les arbustes sont regroupés dans les massifs. Le jardinier a très souvent envie de disposer de nombreux conteneurs pour compenser le manque de couleurs au fil des saisons. Résistez à cette tentation et envisagez différentes alternatives.

COMMENT PLANTER DANS LE GRAVIER

Si vous plantez dans un massif de gravier déjà établi, il suffit de mettre le sol à nu à l'endroit voulu, puis de procéder à la plantation. Si la couche arable a été enlevée pendant la construction, prélevez une partie du sol pauvre et remplacez-la, avant la plantation, par un sol plus fertile. Si le gravier est étalé sur un film plastique, faites une entaille en croix avec un couteau et repliez chaque rabat suffisamment loin pour pouvoir planter. Arrosez bien avant de replacer le gravier autour de la couronne de la plante.

■ CI-DESSUS
PLANTATIONS AU MILIEU DU GRA-VIER Au lieu de planter en conteneur afin de meubler une grande surface de gravier, plantez directement en pleine terre dans le gravier. Préparez bien le sol dans la zone à planter, pour que les plantes se développent bien, sans arrosages trop fréquents. Sur cette photo, les plantes se passent de soins particuliers, seules celles devenues trop importantes sont rabattues une fois l'an.

SUGGESTIONS *Dans le gravier, plusieurs plantes regroupées attirent plus le regard que des plantes individuelles clairsemées.*

■ CI-CONTRE
PLANTATIONS À TRAVERS UN PLAN-CHER En aménageant des trous, il est tout aussi facile de planter sous un plan-cher qu'entre des dalles. Même si les yuccas n'ont pas besoin d'un arrosage régulier, ils apprécieront davantage la profondeur du sol à celle d'un conteneur.

SUGGESTIONS *Si, dès le début du projet, vous souhaitez planter dans le sol, il est plus facile d'incorporer l'emplacement des plantations sur le plan que de soulever les dalles ou de découper le plancher par la suite.*

■ CI-CONTRE
**PLANTATIONS
SUR UNE TERRASSE**
Au lieu d'installer
des conteneurs sur
une terrasse, enlevez
plusieurs dalles et
créez un petit massif.
L'entretien sera réduit
et l'ensemble semblera
mieux intégré au
plan du jardin.

SUGGESTIONS
*Ne laissez pas la terre
nue sinon les mauvaises
herbes ne tarderont
pas à se développer.
Garnissez-la de gravier
ou de galets, cela ne
sera que plus décoratif.*

PLANTATIONS
AU PIED D'UN MUR

Pour des grimpantes
aussi vigoureuses que certaines
roses ou des glycines, des
espaces de plantation aménagés
sur une surface dallée sont plus
adaptés que des conteneurs.
Après avoir ôté quelques dalles,
plantez les grimpantes au pied
du mur ou de la clôture.
Vous pouvez légèrement
rehausser le bord avec des
briques ou des pierres, afin
de mieux mettre en valeur ce
groupe de plantations ; veillez
toutefois à ce que le niveau
de la terre ne soit pas trop
haut pour que l'eau ne déborde
pas vers la maison.

■ CI-CONTRE
MASSIFS SURÉLEVÉS
Plutôt que plusieurs
pots, voilà une
meilleure façon
d'introduire des
plantations sur une
surface pavée. Ces
massifs offrant plus de
profondeur que les
conteneurs, les plantes
s'y dessèchent moins
vite, même par temps
chaud. De plus, un seul
massif surélevé est
plus spectaculaire que
plusieurs pots réunis.

SUGGESTIONS
*Dans un petit endroit,
un massif très peu
surélevé a autant
d'impact qu'un massif
plus haut en un lieu
plus spacieux. Mais
dans ce cas, construisez
un massif sans fond,
pour que les racines
puissent pénétrer
dans le sol.*

Conseils pratiques
DÉCORER LE JARDIN

Si vous aimez les pots de terre cuite ou de céramique ou
si vous collectionnez des conteneurs pour leur originalité,
vous pouvez vous abstenir de les garnir de plantes. Utilisez-les
comme éléments décoratifs à part entière. Tous les types
de décoration sont bienvenus dans le jardin, ils contribuent
à lui donner une touche vivante et personnelle.

ATTENTION AU GEL

Assurez-vous que les pots que
vous laissez dehors en hiver
résistent au gel. Les conteneurs
vides sont moins sensibles que
ceux remplis de terre, mais ils
peuvent malgré tout se craqueler
ou se fissurer s'ils n'ont pas
subi la cuisson adéquate.

■ CI-CONTRE
LE ROCHER BRUT
Certains coins du jardin, plantés de couvre-sols comme ici de bergenia, peuvent manquer d'attrait. Un élément de décoration suffit à redonner un peu de hauteur et d'intérêt ; c'est le cas ici avec ce bloc de pierre.

SUGGESTIONS
Mettez en valeur un endroit plat ou sans intérêt par des éléments décoratifs.

■ CI-CONTRE ET CI-DESSOUS
LE GRAVIER MÉTAMORPHOSÉ Des surfaces d'entretien facile comme le gravier, plantées de conifères qui ne réclament pas d'attention finissent par paraître un peu tristes, comme le montre la photo à gauche. Essayez d'y placer quelques objets de décoration – un simple pot peut suffire à transformer le décor.

■ PAGE DE GAUCHE
UNE ÉLÉGANTE SOBRIÉTÉ Si vous avez succombé au charme d'une superbe potiche en terre cuite, ne prévoyez pas à tout prix de la garnir de plantes – pensez à la corvée d'arrosage. Utilisez de tels pots pour leur valeur décorative propre, par exemple en situation ombragée où beaucoup de plantes ne pousseraient pas.

SUGGESTIONS *Ces pots sont très grands, mais de plus petits feront tout autant l'affaire, si leur taille est proportionnelle à l'environnement.*

Conception et réalisation
DES PAVAGES ESTHÉTIQUES

Un jardin citadin, surtout s'il est clos de murs, a souvent plus d'allure si l'on attache de l'importance aux structures. Des dalles de béton couvrant l'ensemble du jardin paraîtront austères et monotones, alors que des briques aux tons chauds, posées de façon décorative, fourniront un joli décor pour les plantes, de même qu'un revêtement fonctionnel où il fait bon se détendre.

CONCEPTION

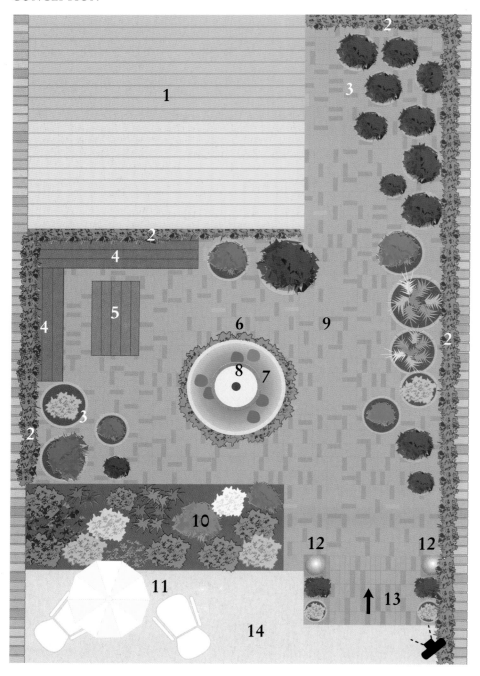

Ce jardin de ville illustre comment quelques simples rectangles peuvent se métamorphoser en un superbe jardin plein de charme, grâce à l'introduction de plantes et d'éléments paysagers adaptés. Les briques posées en damier natté apportent une note colorée et chaleureuse à ce jardin qui aurait pu être dénué d'attrait. Un banc intégré au mur tire au mieux parti d'un espace restreint, et le bassin circulaire, plutôt que rectangulaire comme le reste du jardin, laisse plus de place pour le pavage et permet une circulation plus aisée dans le coin détente.

La petite taille des briques, comparée à celle des dalles habituelles, associée à l'espace créé par le bassin circulaire, donnent

RÉALISATION

l'impression d'un jardin plus grand qu'il ne l'est en réalité.

Le bassin peut être transformé en bac à sable si vous avez de jeunes enfants, et redevenir un point d'eau quand les enfants sont plus grands. Le temps passé à arroser les nombreux conteneurs compense celui que vous auriez consacré à tondre la pelouse.

Les arbustes choisis tolèrent la sécheresse, mais ils doivent malgré tout être arrosés régulièrement. Un arrosage automatique est probablement la meilleure solution, sinon il est également possible de transformer l'espace réservé aux conteneurs en massifs plantés d'arbustes.

MOTIFS DE PAVAGE EN BRIQUES

Le motif suivant lequel les briques sont assemblées change l'impression générale. Voici trois motifs assez courants. L'assemblage en quinconce est plus efficace sur de petites surfaces ou des chemins. L'assemblage en chevrons, ou à bâtons rompus, convient pour toutes les surfaces, tandis que celui en damier natté réclame plus d'espace pour être apprécié. Assurez-vous toujours que les briques conviennent pour des dallages – celles utilisées dans la construction des maisons ne sont pas toujours adaptées.

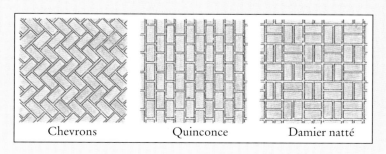

Chevrons   Quinconce   Damier natté

Conception et réalisation

ADOPTER UN STYLE

Ce jardin d'entretien facile est constitué de pavés de granit, qui lui donnent un côté architectural, rehaussé au centre par une cordyline *(Cordyline australis).* Cette plante apporte une note exotique en hiver. Les murs dissimulent habilement le garage.

CONCEPTION

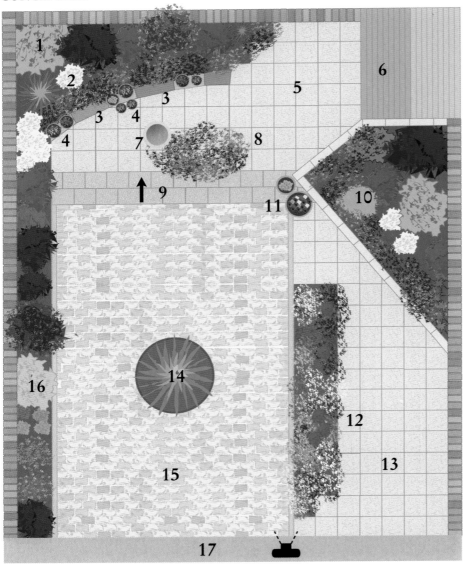

LÉGENDES DU DESSIN

1 Arbustes
2 Couvre-sols
3 Siège
4 Étagère pour les plantes
5 Terrasse dallée, surélevée
6 Garage
7 Fontaine
8 Arbustes d'entretien facile
9 Marches
10 Arbustes bas et couvre-sols dans un massif surélevé
11 Bac de plantes tolérant la sécheresse (pélargoniums)
12 Alpines et plantes rampantes
13 Dallage
14 *Cordyline australis*
15 Pavés de granit
16 Arbustes et couvre-sols
17 Maison

↑ sens de la montée des marches

lieu de la prise de vue

Une grande surface pavée peut parfois paraître oppressante quand elle remplace une pelouse. Dans ce jardin, elle a été divisée en trois parties. Dans l'une d'elles, des pavés de granit apportent un changement de texture et les différences de niveaux rompent l'aspect plat du jardin. Les massifs surélevés à l'extrémité forment un écran efficace devant le garage.

Au printemps et en été, les arbustes d'entretien facile et les plantes couvre-sols assurent un décor permanent, mais des centres d'intérêt sont indispensables pour agrémenter ce jardin à d'autres moments de l'année quand les plantes ont disparu.

Comme c'est un jardin clos, il n'est pas possible d'avoir un joli point de vue vers l'extérieur, il faut donc attirer le regard vers l'intérieur; une plante architecturale telle que *Cordyline australis* remplit cette fonction et fournit un axe autour duquel s'articule le jardin. Cette plante n'est pas totalement rustique, mais tolère le gel une fois établie. Dans les régions plus froides, vous pouvez la remplacer par un grand *Yucca gloriosa.*

RÉALISATION

PAVAGES ET DALLAGES

Les matériaux disponibles pour paver ou daller le sol sont plus nombreux qu'on ne l'imagine. On les trouve dans les jardineries, les magasins de bricolage et même dans des catalogues de vente par correspondance. Le coloris et la texture varient d'un type à l'autre, il faut donc prendre le temps d'étudier les catalogues et de visiter les fournisseurs avant de prendre une décision.

Les dalles en béton sont les plus utilisées. Elles sont disponibles dans une multitude de tailles et de formes, à tel point que le choix peut s'avérer difficile. Sachez toutefois que les couleurs vives finissent par passer, il faut donc peut-être s'attacher davantage à la finition et à la texture. Certaines font penser à des briques, d'autres à de la pierre. Les dalles en béton et

en terre cuite sont le plus souvent carrées, mais on les trouve aussi dans d'autres formes. Il suffit généralement de les poser sur un lit de sable et de les compacter. Les pavés s'assemblent de façon précise, alors qu'il faut poser les briques avec des joints de mortier ; ces dernières existent dans des

tons chauds et il est facile, dans certaines régions de les assortir à celles de la maison.

Les pavés de pierre, comme ceux de granit utilisés dans le jardin illustré ci-dessus, apportent une texture forte, mais leur surface est parfois inégale. Ils se patinent joliment avec le temps.

■ **DE GAUCHE À DROITE**
Première rangée :
pavé de pierre naturelle,
pavé de terre cuite,
brique, pavé de pierre
reconstituée.
Deuxième rangée :
différentes formes
de pavés en béton
disponibles sur le marché.
Dernière rangée :
dalles de béton dans
différents coloris.

Conception et réalisation

UN JARDIN TOUT EN SYMÉTRIE

Voici un jardin de ville où il fait bon se relaxer et méditer.
Quand les constructions et les plantations sont terminées,
un jardin de ce type ne réclame qu'un entretien restreint,
pourvu qu'il soit équipé d'un système d'arrosage automatique
pour les arbustes en conteneurs.

CONCEPTION

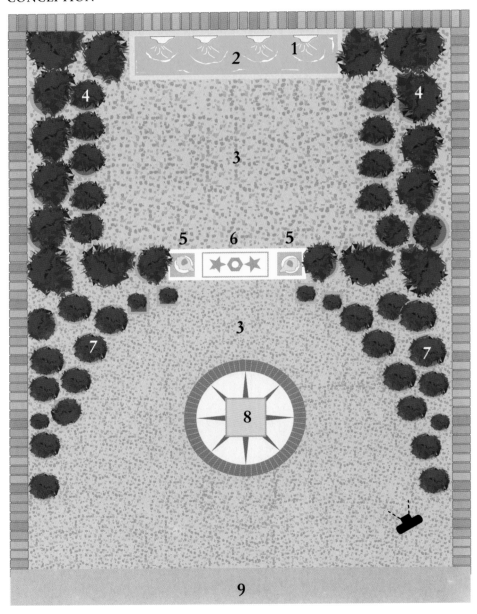

LÉGENDES DU PLAN

1 Fontaines « têtes de lions »
2 Bassin surélevé
3 Gravier
4 Arbustes de style formel
5 Statues assorties
6 Mosaïque au sol
7 Buis en conteneurs
8 Socle décoré sur sol
  en mosaïque
9 Maison

🐾 lieu de la prise de vue

Un style très formel comme celui-ci repose sur la symétrie et sur des éléments de décoration audacieux, comme une fontaine murale, une mosaïque et des statues qui s'harmonisent à l'ensemble. Ce type de jardin plaira aux amoureux des formes et de l'ordre. Les plantes également ont été retenues davantage pour leur port et leur texture que pour leur beauté ou leur couleur.

La mosaïque au sol qui relie les deux parties du jardin ajoute une note artistique.

Le buis taillé *(Buxus sempervirens)* accentue le style formel de ce jardin, très facile à entretenir. Deux ou trois tailles pendant la saison de croissance suffisent à maintenir une forme agréable – avec quelques tailles supplémentaires, il sera encore plus élégant, et le tout prend moins de temps que la tonte hebdomadaire d'une pelouse. Le buis supporte assez bien la sécheresse, mais il prospérera encore mieux avec un système d'arrosage automatique, et l'entretien de votre jardin sera réduit au minimum.

RÉALISATION

MISE EN PLACE DU GRAVIER

1 Creusez la surface concernée sur une profondeur de 5 cm. Pour une couche de gravier plus épaisse, il faut creuser davantage.

2 Afin d'éviter la réapparition des mauvaises herbes aux racines profondes, disposez sur le fond une feuille de plastique, et faites se chevaucher les bords sur 5 cm.

3 Mettez le gravier en place à l'aide d'une brouette, et répartissez-le uniformément avec un râteau sur 5 cm d'épaisseur. Compactez-le en marchant dessus ou à l'aide d'un rouleau. Ratissez de nouveau, si besoin est.

COULEUR ET TAILLE DU GRAVIER

Le gravier est disponible dans de nombreux coloris, en fonction des roches qui servent à sa fabrication. La catégorie, ou taille, change aussi son aspect. Cherchez un gravier qui vous plaise, voyez-le mouillé et sec, car il peut, suivant le cas, paraître très différent.

Conception et réalisation

UN ÉCRIN POUR UN POINT DE MIRE

Dans un jardin sec comme celui-ci, un point d'eau, en l'occurrence une fontaine, accentue l'impression d'aridité tout en apportant une note de fraîcheur. Des éléments structuraux impressionnants comme le cercle dans le mur qui encadre une sculpture, peuvent compenser l'absence de plantes spectaculaires. Celles retenues ici sont d'entretien facile et restent intéressantes tout au long de l'année.

CONCEPTION

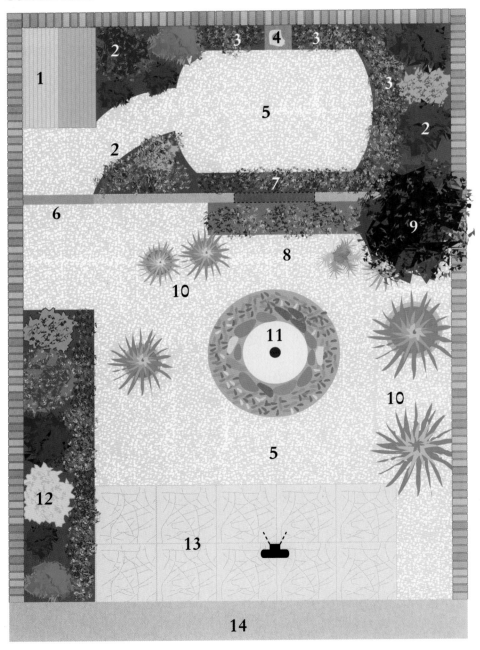

LÉGENDES DU PLAN

1 Abri de jardin
2 Arbustes
3 Couvre-sols
4 Sculpture
5 Gravier
6 Porte d'accès dans le mur
7 « Fenêtre » circulaire dans le mur
8 Arbustes bas
9 *Cedrus deodara*
10 Phormiums et yuccas en pots
11 Fontaine entourée de galets
12 Arbustes et couvre-sols
13 Terrasse dallée
14 Maison

🜚 lieu de la prise de vue

Le fait de diviser le jardin en sections plus petites crée un intérêt certain et invite à la découverte. Sur ce plan, la construction d'un mur percé d'un cercle superbe, non seulement attire immédiatement l'attention, mais laisse penser que le jardin se poursuit derrière. La sculpture contre le mur du fond capte le regard au-delà de cette forme circulaire, tandis que la fontaine au premier plan lui fait écho et équilibre l'ensemble. Les yuccas et les phormiums dans les pots qui encadrent cette fenêtre dans le mur, n'exigent qu'un arrosage minimum.

UN MUR AVEC VUE
Une « fenêtre » réalisée dans un mur fait presque toujours

RÉALISATION

l'unanimité. C'est un « truc » de
design qui exerce un réel attrait.
Dans un mur d'enceinte, des
fenêtres fonctionnent parfaitement
si la vue à l'extérieur est jolie ;
sinon il est préférable de les
positionner à l'intérieur du jardin.

Les formes à donner à ces
fenêtres n'ont que les limites
de votre imagination ; elles sont
pourtant le plus souvent
rectangulaires, ovales, circulaires
ou en forme d'arcade. Votre
décision peut dépendre du
matériau dans lequel est construit
le mur. Si vous n'avez aucune
expérience pratique de construction,
il est plus sage de faire appel à
un professionnel.

■ CI-DESSUS

Il est possible d'ouvrir une fenêtre avec
vue dans un mur de pierre. Celle-ci
connut, à une époque, un certain succès
pour ponctuer un long sentier ou une
allée à l'intérieur du jardin.

■ CI-DESSUS

Tirez le meilleur parti d'une jolie vue
au-delà d'un jardin. Ici, une arcade de
briques, entourée de belles fleurs jaunes,
encadre une élégante fontaine.

Conception et réalisation

À LA PLACE DU GAZON

Pour transformer un jardin existant en un jardin d'entretien facile, il suffit parfois de supprimer la pelouse. C'est une opération d'autant plus intéressante à considérer si vous n'aimez pas tondre ou que le temps vous fait défaut. Ici, le gravier s'est substitué au gazon, permettant au jardin de garder un attrait tout au long de l'année.

CONCEPTION

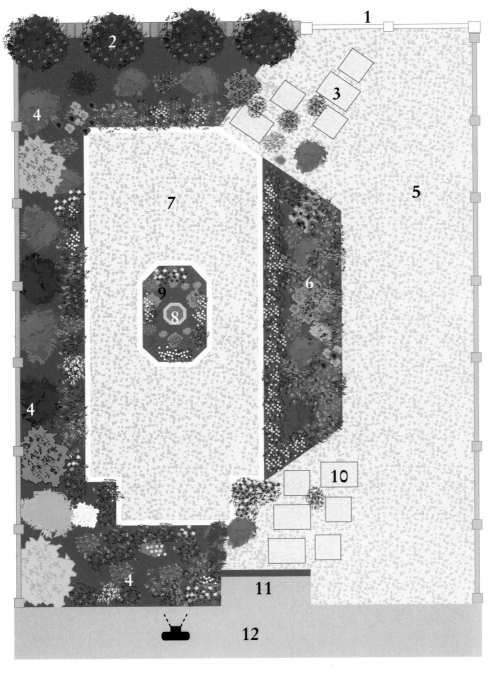

Tout le monde ne se sent pas capable de redessiner entièrement un jardin, dans le but de réduire le temps passé à l'entretien ou l'effort physique. Il suffit souvent de changer certains éléments qui occasionnent trop de travail, et dans ce domaine, la pelouse vient en première position. Il a été décidé ici de la remplacer par du gravier, car la tonte de l'herbe devenait une corvée. On a conservé les massifs existants pour lesquels il faudra tout de même procéder au désherbage et à la taille des fleurs fanées. Une bordure a été ajoutée afin d'éviter qu'il ne se répande dans les plates-bandes voisines.

LE CAS CONTRAIRE

Si vous considérez qu'un jardin sans pelouse n'est pas un jardin, et si l'entretien des massifs fleuris n'est pas votre souci premier, vous pouvez conserver le gazon et garnir les plates-bandes et les massifs de gravier. En ajoutant quelques nouveaux massifs de gravier dans la pelouse, vous restreindrez la surface à tondre et diminuerez la pousse des mauvaises herbes.

RÉALISATION

CRÉER UN MASSIF DE GRAVIER

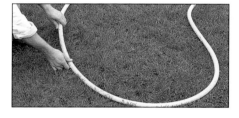

1 Déterminez une forme à l'aide d'un tuyau d'arrosage ou d'une corde, ou par une ligne de sable. Les massifs ovales s'intègrent facilement dans les petits jardins.

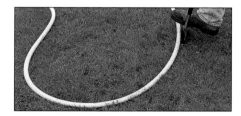

2 Découpez les contours à l'aide d'une bêche arrondie ou d'un outil spécial, en suivant la corde ou le tuyau.

3 Enlevez l'herbe sur 10 cm de profondeur, versez 8 cm de gravier. Le niveau du gravier doit être légèrement inférieur à celui de la pelouse pour ne pas se répandre.

4 Afin de pouvoir planter dans le gravier, incorporez au sol du fumier décomposé ou du compost maison, de même qu'un engrais à diffusion lente.

5 Laissez le compost se tasser avant d'ajouter le gravier uniformément sur la surface compactée, et pour finir nivelez avec un râteau.

6 Dans le gravier, il est recommandé d'espacer suffisamment les plantes et de disposer quelques pierres ou galets pour renforcer l'aspect décoratif.

Conception et réalisation

UN ANGLE ORIGINAL

Un jardin situé dans un angle est difficile à dessiner, mais vous pouvez l'isoler par un mur et bénéficier ainsi d'une certaine intimité.

CONCEPTION

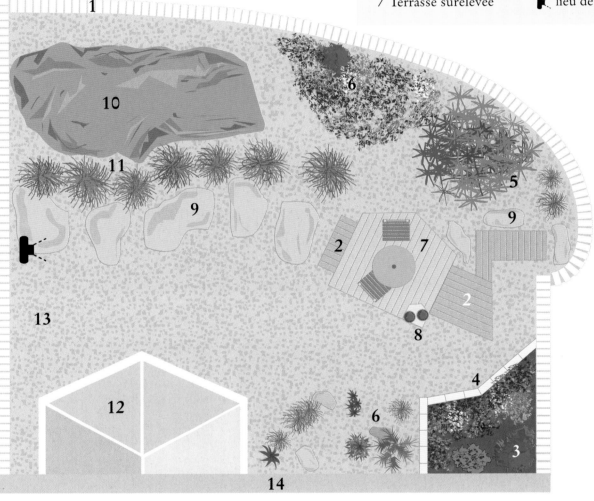

Ici, le mur élevé procure une agréable intimité, et transforme ce jardin étonnamment sec en une oasis. La peinture blanche reflète la lumière et fait resplendir cet espace pourtant clos.

Dans certains cas, la hauteur des murs peut être limitée, surtout s'ils gênent la visibilité pour la circulation dans un carrefour ; n'hésitez pas à vous renseigner auprès des autorités compétentes.

COUVRE-SOLS PEU COÛTEUX
Les plantes couvre-sols en grand nombre forment un tapis de végétation et suppriment les mauvaises herbes, réduisant ainsi l'entretien au minimum. Si votre budget jardin est limité, achetez quelques plantes dans de grands conteneurs et si possible divisez-les. *Pachysandra* est un parfait exemple de couvre-sol facile à diviser, même quand la plante est encore jeune.

PLANTER UN COUVRE-SOL

1 Les plantes couvre-sols qui ont des racines traçantes ou une couronne de racines fibreuses se divisent facilement en trois ou quatre. Arrosez la plante environ une demi-heure à l'avance.

2 Sortez délicatement la plante du pot. Tapez légèrement le pot sur une surface dure s'il y a résistance, afin d'extraire la plante sans abîmer les racines.

3 Séparez la motte avec soin, en maintenant de la terre autour des racines. Vous pouvez utiliser deux fourches à main pour diviser les plantes avec une couronne de racines fibreuses.

4 Si la plante ne se sépare pas facilement, essayez avec un couteau, sans trop l'abîmer.

RÉALISATION

5 Cette plante a été divisée en huit plus petites, mais le nombre obtenu dépend bien sûr de la taille de la plante au départ.

6 Replantez immédiatement dans le gravier ou la terre, si vous ne voyez pas d'inconvénient à commencer avec des petites plantes. Sinon, mettez-les en pots et faites-les pousser une année supplémentaire avant de les mettre au jardin. Arrosez bien les nouvelles plantations jusqu'à ce qu'elles soient complètement établies.

Sélection de plantes

PLANTES D'ENTRETIEN FACILE

Une intervention par an suffit avec les plantes d'entretien facile, notamment la plupart des arbres et des arbustes. Certaines variétés recouvrent le sol de leur feuillage, évitant ainsi l'apparition des mauvaises herbes – on les appelle des plantes couvre-sols.

ARBUSTES DE PREMIER CHOIX

La plupart des arbustes sont d'entretien facile. Si vous ne souhaitez intervenir qu'une fois par an, choisissez des persistants. *Viburnum tinus* fleurit de novembre à mars, mais il faut le tailler. La plupart des véroniques arbustives, *Hebe*, ont un port compact et une jolie floraison, bien que toutes ne soient pas parfaitement rustiques.

Hebe 'Purple Picture' est un bon exemple d'arbuste d'entretien facile. C'est une plante compacte, au feuillage persistant, mais qui ne supporte pas les hivers trop rigoureux.

ARBUSTES COUVRE-SOLS

Le lierre est un excellent couvre-sol à l'ombre, mais plus intéressants sont les cotonéasters au port prostré, comme *Cotoneaster dammeri*, avec ses baies rouges, les formes panachées de fusain, *Euonymus fortunei*, et bien sûr, tous les types de bruyères (surtout *Calluna* et *Erica*). *Pachysandra terminalis* 'Variegata' forme un joli tapis vert et blanc, même dans un sol sec à l'ombre.

Euonymus fortunei 'Emerald' n' Gold' pousse à l'ombre ou au soleil, s'étale horizontalement, ou grimpe le long d'un mur ou sur un tronc d'arbre ; sa vigueur n'est pas difficile à contrôler. Son feuillage panaché est très lumineux en hiver.

BELLES PLANTES DE MASSIFS

Choisissez des plantes de massifs qui n'ont pas besoin de tuteurage, qui ne sont pas sensibles aux parasites comme les pucerons, ou aux maladies comme l'oïdium, et

Sedum spectabile anime les massifs en automne, tandis que la plupart des plantes voisines sont fanées. Il en existe plusieurs variétés et hybrides. Ces plantes grasses ne réclament aucune attention et n'ont pas besoin de tuteurs.

qui ne nécessitent pas de divisions fréquentes. Répondant à tous les critères, vous trouvez les astilbes, les hemérocalles, les kniphofias, les rudbeckias et pour une floraison plus tardive, *Sedum spectabile.*

COUVRE-SOLS HERBACÉS

Même si la plupart des couvre-sols non ligneux disparaissent pendant l'hiver, ils présentent, à l'inverse des arbustes, une belle floraison en été et suppriment les mauvaises herbes pendant cette saison. Les hostas et les géraniums vivaces, tels que *G. endresii*, entrent dans cette catégorie.

Les géraniums vivaces sont des plantes couvre-sols très appréciées pendant l'été. Même si le feuillage disparaît durant l'hiver, leur floraison dans divers coloris est plus éclatante que chez la plupart des autres couvre-sols.

DES ARBRES POUR TOUTES LES SAISONS

Les arbres en grande majorité ne réclament que très peu d'entretien. Laissez-vous tenter par vos préférés, en fonction bien sûr de l'espace disponible. Dans un jardin de tailles petite à moyenne, optez pour les pommiers d'ornement, *Malus*, les cerisiers à fleurs, différents *Prunus*, certains sorbiers comme *Sorbus vilmorinii*. *Acer griseum* est un bel arbre dont l'écorce, couleur cannelle, est très décorative en hiver.

Acer griseum fait partie d'un certain nombre d'érables qui ne deviennent pas trop imposants. Leur croissance est lente et bien ordonnée et leur feuillage d'automne un véritable plaisir. L'écorce de couleur cannelle est un attrait supplémentaire tout au long de l'année.

CONIFÈRES COMPACTS

Les conifères nains ou à croissance lente sont parfaitement adaptés aux jardins d'entretien facile, mais souvenez-vous qu'à terme, certains atteignent une taille respectable, et qu'il faudra peut-être les déplacer. Leur silhouette architecturale est particulièrement intéressante dans les jardins peu plantés. Les ports sont multiples : les minces et élancés comme *Taxus baccata* 'Fastigiata Aurea', à l'éclatant feuillage doré ; les arrondis comme le cyprès vert *Chamaecyparis lawsoniana* 'Minima' ; les ovales

Avec son feuillage doré, sa silhouette ovale et sa croissance compacte, *Thuya orientalis* 'Aurea Nana' est un choix approprié pour un massif de conifères et de bruyères d'entretien facile. Il se développe lentement et dépasse rarement 60 cm de haut. Son feuillage prend une couleur bronze en hiver.

comme le thuya doré *Thuya orientalis* 'Aurea Nana' ; et les prostrés, excellents couvre-sols, comme *Juniperus horizontalis* 'Bar Harbour'.

PLANTES ALPINES POUR LE GRAVIER

La plupart de ces plantes apprécient un bon drainage et de ce fait se plaisent dans le gravier. Certaines

On plante souvent l'œillet de mer, *Armeria maritima*, dans les rocailles, mais il s'adapte aussi très bien dans le gravier. De grandes surfaces de gravier gagnent souvent à être parées de ce type de plantes.

d'entre elles peuvent devenir envahissantes, choisissez des plantes qui forment des touffes comme l'œillet de mer *Armeria maritima* et les œillets de rocaille pour moins d'entretien. De nombreuses autres plantes répondent à ces critères.

DES HAIES SANS PROBLÈMES

En fonction des plantes qui les composent, l'entretien des haies peut devenir une corvée. Évitez les plantes à croissance rapide, tels le troène, *Ligustrum ovalifolium*, ou le chèvrefeuille arbustif, *Lonicera nitida*. Écartez aussi les grands conifères comme × *Cupressocyparis leylandii* qui exigent une lourde maintenance. *Berberis thunbergii*, *Fagus sylvatica*, *Ilex aquifolium* sont parmi les plantes formant une haie restreinte et ne demandant qu'une intervention par an ; pour les conifères, prenez *Taxus baccata* ou *Thuya plicata* 'Atrovirens'.

Une taille annuelle suffit pour les haies de berberis, mais deux coupes supplémentaires leur donneront un aspect plus formel. Plantés serrés, les berberis forment une limite efficace et plaisante au jardin, et peuvent aussi atténuer les bruits ou masquer une vue inesthétique, tels un garage ou le tas de compost.

Terrasses, balcons et jardins sur le toit

Il ne semble guère possible de concevoir un jardin sans un endroit où s'asseoir, et même si certains bancs ou sièges nichés dans une arche de verdure ne manquent pas de charme, rien ne remplace une terrasse ou un patio pour se détendre, manger ou boire un verre, au cœur d'un joli jardin.

Si vous n'avez pas de jardin ou s'il est minuscule, une terrasse ou même un balcon peuvent en tenir lieu, et devenir une pièce supplémentaire. Sur un terrain plus spacieux, les possibilités de terrasses sont multiples.

La proximité de la maison est un emplacement logique pour une terrasse surtout si vous l'utilisez pour les repas, mais ce ne sera pas nécessairement un rectangle, situé tout de suite en sortant. La terrasse peut former un angle autour d'un coin de la maison. Elle peut aussi être éloignée de l'habitation – le plan n'en sera que plus intéressant si elle se trouve à l'autre bout du jardin ou dans une partie latérale.

■ CI-DESSUS
Une retraite ombragée pour dîner au frais, associant
le bois naturel des bancs et une table de pierre robuste.

■ PAGE DE GAUCHE
Dans un espace restreint, un petit banc arrondi agrémente un joli coin repos.
Placez-le à l'endroit où vous pourrez apprécier le fruit de votre labeur.

QUELQUES IDÉES

Demandez-vous si vous souhaitez une terrasse garnie de plantes et de fleurs, ou un espace plus dépouillé ou plus « architectural », avec peu de végétaux mais un fort impact visuel. Une terrasse réussie prolonge souvent le style de la maison.

■ **CI-CONTRE**
Les jardins sur les balcons peuvent être étonnants de simplicité. C'est le cas de celui-ci, dont un mur solide garantit l'intimité et la protection des vents. Un style semblable pourrait être appliqué à une terrasse, surtout si le reste du jardin est suffisamment spacieux pour donner libre cours à votre goût pour les plantes. L'accent est mis sur le rapport des formes entre elles et sur l'espace laissé sans plantes ni mobilier.

■ **PAGE DE GAUCHE**

Un jardin contemporain pour climat chaud. De grands cactus poussent au milieu du gravier, ponctué de pierres et de rochers. Ce jardin est véritablement conçu pour se détendre et profiter du soleil. Le mobilier noir convient au style moderne, minimaliste du jardin.

■ **CI-DESSUS**

Ce coin repos forme un contraste total avec le balcon au mur blanc de l'illustration ci-contre. Ici, le jardin enveloppe les bancs ; c'est en quelque sorte une mini-terrasse nichée au plus profond des plantations. Ce n'est pas un lieu où se retrouvent toute la famille ou les amis, mais un endroit douillet et intime où un couple, ou deux ou trois amis peuvent se détendre en parlant de jardinage.

QUELQUES IDÉES

Si vous jardinez dans un endroit restreint, vous aurez envie de le submerger de plantes, mais dans un grand jardin où les massifs sont nombreux, vous souhaiterez peut-être vous tenir à l'écart des insectes qu'attirent les fleurs, pendant les moments de détente ou les repas.

■ **CI-CONTRE**
Un lieu de repos, isolé, ne manque pas de charme ; c'est en fait une partie du jardin plutôt qu'une terrasse à l'écart. Le mobilier peint en blanc attire l'attention, au milieu de ce qui pourrait n'être qu'un fouillis de plantes. Les treillis blancs qui reprennent la couleur du mobilier, délimitent une zone du jardin visiblement bien pensée et parfaitement intégrée.

■ **CI-DESSUS**

Dans un grand jardin, un espace ainsi conçu offre une retraite protégée. Les poutres supérieures non seulement donnent l'illusion d'une pièce à l'extérieur, mais servent aussi de support à un choix de grimpantes persistantes. Ces grimpantes vont fournir une superbe canopée, mais assurez-vous que les poutres sont suffisamment hautes pour que les plantes ne deviennent pas une gêne, surtout si vous plantez des roses.

■ **CI-CONTRE**

Les balcons sont parfois exposés aux éléments, ou aux regards extérieurs. L'emploi massif de plantes, et surtout de grimpantes, aide en partie à résoudre le problème et transforme une zone pavée nue en un décor reposant.

Ici, des arbustes palissés contre le mur de la maison et des grimpantes qui s'accrochent à un support sur le bord du balcon forment un rideau de verdure efficace.

Conseils pratiques

Un coin où s'asseoir

Les jardins sont des lieux où il devrait être aussi agréable de se détendre que de travailler. Si un transat ou un fauteuil permettent facilement de passer quelques heures au soleil, une terrasse ou un balcon doivent être conçus et meublés pour devenir des endroits accueillants où il fait bon boire et manger au frais.

Impossible de concevoir un jardin sur un balcon ou une terrasse sans un endroit où s'asseoir; l'atmosphère qui s'en dégage dépend du style et du matériau du mobilier choisi. Par exemple, une table et des chaises inappropriées peuvent gâcher une terrasse intelligemment conçue et bien construite, alors qu'un mobilier bien choisi suffit à transformer une terrasse quelconque en un endroit agréable.

■ **CI-DESSUS**

LES CHAISES PLIANTES Les balcons sont les plus problématiques car l'espace y est souvent limité. Pensez à utiliser des chaises de metteur en scène, que vous pouvez plier et rentrer à l'intérieur.

SUGGESTIONS *Concevez un jardin sur un balcon, facile d'accès, avec un espace où plusieurs personnes peuvent se réunir sans être gênées par les plantes. Pour cela, groupez plusieurs pots à un endroit donné, l'effet n'en aura que plus d'impact.*

■ **PAGE DE DROITE, EN BAS**

LA FONTE D'ALUMINIUM La fonte d'aluminium a le charme de la fonte d'autrefois, tout en présentant l'avantage d'être beaucoup plus légère. Ce type de mobilier est disponible en plusieurs coloris.

SUGGESTIONS *Le brun et le vert se fondent dans le jardin, alors que le blanc ressort. Choisissez une couleur en fonction de l'effet recherché.*

■ **CI-CONTRE**

LE BOIS Le mobilier en bois naturel trouve sa place pratiquement partout. Ici, le siège est installé comme à l'intérieur d'une pièce, ce qui donne l'impression d'une extension de la maison.

SUGGESTIONS *Placez votre mobilier de manière à profiter au maximum des couleurs, des parfums et des points de vue du jardin. Une grimpante odorante est un plaisir supplémentaire lors de votre tour de jardin quotidien.*

■ **CI-DESSOUS**

LES BANCS Certaines tables avec bancs intégrés rappellent un peu les aires de pique-nique, mais il en existe de plus petites, plus stylées, d'un goût plus sûr. Celle-ci a été vernie pour conserver son aspect naturel, ce qui la rend à la fois esthétique et pratique.

SUGGESTIONS *Évitez de placer une table rectangulaire perpendiculaire à un mur ou au bord du pavage. L'effet sera beaucoup plus joli si vous donnez un autre angle, comme sur cette illustration.*

■ **CI-DESSUS**

LES MATÉRIAUX NATURELS Impossible de laisser dehors le mobilier en rotin ou en osier sous les climats humides, mais son poids léger permet facilement de le rentrer à l'abri. Ce type de chaise renforce l'impression que votre terrasse ou votre balcon sont vraiment une extension de la maison.

SUGGESTIONS *Les meubles blancs ressortent bien sur un fond de verdure, alors que dans un endroit clair et ensoleillé, avec beaucoup de pavage et peu de plantes, ils paraîtront un peu rigides. Choisissez une couleur en harmonie avec le lieu.*

L'IMPORTANCE DES MATÉRIAUX

Le prix et la qualité du mobilier de jardin varient considérablement, mais il en existe pour tous les goûts et toutes les bourses. Pour commencer, cherchez quelque chose d'approprié à l'endroit ; évitez de partir avec une idée arrêtée sur une matière spécifique ou un prix à ne pas dépasser. Peut-être vaut-il mieux acheter une pièce de mobilier de bonne qualité et qui vous plaise plutôt que plusieurs moins chères.

Plastique et résine sont souvent écartés, alors que certains types sont des matériaux robustes, durables, et présentent l'avantage d'être faciles à nettoyer, à empiler et à ranger. Si pour vous ces qualités priment, ne rejetez pas ces matériaux.

Les meubles en bois ont toujours beaucoup de succès, mais la bonne qualité se paie. Le bois exotique, fait pour durer des années, est cher et il est lourd à déplacer. Une fois l'an, il faut le nettoyer et l'enduire d'une huile ou d'un produit traitant pour qu'il conserve sa couleur.

Le mobilier en fonte se fait toujours, et convient à une atmosphère de jardin particulière, mais il est très lourd à transporter. Les copies en fonte d'aluminium présentent le même aspect, tout en étant plus légères. Leur prix assez élevé est justifié.

Ce mobilier est habituellement peint ou recouvert d'une résine protectrice. Le blanc est le plus répandu, mais c'est aussi le plus salissant. Le brun, le vert, voire le bleu sont des couleurs moins fragiles, et ne manquent pas de charme.

Conseils pratiques

UN LIEU ADAPTÉ

Ne manquez pas de fantaisie pour choisir le lieu de votre coin détente ou repas – il ne doit pas nécessairement être accolé à la maison, ni prendre la forme classique d'une terrasse. De nombreuses autres possibilités existent qui n'ont pour limites que votre imagination.

■ **CI-CONTRE**

PROCHE POUR LE CONFORT Il y a beaucoup d'arguments en faveur d'une terrasse tout près de la maison – surtout si vous recevez beaucoup. Cette disposition est aussi très pratique pour arroser les plantes à partir du robinet de la cuisine, et aller cueillir les fines herbes plantées en conteneurs.

SUGGESTIONS *Placer une terrasse à 45° par rapport à la maison apporte un petit rien d'originalité et peut permettre de mieux profiter du soleil.*

■ **CI-DESSOUS**
UN ENDROIT PROTÉGÉ Voici une terrasse traditionnelle, bien abritée, à proximité de la maison. Elle est purement fonctionnelle et s'intègre bien à ce jardin de campagne. Le léger changement de niveau entre les dalles et la pelouse délimite les contours.

SUGGESTIONS *Choisissez un emplacement à l'abri du soleil de midi, de la pluie et protégé des vents froids. L'ombre pendant une partie de la journée est plus un avantage qu'un inconvénient, mais assurez-vous qu'il y ait tout de même un ensoleillement de plusieurs heures.*

■ **CI-DESSUS**
LE CENTRE D'INTÉRÊT Difficile d'imaginer une terrasse en plein milieu du jardin, et pourtant une telle situation donne le sentiment d'un espace vraiment conçu pour y vivre. Dans ce cas, un beau mobilier de jardin est essentiel puisqu'il devient le centre d'intérêt.

SUGGESTIONS *Osez la différence, votre jardin n'en aura que plus de personnalité et de force dans sa conception.*

■ **PAGE DE GAUCHE**
UNE OASIS PERMANENTE Il se dégage beaucoup de force de cet agencement si particulier. La terrasse située à l'écart de la maison, et d'où l'on peut admirer le jardin dans toute sa splendeur, permet de profiter du soleil l'après-midi. Son emplacement au centre de la pelouse est un des attraits du jardin. Les sièges légers sont faciles à déplacer si besoin est, tandis que la table fixe, avec sa jardinière centrale, est agréable à regarder toute l'année.

SUGGESTIONS *N'ayez pas peur de concevoir un jardin qui ait l'air habité, et n'hésitez pas à construire des structures fixes. Le jeu en vaut la chandelle!*

RIEN NE REMPLACE UN BON SENS DE L'OBSERVATION

Il est important de bien situer la terrasse, et un bon emplacement sur un plan ne se révèle pas toujours aussi judicieux dans la réalité. Prenez le temps de vous asseoir dehors à divers moments de la journée et par des temps différents, pour essayer d'évaluer si l'endroit est confortable, et si cela fonctionne en termes de design.

Vous découvrirez très vite si l'ombre, les écoulements des arbres, ou les courants d'air créés par les vents froids entre les bâtiments risquent de poser problème. Vous aurez aussi une meilleure idée de votre intimité par rapport au regard des voisins sur votre propriété – un écran ou le choix d'un autre emplacement pour la terrasse peuvent s'avérer nécessaires. Une haie ou un mur vous apporteront abri ou intimité, de même qu'une pergola au-dessus de la terrasse. Tous ces détails doivent être intégrés au plan au moment de la conception du jardin.

Conseils pratiques

MANGER DEHORS

Un repas pris dehors paraît toujours meilleur que dans la salle
à manger. Même si le barbecue parfois vous enfume et si
quelques guêpes vous tournent autour, tout est plus agréable.
Si les dîners entre amis tiennent une part importante dans
votre vie, pensez à tous les côtés pratiques que cela implique
au moment de concevoir votre terrasse.

LES BARBECUES MOBILES

Les barbecues construits en dur ont plus de classe et évoquent immédiatement un jardin pensé, mais quand l'espace est limité, il faut envisager d'autres solutions. Certains barbecues sur roulettes peuvent être sortis quand c'est nécessaire ; parmi ceux-ci, il en existe avec un couvercle, plus pratiques, peu coûteux et assez esthétiques. À proximité de ces barbecues, prévoyez une desserte pour le côté fonctionnel du service. Si vous construisez un barbecue, intégrez un plan de travail ou des étagères pour poser assiettes et accessoires de cuisine.

■ **PAGE DE GAUCHE, EN HAUT**
DEUX EN UN Il n'y a rien de plus triste qu'un barbecue qui n'est pas en service. Alors pourquoi ne pas le transformer en siège ? Retirez la grille et la plaque de métal, faites disparaître toute trace de cendre, et disposez une assise en bois. Ajoutez un coussin, la métamorphose est totale et confortable !

SUGGESTIONS *Dans un petit jardin, tirez le meilleur parti de l'espace. Pensez à des éléments multi-fonctions ou que vous pouvez facilement ranger.*

■ **PAGE DE GAUCHE, EN BAS**
CONCEVOIR DES ÉCLAIRAGES Plusieurs éclairages disposés au pied d'un arbre diffusent une lumière subtile pendant le dîner, et des ombres aussi superbes que spectaculaires.

SUGGESTIONS *L'éclairage se conçoit dès le début du projet, afin d'éviter tout rajout de câbles électriques pouvant être dangereux. Les systèmes en basse tension sont les plus sécurisants ; ceux en moyenne tension sont plus puissants et restent sûrs s'ils sont installés par un professionnel. Le coût du câblage sera moins élevé si l'installation est proche de l'alimentation principale.*

■ **CI-DESSUS**
UN BARBECUE CONSTRUIT EN DUR Si vous aimez recevoir vos amis dans le jardin, prévoyez dès le départ un coin repas et un barbecue sur le plan de la terrasse. Cet élément peu décoratif quand il n'est pas en fonction, est entouré d'un banc blanc qui anime un coin qui pourrait paraître terne après le départ des invités.

SUGGESTIONS *Construisez un barbecue qui soit discret quand il ne sert pas. Évitez toutefois de le placer près d'une clôture, sous un arbre et là où il y a des risques d'incendie.*

■ **EN HAUT**
DES TORCHES ET CHANDELLES Un éclairage sur une terrasse prolonge le plaisir et permet de profiter pleinement des soirées d'été. Torches, chandelles et lanternes créent une atmosphère agréable.

SUGGESTIONS *Placez les chandelles et les torches de manière à ce qu'elles projettent des ombres évocatrices sur le jardin. En les regroupant vous obtiendrez un éclairage suffisant pour un repas romantique. Toutefois, ne les laissez jamais sans surveillance.*

Conseils pratiques

LES SOLS

La forme et l'emplacement
d'une terrasse sont les
premières décisions, puis
vient le choix du matériau
pour le sol. Son importance
est capitale puisque c'est
ce choix qui déterminera
le style et l'originalité de
votre terrasse. Les erreurs
coûtent cher et sont difficiles
à cacher. Les matériaux
sont nombreux et les
combinaisons multiples ;
en voici quelques-unes.

■ **PAGE DE GAUCHE, EN HAUT**
LES PAVAGES Les briques et les dalles de terre cuite sont les plus appréciées pour les petites terrasses, et s'harmonisent parfaitement avec des piliers en briques ou des murets de rétention. Toutes les briques utilisées dans la construction ne conviennent pas toujours pour les pavages ; vérifiez auprès de votre fournisseur que celles que vous avez choisies sont bien adaptées à l'usage que vous voulez en faire.

SUGGESTIONS *Les pots en terre cuite s'harmonisent bien à la brique, mais groupez-les pour obtenir un meilleur effet.*

■ **PAGE DE GAUCHE, EN BAS**
DES PLANCHERS COMME DES PONTS DE BATEAU Une terrasse en plancher est agréable à regarder et se marie à la plupart des plantes. Il existe de nombreux styles de planchers (voir encadré ci-dessus) ; utilisez des lasures de couleurs différentes pour varier les effets. Faites d'abord un essai sur une petite surface, et dessinez le motif souhaité avant d'acheter les lattes de bois, pour être sûr qu'il s'adapte bien à la forme et au style de votre terrasse. Les planchers recouvrent aussi de façon esthétique et avec une certaine unité des surfaces irrégulières.

SUGGESTIONS *Les meubles en bois s'accordent bien au plancher, mais rien n'empêche l'emploi d'autres matériaux pour le mobilier. Si vous délimitez votre terrasse en bois par des treillages, utilisez un ton de lasure coordonné.*

PLANCHERS DÉCORATIFS

La façon dont les lattes sont assemblées change l'aspect du plancher, comme le montrent ces huit variations. Certains motifs ne conviennent pas à un plancher de forme irrégulière. Ceux composés d'un nombre de carrés symétriques sont mieux adaptés à une terrasse rectangulaire.

Dans le doute, faites quelques essais de composition, avant de couper et de fixer les lattes.

■ **CI-DESSUS**
EFFETS CONJUGUÉS Les dallages en béton, associés à de la brique sont assez plaisants dans un design de conception moderne. Sachez cependant que si vous optez pour des couleurs éclatantes, celles-ci finissent toujours par se ternir avec le temps.

SUGGESTIONS *Terminez une terrasse en dalles de béton par une bordure en briques ou en terre cuite. Vous obtiendrez un contour précis et une plus jolie finition.*

■ **CI-CONTRE**
LE BÉTON Ce matériau produit un bon effet dans un environnement approprié. Ici, l'association pavés et blocs, utilisés comme sièges, fonctionne très bien.

SUGGESTIONS *Pensez au mariage entre les matériaux et les éléments de la terrasse. Les pavés en béton paraîtraient incongrus en compagnie d'un mobilier traditionnel en fonte d'aluminium.*

Conception et réalisation

UNE COUR SOPHISTIQUÉE

1 Treillage horizontal en hauteur
2 Bassin formel
3 Fontaine
4 Dalles en terre cuite
5 Dalles en terre cuite posées sur la diagonale
6 Grimpantes contre la clôture
7 Arbres et arbustes
8 Arbre isolé
9 Table et bancs
10 Maison
11 Treillis verticaux

lieu de la prise de vue

Les dalles de terre cuite fonctionnent mieux que des briques ou un autre pavage dans une cour comme celle-ci, car elles contribuent à créer l'impression d'une pièce à l'extérieur, qui serait en fait le prolongement de la pièce à vivre.

CONCEPTION

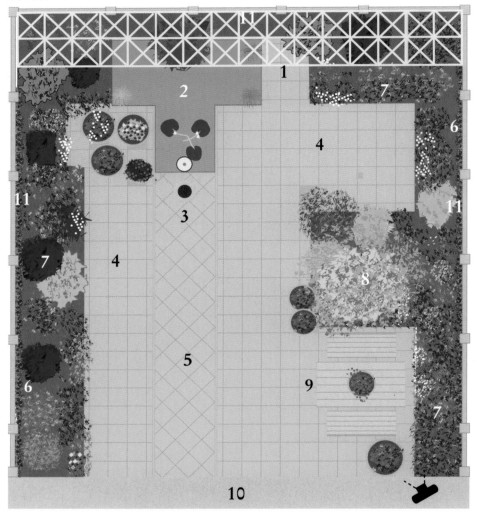

Voici la marche à suivre pour construire une tonnelle en treillage, que vous pouvez toutefois adapter si vous préférez construire une pergola.

CONSTRUIRE UNE TONNELLE EN TREILLAGE

Sur une terrasse ou dans une cour, ce type de dallage donne le ton. Les carreaux, aux coloris chauds, reflètent l'atmosphère méridionale de ce jardin. L'eau joue un rôle important ; le bassin formel n'a pas besoin d'être très grand et une fontaine discrète s'intègre mieux qu'un bouillonnement bruyant.

Même le plus joli des pavages peut paraître oppressant s'il y en a trop. Le fait de poser une bande dans la diagonale instaure une fracture visuelle, sans briser l'unité et l'harmonie qui règnent à l'intérieur de ce jardin. Le treillage posé en pergola et ceux qui habillent les murs, fournissent une ombre appréciée et une certaine intimité.

1 Faire un montage à blanc, pour avoir une idée du résultat. Deux des panneaux de 2 m × 0, 60 m sont pour les côtés et le troisième est pour le dessus. Les deux panneaux plus étroits et celui avec la partie concave sont pour le devant de la tonnelle, et le panneau de 2 m × 0, 90 m sera placé horizontalement sur le haut de la partie arrière. Sciez les poteaux de bois à la longueur voulue ; ils devraient mesurer 2 m plus la partie encastrée dans la base carrée du piquet métallique qui les maintiendra en place.

RÉALISATION

Un treillis vertical peint dans une teinte assortie au reste, et entouré de plantations colorées et odorantes, en massifs ou en pots, constitue un refuge paisible.

OUTILS ET MATÉRIAUX

*Pour une tonnelle
de 2 m de long*

- 3 treillis de 2 m × 0,60 m
- 2 treillis de 2 m × 0,30 m
- 1 treillis concave de 2 m × 0,45 m
- 1 treillis de 2 m × 0,90 m
- 6 poteaux carrés de 2,20 m de long et de 8 cm de côté
- 6 piquets métalliques de 75 cm de long pour poteaux de 8 cm de côté
- une scie
- une masse
- des clous galvanisés de 5 cm
- un marteau
- une perceuse-visseuse avec une mèche de 8 mm et un tournevis
- 40 vis galvanisées de 2, 5 cm
- 2, 5 l de lasure extérieure
- un pinceau

2 Commencez par la partie arrière. Écartez les poteaux de 2 m, marquez leur position, puis avec une masse, enfoncez les piquets métalliques (protégez le haut avec un morceau de bois ou avec l'accessoire conçu pour cet effet). Placez les poteaux dans ces fourreaux métalliques. Avec quelques clous galvanisés, fixez temporairement le haut du treillis sur le haut des poteaux. Puis à l'aide d'une perceuse et d'une mèche de 8 mm, percez des trous à intervalles réguliers du haut en bas des poteaux et vissez le treillis.

3 De la même manière, positionnez les poteaux extérieurs de devant et fixez les panneaux latéraux, puis les poteaux internes et les panneaux de devant. Fixez ensuite le panneau concave entre les deux panneaux de façade. Pour finir, vissez directement le toit dans les poteaux. Traitez la tonnelle avec une lasure extérieure.

Conception et réalisation

UNE OASIS DE SENTEURS

Plutôt que de faire une terrasse formelle et bien structurée, essayez de l'implanter en bordure d'un massif. Vous serez vraiment au cœur de votre jardin et, grâce à des plantes odorantes à profusion, vous serez environné de fragrances.

CONCEPTION

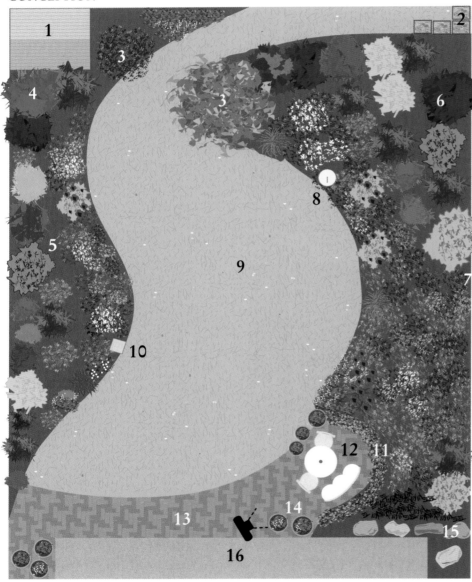

aussi les abeilles, ce qui peut être un inconvénient.

DE JOLIS SIÈGES

Au lieu d'acheter du mobilier de jardin, vous pouvez, grâce à quelques coups de pinceau judicieux, redonner une deuxième jeunesse à une ancienne table et de vieilles chaises, et peut-être même les assortir aux coloris des plantes avoisinantes.

Des meubles en bois auront toujours fière allure, et vous serez sûr d'obtenir la couleur désirée, grâce aux centaines de teintes de peintures. Si vous n'avez pas de vieilles chaises, allez dans les dépôts-ventes, et pour les conserver plus longtemps, ne les laissez pas dehors quand vous n'en n'avez pas besoin.

Si vous n'êtes guère tenté par la formalité d'une terrasse rectangulaire à proximité de la maison, et si vous souhaitez que votre coin repos soit au cœur d'un jardin de style naturel, essayez de l'intégrer dans l'un des massifs.

Le talus de thym et la lavande en pots dégageront d'agréables senteurs. Mais n'oubliez pas que ces plantes aromatiques attirent

RÉALISATION

■ CI-DESSUS
Ces couleurs éclatantes ne s'harmonisent peut-être pas avec toutes les plantes, mais une telle chaise égaiera à coup sûr votre jardin.

■ CI-DESSUS
Des tons de blanc et de gris associés apportent une note de fraîcheur et se marient avec de nombreux environnements. Les couleurs naturelles ou passées contrastent avec les floraisons éclatantes de l'été.

■ CI-DESSUS
Joliment décorée avec les couleurs typiques d'un jardin en été, cette chaise est superbe, entourée de potées de pélargoniums d'un rouge ardent.

■ CI-DESSUS
Cette chaise bleue se marie bien aux tons de l'abri de jardin à l'arrière-plan. Le plaisir de concevoir un tel projet réside dans le fait que vous pouvez choisir autant de couleurs et leurs nuances, pour jouer les harmonies ou les contrastes.

Conception et réalisation

SUR LE TOIT

Les possibilités de création de jardins sur un toit sont plus limitées en raison des contraintes techniques. Ce sont le mobilier et les plantations qui en définiront le style.

CONCEPTION

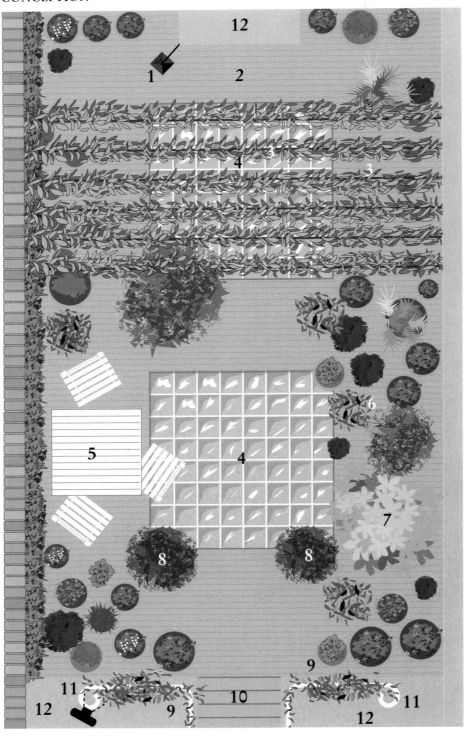

Les jardins sur les toits offrent plus de possibilités que les balcons car ils sont souvent plus grands, mais ils présentent les mêmes problèmes. La structure matérielle dicte la forme de base et les limites des réalisations possibles. Choisissez avec soin mobilier et plantes pour créer une atmosphère : ici, un plan simple de jardin formel avec plantations de buis et autres persistants « architecturaux ». Ces arbustes tolèrent le vent mieux que d'autres.

Ce toit est capable de supporter le poids des nombreux pots de terre cuite, mais dans d'autres cas il peut être préférable d'utiliser des conteneurs en plastique, garnis d'un terreau léger, capables toutefois de résister à des vents forts. Si vous avez des doutes à propos de la résistance de votre toit, n'hésitez pas à consulter un architecte.

TOPIAIRES CLASSIQUES
Les topiaires s'entretiennent facilement. Quand vous procédez à la taille, n'en faites pas trop. Des tailles légères et fréquentes, aux ciseaux, sont de loin préférables à une taille annuelle sévère à la cisaille.

RÉALISATION

■ **CI-DESSOUS, DE GAUCHE À DROITE**

Topiaire en boule, topiaire en tire-bouchon, topiaire avec trois boules superposées et topiaire en boule classique. Vous pouvez facilement former des topiaires avec de jeunes plantes en faisant preuve de patience et d'adresse. Si vous achetez des spécimens déjà formés, vous aurez un effet immédiat.

EMPOTER LES TOPIAIRES

1 Transvasez la plante de son pot d'origine au pot de terre cuite, avec quelques tessons dans le fond. Remplissez l'espace autour de la motte avec du terreau de rempotage.

2 Tassez fermement le substrat sur les côtés, afin d'éviter la formation de poches d'air. Disposez de l'engrais en surface et arrosez copieusement.

3 Pour conserver l'humidité et obtenir une finition soignée, particulièrement avec les topiaires sur tige, déposez en surface une couche épaisse d'écorces ou de gravier.

Conception et réalisation

UN CENTRE D'INTÉRÊT

Votre terrasse ou votre coin repos n'aura que plus de charme si vous rompez avec la tradition, en les plaçant loin de la maison, au cœur du jardin, dont vous pourrez profiter pleinement.

CONCEPTION

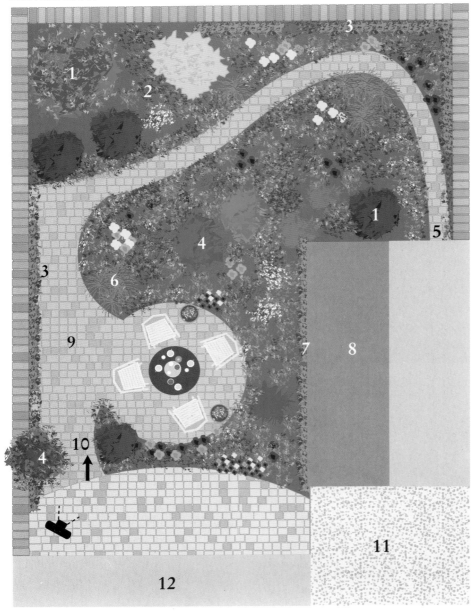

LÉGENDES DU PLAN

1 Arbre isolé
2 Massif de vivaces
3 Grimpantes contre le mur
4 Arbustes
5 Porte à l'arrière du garage
6 Plantations mélangées
7 Grimpantes sur le mur du garage
8 Garage
9 Pavés de granit
10 Marches en pavés de granit
11 Allée
12 Maison

↑ sens de la descente des marches

lieu de la prise de vue

La structure de ce jardin ne repose sur aucune grille basée sur des rectangles ou une série de cercles, ce qui prouve que les règles du design peuvent être librement interprétées. Certains des plus beaux jardins donnent l'impression d'avoir évolué de façon naturelle, une partie se fondant avec l'autre. Comme les courbes et lignes droites ne font pas toujours bon ménage, ce jardin est fait de cercles, d'arcs de cercles et de courbes douces.

DES SIÈGES CONFORTABLES

Les sièges de jardin devraient être aussi pratiques qu'esthétiques. On trouve des sièges pleins de charme en fonte d'aluminium (qui ressemblent à des sièges en fonte, mais sont beaucoup plus légers et plus pratiques à l'extérieur), mais il est aussi possible de recycler de vieux fauteuils qui donneront du caractère à votre jardin.

L'association habile de chemins sinueux en pavés de granit et de plantations en masse transforme ce jardin d'un goût sûr en un régal pour les amateurs de plantes.

Le coin repos, situé au cœur du jardin, parmi arbustes et plantations mélangées, est un endroit magique où il fait bon s'asseoir et prendre un repas.

RÉALISATION

■ CI-CONTRE
Ce vieux fauteuil
« Loom » a été
repeint de deux
tons de bleu,
à l'aide d'une
bombe de
peinture pour
carrosserie.
Patiné par le
temps, il s'intègre
parfaitement dans
un jardin de curé.
Il ne résiste pas
aux intempéries,
mais peut être
sorti de la véranda
dans certaines
occasions.

■ CI-DESSUS
Les bancs métalliques ne sont guère
attrayants, mais celui-ci connaît une
deuxième jeunesse, grâce à une peinture
d'un beau bleu méditerranéen. Deux
coussins dans des tons assortis ajoute-
raient encore au charme de ce coin repos.

Conception et réalisation

ÉLÉGANCE FORMELLE

Même dans des jardins de ville de ce type, une longue perspective ponctuée d'un point de mire, confère une forme d'élégance spacieuse. Le côté formel est adouci par plusieurs zones attractives.

CONCEPTION

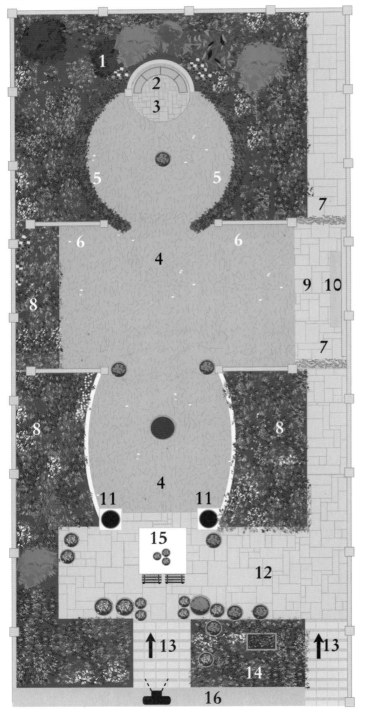

Faisant appel à un certain nombre d'éléments intéressants, ce jardin illustre parfaitement la manière dont un simple treillage peut structurer visuellement l'espace. Des treillis de forme particulière séparent le jardin en une série de compartiments ; ils ajoutent hauteur et structure sans arrêter le regard ni diffuser une ombre épaisse comme le feraient une haie ou un mur. Les treillis peuvent être peints ou lasurés dans des teintes variées, afin de créer une ambiance particulière ou accentuer un style.

Toutes sortes de treillages sont disponibles chez les fournisseurs spécialisés, mais il est également possible de les faire faire sur mesure.

Le treillis en arc de cercle au fond du jardin abrite un petit coin repos, qui fait écho à la terrasse près de la maison et constitue également un point de mire. Plusieurs terrasses vous permettent de profiter pleinement du soleil, et elles n'ont pas toutes besoin d'être spacieuses. Ce type de plan est facile à réaliser, sans trop de constructions coûteuses, s'il existe déjà une pelouse centrale.

PLANTER DES GRIMPANTES

Tous les treillages, qu'ils soient élégants, comme dans ce projet, ou modestes, gagnent à être habillés de grimpantes. Ces plantes n'ont pas à recouvrir entièrement l'ensemble du treillis (parfois la structure dénudée renforce l'effet général).

Si les treillis sont le long d'un mur ou d'une clôture, il est important de planter les grimpantes à quelque distance du pied du mur, pour qu'elles puissent bénéficier de la pluie.

PLANTER UNE GRIMPANTE

1 Creusez un trou d'un diamètre deux fois supérieur à celui de la motte, avec son centre à 30 cm du mur ou de la clôture, pour éviter que les racines de la plante soient trop au sec. Incorporez une bonne quantité de fumier décomposé ou de compost de jardin.

2 Arrosez la plante, puis faites glisser la motte du conteneur. Avec soin, démêlez les fines racines sur le pourtour de la motte, pour qu'elles se développent plus rapidement dans le sol. Remettez la terre en place et tassez.

3 Détachez les tiges de leur support, étalez-les largement vers le bas et fixez-les sur les treillis.

4 Arrosez copieusement après la plantation, et continuez les arrosages jusqu'à ce que la plante soit bien établie. Appliquez un paillis sur le sol pour retenir l'humidité et supprimer l'apparition des mauvaises herbes.

Conception et réalisation
L'ÉLÉGANCE SIMPLE

Les formes les plus simples, bien exécutées, sont parfois les plus efficaces. Ce jardin est conçu de plusieurs rectangles autour d'une grande pelouse. La terrasse est reliée à la maison par un pavage en chevrons, fort élément « architectural ».

CONCEPTION

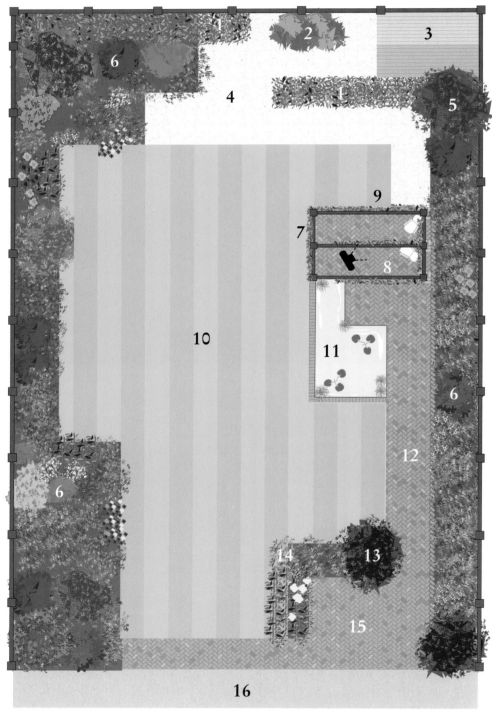

L'unité d'un jardin repose sur le choix des matériaux et le dessin de base. Ici, la brique est largement utilisée pour relier différentes parties du jardin, et en particulier la terrasse à la maison. Les piliers en briques pour la pergola rappellent ce thème et deviennent un élément dominant dans l'ensemble du plan.

Un éclairage est incorporé dans les piliers sur la terrasse, permettant de prolonger les moments de détente après la tombée de la nuit.

LA POSE DE PAVÉS DE BÉTON OU DE TERRE CUITE
On pose généralement les briques sur un lit de mortier, les joints étant également comblés au mortier ; en revanche, c'est directement sur une couche de sable que l'on pose les pavés de béton ou de terre cuite. Leurs faibles dimensions font qu'ils s'emboîtent naturellement et les joints sont simplement garnis de sable compacté ou tassé. Ces pavés peuvent remplacer avantageusement les briques sur une terrasse ou pour une allée.

RÉALISATION

POSER DES PAVÉS

1 Décapez le sol et préparez une sous-couche d'environ 5 cm de blocage ou d'un mélange de sable et de gravier. Posez une rangée de pavés à une extrémité et sur un des côtés. Vérifiez qu'elles sont à niveau, puis scellez-les avec du mortier.

2 Versez une couche de sable d'environ 5 cm sur la zone à paver, puis posez une planche de bois de façon à ce que ses extrémités encochées prennent appui sur deux règles de niveau. Déplacez la planche pour niveler la surface du sable.

3 Posez les pavés suivant le motif choisi, sur environ 2 m à la fois. Vérifiez qu'ils s'emboîtent bien et reposent fermement sur le bord. Cimentez les bordures au fur et à mesure de votre progression.

4 Louez une dameuse à moteur pour consolider le sable, sinon utilisez une planche et une masse pour tasser les pavés. Ne vous approchez pas trop près de bords non supportés avec la dameuse, vous risqueriez de les abîmer.

5 À l'aide d'un balai, introduisez du sable dans les joints entre les pavés, puis damez ou tassez de nouveau. Pour une finition soignée, n'hésitez pas à damer une nouvelle fois. Vous pouvez utiliser votre terrasse immédiatement.

Sélection de plantes

PLANTES POUR TERRASSES, BALCONS ET TOITS

Vous pouvez cultiver de nombreuses grimpantes arbustives et annuelles pour habiller les murs d'une terrasse, et des arbustes « architecturaux » comme points d'intérêt. Les annuelles et les vivaces non rustiques en pot apporteront une note colorée pendant l'été.

GRIMPANTES ET ARBUSTES À PALISSER

Les balcons et terrasses ont souvent un mur de séparation sur au moins un côté, que de jolies grimpantes ou des arbustes à palisser rendront plus esthétique. Le lierre couvre de grands murs mais gagnera à être mélangé à des plantes à fleurs ou à baies. Les clématites à grandes fleurs sont idéales, mais évitez les variétés très envahissantes comme *Clematis montana*. Si l'espace est restreint, abstenez-vous de planter des grimpantes à épines, ou des rosiers. Les pyracanthas, toutefois, sont faciles à palisser et à contenir.

Les clématites à grandes fleurs sont spectaculaires quand elles grimpent contre un treillis. Ces variétés sont *Clematis* 'Nelly Moser' (en haut) et 'Lasurstern' (en bas), mais vous n'aurez que l'embarras du choix dans les jardineries.

ARBUSTES « ARCHITECTURAUX »

Ce sont des plantes très structurées aux contours bien délimités avec de grandes feuilles ou des lignes pointues que vous disposerez pour qu'elles attirent l'attention. Évitez les plantes dont les extrémités des feuilles sont piquantes comme *Yucca gloriosa*, elles peuvent être dangereuses, surtout pour les enfants. Les feuilles de *Cordyline australis* sont plus souples et offrent de jolies formes panachées. Avec leur feuillage coloré ou panaché, les phormiums sont spectaculaires en massifs ou grands conteneurs.

Cordyline australis 'Albertii' est une forme panachée de cette plante architecturale, très décorative. Elle est probablement moins rustique que les espèces à feuilles vertes, et une protection hivernale est indispensable dans certaines régions.

PLANTES DE MASSIFS POUR CONTENEURS

En dehors des hostas, peu de plantes de massifs poussent en conteneur mais tentez l'expérience s'il vous reste quelques vivaces après la division des touffes. L'effet obtenu est surprenant, car elles ne sont pas habituellement cultivées de cette manière. Des potées de *Lychnis coronaria* ou de *Ligularia dentata* 'Desdemona', avec ses grandes feuilles presque pourpres, surprendront vos visiteurs. Les plantes cultivées pour leur feuillage sont souvent les plus intéressantes.

Les formes d'*Hosta* sont multiples. Certains sont joliment panachés et d'autres ont de belles fleurs. Arrosés régulièrement, ils poussent très bien en conteneur, et sont de ce fait des plantes idéales sur les terrasses.

ARBRES ET ARBUSTES POUR CONTENEURS

Ce sont le plus souvent les annuelles qui apportent la couleur sur votre terrasse, mais celle-ci paraîtra moins terne en hiver avec quelques arbustes persistants dans de grands conteneurs. *Viburnum tinus* est particulièrement agréable car il fleurit en hiver. C'est surtout pour son feuillage étonnant que l'on cultive *Fatsia japonica*, mais les plantes adultes ont une floraison blanche en fin d'automne. Il est possible de cultiver en pots de petits arbres comme les cytises (*Laburnum*) ou quelques érables (*Acer*).

ROSIERS POUR TERRASSES

La plupart des roses tiennent bien en pot, mais pousseront mieux dans un massif surélevé ou inclus à la terrasse. Il existe cependant des variétés destinées à la culture sur terrasse – ce sont des variétés naines ou des floribunda très compactes, dont les fleurs sont en bouquets serrés. 'Sweet Dream' et 'Top Marks' sont excellentes, mais vous en trouverez de nombreuses autres.

Les rosiers pour terrasses viennent mieux dans des massifs, mais s'acclimateront relativement bien dans un conteneur. Ici 'Top Marks' est une des variétés les plus appréciées des producteurs professionnels.

PLANTES DE PARTERRES À SUCCÈS

Vous pouvez, selon votre convenance, garnir votre terrasse d'un grand nombre de potées fleuries. Les pélargoniums sont les plus prisés, car ils évoquent la Méditerranée, se plaisent au soleil et s'accommodent d'arrosages moins fréquents que d'autres plantes. Les impatiens sont également très appréciées grâce à leur floraison de longue durée, aussi bien à l'ombre qu'au soleil. Les hybrides de

Les pélargoniums grimpants, avec leurs fleurs éclatantes, sont aussi spectaculaires dans les jardinières que les paniers suspendus. Ce sont d'excellentes plantes pour les conteneurs car elles supportent mieux la sécheresse que d'autres.

Nouvelle-Guinée, aux fleurs plus grosses et au feuillage parfois panaché, méritent une place de choix sur votre terrasse.

VIVACES NON RUSTIQUES INTÉRESSANTES

Il est toujours intéressant d'introduire dans vos plantations des vivaces non rustiques, à distinguer des annuelles obtenues par semis. Il faut les multiplier de façon végétative et les conserver à l'abri du gel pendant l'hiver, sinon vous devrez vous en procurer de nouvelles tous les ans. Les fuchsias sont de bons exemples, mais vous pouvez essayer certaines de ces lumineuses marguerites qui évoquent immédiatement les climats chauds. *Argyranthemum*, *Venidioarctotis* et *Osteospermum* sont de bons exemples, très florifères.

UNE TOUCHE D'EXOTISME

Dans les régions où les gels sont fréquents, une terrasse abritée ou un balcon peuvent fournir

Argyranthemum frutescens est probablement plus connu sous le nom de *Chrysanthemum frutescens*. Les variétés sont nombreuses dans des tons de jaune, rose ou blanc, et toutes sont très florifères. Celle-ci est une 'Sharpitor'.

un environnement adapté à des plantes plus souvent cultivées dans une serre ou une véranda. Les coleus s'obtenant facilement par semis, vous pouvez vous en débarrasser en fin d'été. Essayez de disposer vos plantes d'intérieur sur la terrasse pendant l'été, en les acclimatant progressivement.

Les coleus sont le plus souvent cultivés en pots, mais ils poussent aussi très bien au jardin en été. Les semis sont faciles, commencez à les faire pousser à la chaleur dès février-mars.

L'INFLUENCE JAPONAISE

Des règles strictes président à la conception d'un authentique
jardin japonais, où chaque élément a une valeur symbolique souvent
inconnue des Occidentaux. Rien ne nous empêche toutefois
d'apprécier le style et les raffinements esthétiques, ni d'intégrer
quelques éléments japonais, même s'ils ne revêtent pas toute
la signification qu'ils auraient dans leur véritable contexte.

Les jardins doivent s'adapter à l'environnement et à la tradition
des régions où ils sont implantés. Dans nos jardins occidentaux,
nous pouvons cependant tout à fait concevoir une partie « à la japonaise »
ou intégrer des éléments décoratifs caractéristiques ; la plupart
des lanternes votives, par exemple, sont utilisées sans référence
à leur caractère symbolique, mais uniquement pour leur effet
ornemental. Même si vous n'êtes pas décidé à transformer l'ensemble
de votre jardin, une touche japonaise y apportera harmonie et élégance,
et vous pourrez goûter à la sérénité d'une atmosphère apaisante.

■ **CI-DESSUS**
Il suffit d'un simple élément décoratif comme celui-ci pour évoquer la culture japonaise.

■ **PAGE DE GAUCHE**
Une interprétation occidentale du style japonais avec l'emploi de plantes et d'éléments.

QUELQUES IDÉES

Vous pouvez introduire une touche japonaise à votre jardin sous diverses formes, sans pour autant le redessiner entièrement à l'orientale.

Une clôture en bambous, des fontaines ou des lanternes soigneusement positionnées suffisent à créer une atmosphère.

■ PAGE DE GAUCHE

L'espace situé sur le côté d'une maison de ville est souvent négligé car il paraît difficile d'y cultiver des plantes, et les possibilités d'un design fort sont très limitées. Celui-ci montre comment utiliser des éléments japonais dans un endroit peu engageant. Notez l'utilisation d'écrans de bambous ou de roseaux qui contribuent à accentuer le style.

■ CI-DESSOUS

L'influence japonaise est évidente avec l'utilisation de l'eau, mais ce jardin est un hybride, d'un style plus occidental. C'est un parti pris plus facile à appliquer qu'une interprétation stricte du style japonais.

■ CI-DESSOUS

L'entretien est réduit au minimum dans ce jardin où il suffit de tailler les dômes deux ou trois fois l'an, mais l'effet est aussi saisissant que s'il était rempli de fleurs. Ce véritable jardin japonais peut ne pas être du goût de certains jardiniers, davantage habitués à un arc-en-ciel de couleurs et à une profusion d'espèces, mais sa finalité n'est pas la même.

QUELQUES IDÉES

À l'austérité des jardins japonais, certains préfèrent la verdure et les floraisons éclatantes. Toutefois, comme l'illustrent les photographies suivantes, le recours à des matériaux naturels assure un style dépouillé, ne nécessitant souvent qu'un minimum d'entretien.

Voici un jardin typique où quelques traits caractéristiques japonais se marient à des éléments occidentaux, sans essayer de suivre fidèlement la philosophie des jardins japonais. Chaque jardin peut s'inspirer de différents styles pour refléter les goûts de son propriétaire.

■ CI-DESSOUS
Dans un petit jardin, ou un jardin de ville, vous pouvez réaliser quelques aménagements avec des éléments japonais. Un mur blanc en arrière-plan accentue l'effet recherché et une clôture en bambous remplace avantageusement celle en bois qui était probablement en place avant la transformation.

■ PAGE DE GAUCHE
Conçu très loin du Japon, ce jardin reflète pourtant une forte influence orientale. Les clôtures auraient pu rompre l'atmosphère si elles n'avaient été remplacées par des écrans de roseaux, dont l'uniformité met en valeur les différents éléments.

Conseils pratiques

LA MAGIE DES LANTERNES

Vous n'avez pas besoin d'être spécialisé dans l'étude des jardins japonais pour utiliser et apprécier de nombreux éléments associés à ce style. Les lanternes votives en sont de parfaits exemples, et il est inutile de leur chercher une signification si leur côté décoratif vous plaît. Il est possible de se les procurer dans certaines jardineries ou encore par l'intermédiaire de catalogues de vente par correspondance.

Les lanternes votives sont utilisées très couramment dans les jardins occidentaux à titre essentiellement décoratif. Au Japon, chaque type a une signification particulière, et leur disposition n'est jamais faite au hasard. Dans votre jardin, placez-les là où elles seront à leur avantage.

EMPLACEMENT Tirez le meilleur parti des allées sinueuses dans un grand jardin en plaçant des lanternes qui guident vos pas. Au Japon, elles éclairent le chemin vers une cérémonie de thé traditionnelle ou elles attirent l'attention sur une scène.

SUGGESTIONS *De petits érables du Japon et un sol couvert de mousse renforceront l'ambiance orientale. Évitez des plantes sans rapport au jardin traditionnel japonais.*

■ **EN BAS**
LANTERNES EN FORME DE PAGODES Les lanternes « Kasuga », dont le sommet évoque une pagode, portent le nom d'un sanctuaire situé à Nara au Japon. Leurs dimensions font qu'elles peuvent devenir un centre d'intérêt particulier dans le jardin.

SUGGESTIONS *Placez cette lanterne au bord d'une mare, afin qu'elle s'y reflète.*

■ **PAGE DE GAUCHE, EN HAUT**
LANTERNES SUR SOCLES Les lanternes de style « Rankei » sont soutenues par des socles en arc de cercle, pour que la lumière se reflète plus largement à la surface de l'eau.

SUGGESTIONS *Choisissez soigneusement l'emplacement de la lanterne pour qu'elle soit agréable à regarder de près, qu'elle soit visible d'autres points du jardin et qu'elle se détache bien de la surface de l'eau.*

■ **PAGE DE GAUCHE, EN BAS**
DES LANTERNES DANS LA NEIGE Les lanternes « Yukimi-doro » sont souvent placées à proximité d'un point d'eau, car quand la neige recouvre la partie supérieure et que la lumière intérieure se reflète dans l'eau, l'effet est superbe. Le toit de ces lanternes représente la forme d'un chapeau de fermier japonais. Elles étaient traditionnellement placées près des ponts pour éclairer le chemin.

SUGGESTIONS *Les lanternes, les ponts, l'eau, les rochers et le gravier sont des éléments essentiels des jardins japonais. Si l'espace est limité, essayez de les regrouper de façon judicieuse, en respectant un certain équilibre.*

ACHAT ET MISE EN PLACE DES LANTERNES

Les lanternes de bonne qualité, en granit, sont chères et lourdes à manipuler. Renseignez-vous auprès de fournisseurs spécialisés, réfléchissez avant de les choisir, et prenez en considération leur emplacement définitif.

Les vraies lanternes japonaises sont lourdes et le plus souvent importées du Japon. Pour le transport par bateau, elles sont démontées, elles doivent donc être assemblées solidement à la mise en place ; suivez les conseils du fournisseur.

Les versions en pierre reconstituée sont plus abordables, et font illusion quand on les voit à distance, sur le bord d'un point d'eau.

Il existe aussi des reproductions en résine, très fidèles et d'un coût tout à fait raisonnable.

Les lanternes doivent occuper certains points stratégiques, notamment par rapport à la maison ; votre fournisseur devrait pouvoir vous conseiller si vous voulez vraiment concevoir un jardin à la japonaise.

Conseils pratiques

L'EAU DANS UN JARDIN JAPONAIS

Étangs, bassins et cours d'eau sont les constituants indispensables des grands jardins japonais. Cependant, il est possible d'intégrer l'eau sous de nombreuses autres formes, même si votre jardin n'est que de taille modeste.

■ **CI-CONTRE**

LES PRÉSENTOIRS Vous pouvez facilement donner un air oriental à votre bassin, grâce à quelques ponts ou quelques rochers. Ici, deux bonsaïs sont présentés sur une plate-forme qui rappelle les matériaux et le style du pont et apporte la touche indispensable à une ambiance japonaise.

SUGGESTIONS *Utilisez des rochers sur le pourtour du bassin, mais aussi au milieu de l'eau. Essayez de les recouvrir de mousse et disposez éventuellement un bonsaï dans un creux bien situé. Prenez garde de ne pas percer la toile en plastique, utilisez des chutes pour y déposer le rocher, et n'oubliez pas que, bien qu'entouré d'eau, votre bonsaï a besoin d'être arrosé.*

■ **CI-CONTRE**
LES FONTAINES
Les fontaines sont l'essence même d'un jardin japonais, et leur petite taille permet de les placer dans n'importe quel jardin. La tradition veut que l'eau arrive à travers un bambou.

SUGGESTIONS *Évitez de surélever le bassin plus haut que ne le conseille le fabricant. Son emplacement est traditionnellement bas pour que l'on s'incline dans un geste d'humilité avant le rituel qui précède la cérémonie du thé.*

■ CI-CONTRE

LES PONTS L'eau est un excellent prétexte à la mise en place d'un superbe pont japonais, traditionnellement rouge vif. Ce sont de véritables centres d'intérêt, qui de plus se reflètent joliment dans l'eau.

SUGGESTIONS *Vous pouvez fabriquer ou acheter un pont. Il doit bien évidemment enjamber la partie la plus étroite du bassin ou du cours d'eau. Si besoin, faites une petite retenue juste après le pont, pour donner l'impression que l'eau continue de couler au-delà.*

LES POMPES

Pour les petits points d'eau, il suffit d'un débit très faible. Il est facile de dissimuler dans un petit réservoir en dessous de ce point d'eau, une pompe basse tension – c'est un achat peu onéreux. L'eau, en circuit fermé, peut ruisseler entre des galets posés sur un grillage résistant.

■ CI-CONTRE
ÉLÉMENTS DÉCORATIFS
Cet oiseau est l'attraction de ce grand bassin. Les décorations doivent être simples, mais surprenantes, et être en harmonie avec ce qui les entoure.

SUGGESTIONS
N'abusez pas des éléments décoratifs dans le jardin. Quelques-uns, parfaitement choisis, ont plus d'effet qu'un grand nombre sans intérêt.

Conseils pratiques

ROCHERS ET PIERRES

Depuis toujours, les Japonais ont une relation privilégiée avec la pierre. Ce symbole de longévité est un élément majeur dans leurs paysages. Il est possible de concevoir un jardin japonais sans rochers, mais ce serait dommage de ne pas inclure ce matériau plein d'attrait.

■ **CI-DESSOUS**
CHOISIR LES ROCHERS Prenez en compte la couleur, la texture et la taille des rochers. Ici, leurs surfaces et leurs dimensions variées donnent à cette berge de ruisseau un aspect naturel.

SUGGESTIONS L'agencement non ordonné des rochers, des galets et des plantes aquatiques, crée une composition naturelle.

■ **CI-DESSUS**
ROCHERS DE GRANDE TAILLE
Deux gros rochers ont transformé un coin terne de ce jardin japonais. Que vous les considériez comme symboles ou éléments décoratifs, ils attirent le regard et sont une structure forte dans cette partie du jardin qui sans eux passerait inaperçue.

SUGGESTIONS
De tels rochers sont difficiles à déplacer. Pour éviter trop de manipulations, faites plusieurs croquis avec des emplacements différents. Procédez à la mise en place uniquement après avoir fixé votre choix.

■ CI-DESSOUS

JEUX D'EAU L'eau pompée arrive à travers un rocher percé. Son ruissellement doux à la surface est relaxant et rafraîchissant, surtout par temps chaud. En plaçant quelques rochers plus petits, entourés de galets et de gravier, vous pourrez évoquer le paysage d'une île volcanique.

SUGGESTIONS *Ce type d'élément peut être largement utilisé dans un jardin japonais mais aussi représenter un intéressant point d'eau dans un jardin d'un autre style, par exemple en un coin manquant d'intérêt ou aride.*

■ CI-DESSUS

LES SENTIERS Les rochers qui comportent une face plate servent parfois de chemin, sur une pelouse ou au milieu de l'eau. Ce chemin vous mène à travers le jardin, il est donc important de choisir l'espacement et le positionnement des pierres en fonction de votre pas.

SUGGESTIONS *En rapprochant les pierres, vous ralentissez le pas, en les espaçant, vous l'accélérez. Vous pouvez choisir des espacements différents en fonction des endroits du jardin qui présentent plus ou moins d'intérêt.*

L'ACHAT DE PIERRES ET DE ROCHERS

Dans les jardineries ou les magasins de bricolage, vous ne trouverez qu'un choix limité de pierres et rochers. Cherchez dans l'annuaire les marchands de pierres, pour une sélection plus étendue. Seule une carrière peut vous fournir un rocher de taille imposante, et il est préférable d'aller le choisir sur place. Pensez au poids et aux frais de transport que cela implique, et sélectionnez une pierre locale de préférence à une pierre provenant d'une autre région.

Conseils pratiques

SABLE ET GRAVIER

La religion zen, qui trouve ses origines dans le bouddhisme, a donné naissance à un style de jardins particuliers, où la pierre est l'élément majeur dans un paysage aride. C'est une forme de jardinage fascinante, et il existe de nombreux ouvrages sur ce sujet. Vous pouvez bien sûr intégrer quelques éléments zen, sans connaître toute leur symbolique.

■ CI-CONTRE
GRAVIER OU CERCLES DE SABLE Les longues lignes droites de gravier ou de sable ratissé symbolisent habituellement l'eau dormante, tandis que des lignes ondulantes évoquent l'eau courante. Des cercles concentriques impliquent également une notion de mouvement, comme un tourbillon autour d'une « île ».

SUGGESTIONS *Dans un jardin sec, afin d'éviter que le gravier ne se répande dans les massifs, sur la pelouse ou les allées, installez, si possible, des bordures solides légèrement surélevées.*

■ CI-CONTRE
DES LIGNES DE GRAVIER
Dans un espace restreint, du sable ratissé, des rochers et des pierres, et une lanterne composeront un jardin de style japonais. Ici, le pont a un rôle plus esthétique que fonctionnel.

SUGGESTIONS
Évitez l'utilisation de gravier ou de sable ratissé à proximité d'arbres à feuillage caduc. Un aspect soigné sera difficile à maintenir en automne.

■ CI-DESSUS

LES COMPLÉMENTS DU GRAVIER Les zones destinées au gravier ou au sable ratissé sont habituellement réduites. Dans ce jardin, le chemin au premier plan est composé de pierres plates arrondies, qui s'accordent bien au paysage à proximité, évoquant un éboulis de montagne.

SUGGESTIONS *Faites attention si le gravier ratissé doit servir de chemin, il suffit de deux traces de pas pour ruiner l'effet recherché. Ici, le problème est résolu par une zone pavée latérale qui permet de circuler et forme un agréable contraste.*

■ CI-CONTRE

DES PONTS SANS EAU On peut construire des ponts dans un jardin sec, où sont symbolisées cascades et rivières.

SUGGESTIONS *Les jardins arides sont étonnants, mais paraissent un peu incongrus aux yeux des Occidentaux. Un arrière-plan de verdure adoucit l'ensemble.*

Conception et réalisation

UNE NOTE ORIENTALE

Il est difficile de créer un jardin de style authentiquement japonais en Occident, et de l'intégrer à son proche environnement.

Parmi les plans qui suivent, l'influence japonaise, très présente, se marie harmonieusement avec le style occidental.

CONCEPTION

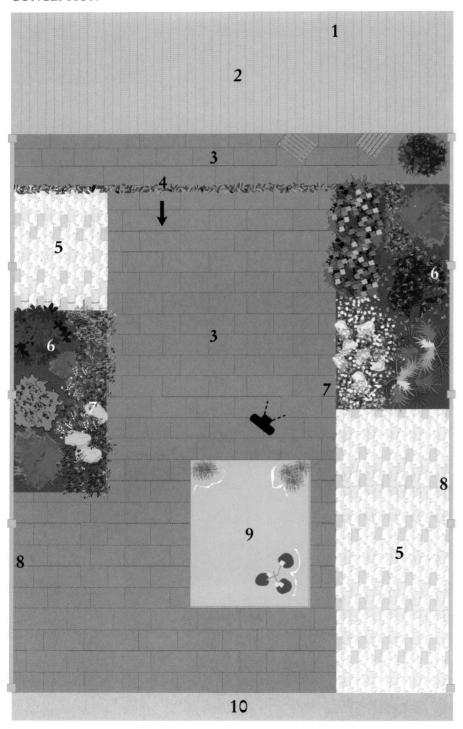

LÉGENDES DU PLAN

1 Écran de bambous
2 Terrasse couverte dans le style d'une maison de thé japonaise
3 Dallage
4 Marche
5 Pavés de granit
6 Arbustes isolés sur fond de vivaces herbacées
7 Rochers et galets recouverts de mousse
8 Palissade
9 Bassin
10 Maison

↓ sens de la descente des marches

🔫 lieu de la prise de vue

Cet exemple est le compromis idéal entre un jardin familial et une forte inspiration japonaise. Dans la plupart des cas, il faut trouver un consensus pour satisfaire les désirs de chaque membre de la famille. Essayez d'imaginer à quoi ressemblera votre jardin en hiver. Une sélection d'arbres et d'arbustes raffinés, comme les rhododendrons et les érables, apportera dynamisme et structure toute l'année.

L'UTILISATION DES GRAMINÉES
Le gravier ou des zones empierrées dans les massifs mettent bien en valeur les graminées et les bambous. Il en existe de nombreuses variétés, intéressantes pour leurs différentes formes et couleurs. Essayez des associations contrastées.

RÉALISATION

PLANTER DES GRAMINÉES

1 Arrosez bien les plantes puis retirez-les des conteneurs pour les planter dans un sol bêché et débarrassé des mauvaises herbes. Si les racines sont compactées et enroulées, démêlez-les avec soin, afin de favoriser la reprise.

2 Certaines graminées poussent vite. Pour limiter le développement d'une graminée envahissante, plantez-la avec son pot. Creusez un trou suffisamment grand pour accueillir le conteneur qui doit avoir des trous de drainage.

3 Plantez normalement les graminées envahissantes en remplissant le conteneur de terre, avec la motte au niveau qui convient. Tassez le sol à la main ou au pied, et ajoutez de la terre si nécessaire.

4 Vérifiez que le bord du pot soit au même niveau que le sol (pas en dessous, car les racines traçantes s'échapperaient). Arrosez copieusement, et dispensez des arrosages réguliers jusqu'à ce que les plantes soient bien établies.

Conception et réalisation

LA PIERRE ET L'EAU

Dans les jardins japonais, l'eau et la pierre sont deux éléments symboliques importants. Ils sont très présents dans la conception de ce modèle, destiné avant tout à la méditation et à la contemplation – il ne s'agit pas ici d'un jardin familial. Cernez précisément vos désirs, et adoptez ce qui vous convient dans ce style.

CONCEPTION

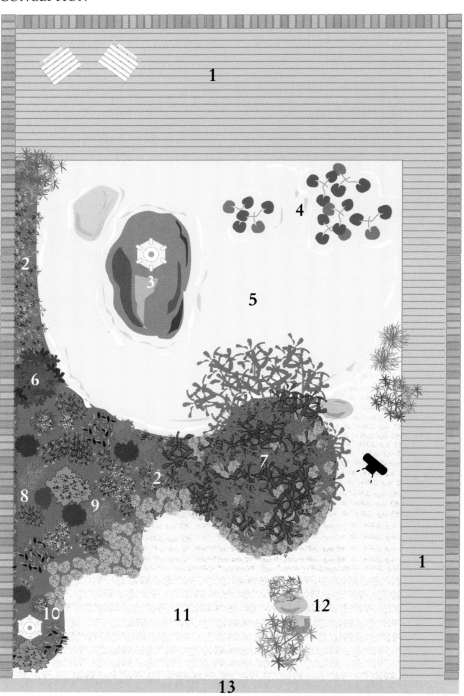

LÉGENDES DU PLAN

1 Plancher en bois
2 Couvre-sol tapissant
3 Île de rochers avec lanterne
4 Nénuphars
5 Bassin
6 Arbuste isolé
7 Arbre isolé
8 Grimpante contre le mur
9 Arbustes nains
10 Lanterne japonaise
11 Gravier ratissé
12 Rochers et bambous
13 Maison

🎥 lieu de la prise de vue

Des îlots de rochers associés à une sélection de plantes décorent le gravier ratissé, très largement utilisé dans ce jardin de style japonais. Un usage intensif de l'eau, autre élément visuel et sonore très présent dans ce type de jardin est prévu. Les plantes créent des formes et des textures différentes, et le feuillage prime sur les couleurs. Avant de vous lancer dans la réalisation d'un tel décor, faites une lecture approfondie d'ouvrages sur les jardins japonais et leur symbolisme.

Le gravier ratissé est une solution particulièrement séduisante, mais n'oubliez pas l'entretien que cela implique, après le passage d'enfants, d'un chien ou avec la présence d'oiseaux

RÉALISATION

LA POSITION DES LANTERNES

■ CI-DESSUS
Dans la plupart des cas, les jardiniers occidentaux positionnent les lanternes suivant des critères esthétiques ; en fait elles doivent être tournées vers un point où leur axe médian rencontre la maison, comme illustré ci-dessus.

LES PARTIES D'UNE LANTERNE

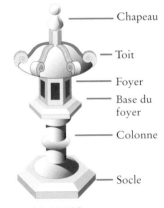

Chapeau
Toit
Foyer
Base du foyer
Colonne
Socle

et d'autres animaux. En automne, ratissage et nettoyage sont plus fréquents avec la chute des feuilles.

■ CI-CONTRE
Toutes les lanternes ne disposent pas obligatoirement des six parties décrites ici et celles-ci peuvent porter d'autres noms.

COMPRENDRE LE SYMBOLISME DES LANTERNES
Les lanternes japonaises sont fascinantes à étudier dans les ouvrages spécialisés ou dans les catalogues de certains fournisseurs. Leurs formes et leurs fonctions trouvent leurs origines dans des traditions et des usages très anciens, c'est pourquoi il est intéressant de connaître la signification de certains termes de base, de même que les différentes parties qui les composent, la diversité des styles et comment positionner une lanterne par rapport à la maison.

RECONNAÎTRE LES DIFFÉRENTS STYLES DE LANTERNES

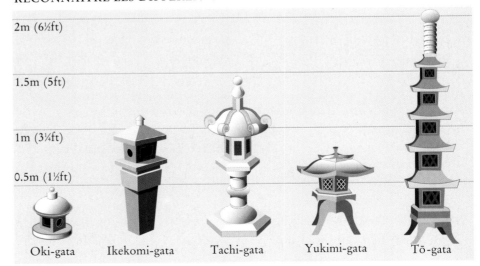

2m (6½ft)
1.5m (5ft)
1m (3¼ft)
0.5m (1½ft)

Oki-gata   Ikekomi-gata   Tachi-gata   Yukimi-gata   Tō-gata

Conception et réalisation

UN JARDIN D'ÉLÉMENTS

La pierre, l'eau et le bois : ces trois éléments naturels ont un rôle symbolique très important dans un jardin japonais et contribuent à lui donner une certaine authenticité.

CONCEPTION

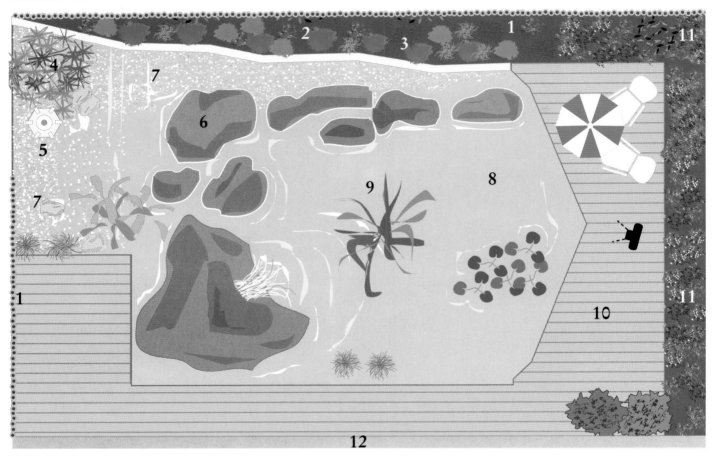

Dans les jardins japonais, l'eau, les rochers et le gravier sont intimement liés aux plantes et de ce fait, on prévoit davantage de points de vue que de coins repos nichés dans la verdure. Les planchers sont discrets ; ils sont utilisés ici sur trois côtés, afin de se détendre tout en profitant d'une jolie vue.

La réalisation d'un point d'eau tel que celui-ci, où se côtoient rectangles, courbes et rochers placés au centre du bassin, n'est pas chose aisée pour un amateur. Il est préférable de faire appel à un professionnel, d'une part à cause de la taille et de la complexité de la construction et d'autre part pour la mise en place des rochers très lourds.

LE CHOIX DU PLANCHER

La réalisation de planchers compliqués, avec plusieurs changements de niveau, ou avec, comme ici, une projection au-dessus de l'eau, n'est envisageable qu'en faisant appel à des gens compétents. N'hésitez pas à consulter des professionnels spécialisés dans ce domaine.

LÉGENDES DU PLAN

1 Écran de bambous
2 Grimpantes
3 Plantes au port arrondi
4 Bambous
5 Lanterne japonaise
6 Rochers
7 Galets et gravier
8 Bassin
9 Iris d'eau
10 Plancher en bois
11 Arbustes nains
12 Maison

🏃 lieu de la prise de vue

RÉALISATION

LA CONSTRUCTION D'UN PLANCHER SIMPLE

1 Nivelez la zone que recouvrira le plancher, puis positionnez des briques ou des parpaings sur lesquels reposeront les supports. Ceux-ci ne doivent pas être en contact avec le sol humide ; ils permettent la circulation de l'air sous le plancher. Si le sol est instable, scellez les briques ou les parpaings dans du béton. Vérifiez qu'ils sont bien de niveau, sinon le plancher ne sera pas stable.

2 Passez une couche de produit protecteur sur les poteaux, faites un montage à blanc pour vérifier d'une part que l'écartement convient et d'autre part que les coupes se situent à l'endroit des supports. Mettez en place un film de plastique résistant afin d'éviter l'apparition des mauvaises herbes. L'eau s'évacuera à l'endroit des recouvrements.

3 Placez un plastique étanche entre les supports et les poteaux, et assurez-vous que les joints sont à l'aplomb de ces supports. Taillez les lattes à la dimension voulue et enduisez-les d'un produit protecteur. Fixez-les dans les montants avec des clous galvanisés, et laissez un espace d'environ 6 mm entre chaque latte, pour la dilatation du bois et l'écoulement de l'eau.

Conception et réalisation

CAMAÏEUX DE GRIS ET DE VERT

Les jardins de style japonais ne cessent de nous étonner, mais toujours avec une grande subtilité. L'association discrète des différents tons de gris des rochers de granit, des galets et du gravier compose une toile de fond étonnante pour les multiples nuances vertes des feuillages.

CONCEPTION

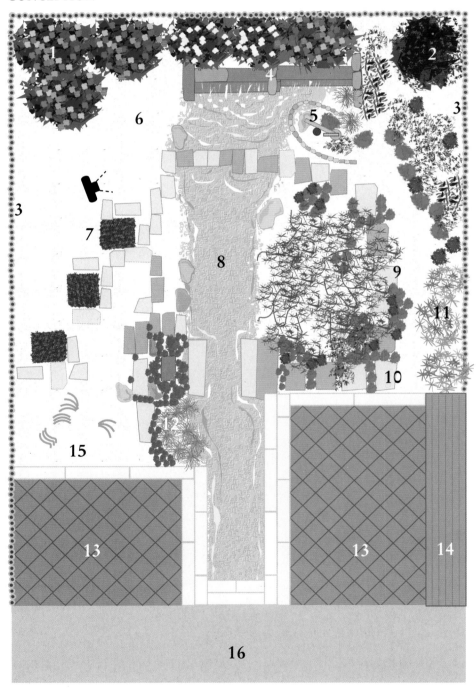

L'eau et la pierre sont, comme toujours, très présents dans ce jardin. Le ruisseau, qui court sur toute la longueur, tient le rôle principal et confère une unité à l'ensemble. Il contribue à maintenir le regard à l'intérieur du jardin et l'aspect ouvert et ordonné engendre une impression d'espace dans ce lieu plutôt restreint. Grâce à ces qualités, le style japonais convient à des jardins de toutes tailles, même minuscules.

Ce type de plan fonctionne si les matériaux choisis sont appropriés au lieu. De plus, en raison de la complexité et du coût des travaux, il est préférable de faire appel à des professionnels, ou du moins de prendre l'avis d'un fournisseur spécialisé.

RÉALISATION

■ CI-CONTRE

UNE MAISON DE THÉ FACILE À RÉA-LISER Cette maison de thé de finition très soignée est l'œuvre d'un amateur ; elle est fabriquée avec quelques chutes de bois et surtout beaucoup d'imagination et d'enthousiasme. Deux treillis faits maison, sur lesquels est fixé un matériau blanc, composent les panneaux latéraux et les autres parois sont faites avec des lattes de récupération. Des rouleaux de roseau tressé garnissent l'intérieur, le rendant ainsi plus esthétique et plus clair. Des lattes de clôtures aux bords biseautés, assemblées à clins, forment le toit, et un revêtement de zinc sur le faîtage en assure l'étanchéité. Comme le vent peut s'engouffrer dans cette construction sans portes, les poteaux verticaux doivent être bien ancrés au sol. Le siège est entièrement fabriqué à partir de traverses de chemin de fer. La lasure noire qui protège le bois assure une finition plus professionnelle. Ce type de réalisation est très intéressant pour un bricoleur passionné, sachant que les détails de la construction sont tributaires des matériaux disponibles.

Conception et réalisation

NATURE ET JARDIN CONFONDUS

Les jardins japonais reflètent souvent la nature et ses forces symboliques, mais ils sont aussi traditionnellement dessinés pour bénéficier d'un point de vue à partir d'un endroit spécialement étudié, comme par exemple une fontaine près de laquelle on s'incline. Cet exemple de jardin se fond presque imperceptiblement avec la nature. Toute l'attention se concentre sur le grand bassin central, auquel seul un entretien régulier conservera un aspect soigné.

CONCEPTION

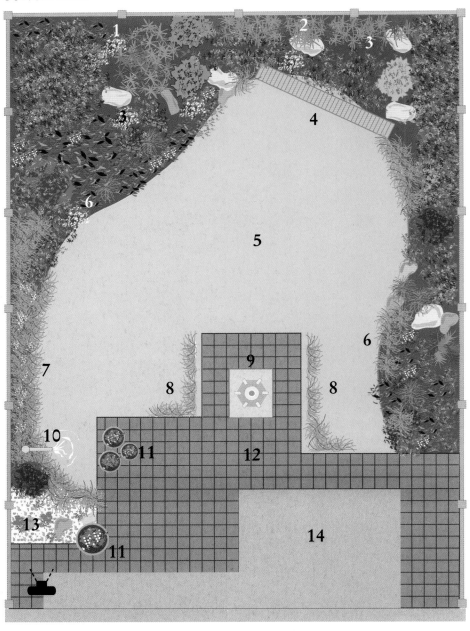

LÉGENDES DU PLAN

 1 Vue ouverte sur la nature
 2 Haie de bambous
 3 Graminées et plantes sauvages
 4 Ponton en bois
 5 Bassin
 6 Plantes pour milieu humide
 7 Graminées et joncs
 8 Plantes de berges
 9 Lanterne japonaise sur socle
10 Jet d'eau en bambou
11 Plantes en conteneurs
12 Terrasse en pavés de granit
13 Gravier
14 Maison

lieu de la prise de vue

Ce jardin s'harmonise parfaitement avec le paysage, mais les montagnes à l'arrière-plan sont en Suisse et non pas au Japon. Il est facile d'intégrer ce type de jardin partout où il y a une superbe vue.

L'ensemble du jardin s'articule autour du bassin, dont les berges accueillent de nombreuses plantes pour lieux humides, qui se mélangent à l'arrière-plan avec des graminées et des plantes plus sauvages. Depuis la maison, il n'existe aucune limite précise entre le jardin et la nature.

La partie la plus structurée, avec ses bordures et ses formes rigides, se situe à proximité de la maison et c'est d'ici que l'on profite de la vue spectaculaire, agrémentée par les bruits de la nature voisine, auxquels le jet d'eau ajoute son murmure.

■ CI-CONTRE

COMMENT FABRIQUER UN JET D'EAU EN BAMBOU Il est facile d'en fabriquer un. Si vous avez des difficultés à trouver du bambou de la longueur et de l'épaisseur souhaitées, achetez le jet d'eau tout fait.

Procurez-vous un petit réservoir en plastique ou en fibres de verre, et enterrez-le dans le sol, légèrement en dessous de la surface. Placez dans le fond une pompe basse tension, posée sur une brique pour éviter que le filtre ne se bouche avec les détritus. Recouvrez le réservoir d'un grillage résistant et plus grand.

Fixez un morceau de tuyau flexible sur la sortie de la pompe, suffisamment long pour traverser le bambou. Creusez celui-ci si besoin est, et découpez un trou dans la partie supérieure, assez grand pour ajuster précisément le bec du jet d'eau. Attachez l'ensemble solidement avec un ruban adhésif étanche, puis consolidez

avec un lien noir. Enfilez le tuyau dans le bec et le bambou vertical (ne le laissez pas dépasser du jet d'eau) et raccordez-le sur la pompe avec un collier « serflex ».

Faites un premier essai en remplissant le réservoir. Il se peut que vous ayez à régler le débit ou à changer la valve de sortie sur la pompe – un filet d'eau est plus efficace qu'un torrent. Assurez-vous que l'eau ne déborde pas du réservoir : si c'est le cas, réduisez le débit ou mettez en place autour du réservoir un liner, avec le bord couvert, pour renvoyer l'eau à l'intérieur.

Recouvrez entièrement le grillage résistant de galets, en les entassant au pied du bambou pour qu'il soit plus stable.

Les projections et l'évaporation feront baisser le niveau de l'eau dans le réservoir, vérifiez-le régulièrement en utilisant un bâton pour jauger, plutôt que de déplacer les galets ; la pompe doit toujours être entièrement immergée.

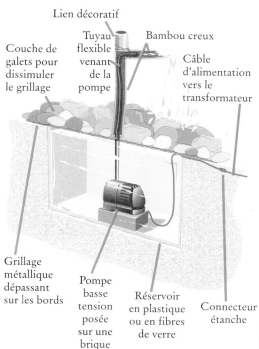

POMPE À EAU

Lien décoratif

Tuyau flexible venant de la pompe

Bambou creux

Couche de galets pour dissimuler le grillage

Câble d'alimentation vers le transformateur

Grillage métallique dépassant sur les bords

Pompe basse tension posée sur une brique

Réservoir en plastique ou en fibres de verre

Connecteur étanche

RÉALISATION

Conception et réalisation

LES FORCES DE LA NATURE

Tous les jardins orientaux ne reflètent pas le calme et la sérénité. Dans celui-ci, les berges rocheuses et l'eau tumultueuse comme un torrent de montagne donnent l'impression de se trouver dans un milieu naturel sauvage.

CONCEPTION

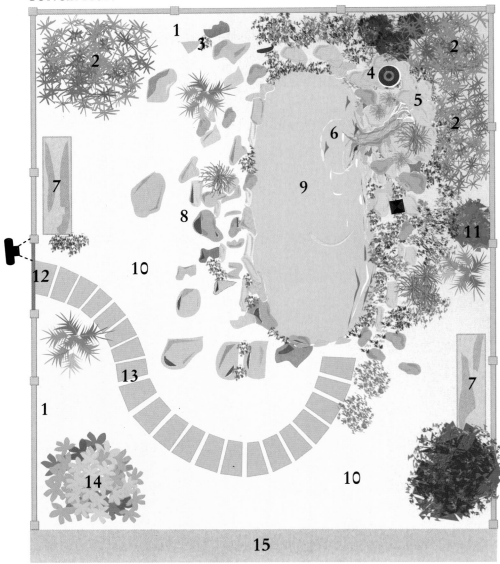

et qui renforcent le thème japonais du jardin. Un grand espace gravillonné apporte une note plus reposante, avec quelques plantations, bien mises en valeur, comme des bambous ou des érables du Japon.

LE LONG DE L'ALLÉE

Dans les jardins japonais, les allées sont plus souvent sinueuses que rectilignes. Les pas japonais trouvent naturellement leur place et règlent l'allure de la promenade à travers le jardin : ils ont infiniment plus de charme que les pavages ordinaires.

Choisissez des dalles de formes irrégulières plutôt que rectangulaires mais, pour des raisons de sécurité, assurez-vous que la surface est plane. Les illustrations suivantes fournissent quelques idées dans ce domaine.

De telles compositions avec les rochers sont coûteuses et complexes à construire, et il paraît difficile de ne pas faire appel à un professionnel. Mais le résultat est surprenant de jour et encore plus saisissant de nuit si les cascades sont éclairées. Dans un bassin de cette taille, il est possible d'avoir de gros poissons comme des carpes, agréables à regarder quand elles viennent manger,

RÉALISATION

PAS JAPONAIS

■ **CI-DESSUS**
Des pierres suffisamment plates et régulièrement espacées composent une allée facile à emprunter, mais en fait ces pierres et la courbe qu'elles forment font partie intégrante du plan du jardin et sont beaucoup plus intéressantes qu'une allée strictement fonctionnelle.

■ **CI-DESSUS**
Ces pierres, positionnées de façon irrégulière, dominent le sol environnant. Parmi des plantations denses, l'exploration de cette allée devient presque une aventure. Elle évoque une descente de rivière, pleine d'obstacles, aux rives obscures et mystérieuses.

■ **CI-DESSUS**
Ce pas japonais conduit agréablement vers un massif de petits arbustes, et traverse un ruban de galets qui fait penser au lit desséché d'une rivière. Cette allée est un raccourci plein de charme vers le bas du jardin.

Sélection de plantes

PLANTES POUR JARDINS JAPONAIS

Donnez à votre jardin un air authentiquement japonais en choisissant des plantes originaires du Japon. Cette partie du monde nous a fourni des spécimens superbes, en très grand nombre. Les illustrations suivantes ne représentent que quelques possibilités végétales disponibles.

GRAMINÉES ET BAMBOUS

Parmi les nombreux bambous originaires de Chine et du Japon, certains sont trop imposants pour de petits jardins. Dans un espace restreint, essayez le bambou doré panaché *Pleioblastus auricomus* (*Pleioblastus viridistriatus* ou *Arundinaria viridistriatus*). Parmi les graminées japonaises, il y a plusieurs espèces de *Miscanthus sinensis*.

Les variétés d'*Acer palmatum* sont nombreuses ; pratiquement toutes décoratives tout au long de l'année, elles sont surtout spectaculaires en automne.

Pleioblastus auricomus est une très belle plante. Vous la rencontrerez également sous l'appellation *Pleioblastus viridistriatus* ou *Arundinaria viridistriatus*. Ce bambou doré, panaché de vert, est compact et pousse lentement.

ÉRABLES DU JAPON

De nombreux érables font penser au Japon, mais c'est particulièrement le cas d'*Acer palmatum* et *A. japonicum*. Ces deux espèces se déclinent en de nombreuses variétés. *A. palmatum* est plus approprié car de plus petite taille.

CONIFÈRES

Parmi les conifères qui évoquent le Japon, *Pinus densiflora* et *P. parviflora* sont de superbes variétés, de même que les genévriers tels que *Juniperus chinensis*.

Les pins ont des ports et des tailles variés, assurez-vous que vous faites le bon choix pour votre jardin japonais. Ci-dessus, *Pinus densiflora* 'Jane Kluis'.

RHODODENDRONS ET CAMÉLIAS

De nombreux rhododendrons (et parmi eux les azalées) et camélias proviennent du Japon ou ont été hybridés dans ce pays. Les variétés sont innombrables, et beaucoup sont excellentes. Ces deux types de plantes réclament un sol acide.

Les rhododendrons et les azalées (qui sont elles-mêmes un type de rhododendron) sont des arbustes japonais très appréciés, disponibles dans de nombreuses pépinières. Un sol acide leur est indispensable. Cette azalée 'Ima-shojo' porte aussi le nom de 'Christmas Cheer'.

COUVRE-SOLS

Les plantes couvre-sols sont largement utilisées au Japon, et plus souvent pour leur feuillage que pour leur floraison. Parmi elles, *Pachysandra terminalis* est typique car il forme un tapis vert d'environ 30 cm de haut. Il en existe aussi une variété panachée. *Ophiopogon planiscapus* 'Nigrescens' est une plante au feuillage linéaire noir, très répandue dans les jardins au Japon.

Les mousses sont des couvre-sols très courants dans les vrais jardins japonais, mais elles sont difficiles à cultiver sous certains climats et peu faciles à se procurer. *Sagina subulata*, portant encore très souvent son ancienne appellation *S. glabra*, est une plante rase, dense, qui de loin ressemble à une mousse. Il en existe une forme dorée *S. subulata* 'Aurea'. Elle supporte le gel mais n'est pas rustique dans les régions froides.

Ophipogon planiscapus 'Nigrescens' est une plante très inhabituelle avec son feuillage presque noir. Il faut la mettre en valeur dans une partie claire du jardin, la planter en grand nombre au pied d'arbustes à fleurs, ou sur un fond de feuillage vert clair.

HOSTAS

Ces plantes universellement appréciées sont très cultivées au Japon, dont certaines espèces sont originaires. Variétés et hybrides sont nombreux et largement diffusés, vous n'aurez que l'embarras du choix pour votre jardin japonais. Ces plantes sont particulièrement décoratives au bord de l'eau.

Les hostas sont très répandus au Japon et offrent une grande diversité de feuillages, dont beaucoup sont joliment panachés. Les limaces en raffolent, protégez-les régulièrement.

IRIS JAPONAIS

Iris ensata est l'iris le plus souvent associé aux jardins d'eau japonais. Les variétés sont nombreuses, toutes avec de belles grandes fleurs qui rappellent certaines clématites.

L'iris japonais s'appelle maintenant *Iris ensata*, mais vous le trouverez encore sous son ancien nom *I. kaempferi*. Cette très jolie variété s'appelle 'Mandarin'.

GRIMPANTES

Si vous devez planter une grimpante, choisissez-en une qui évoque le Japon. La glycine, *Wisteria floribunda*, est sûrement l'une des plus belles.

Pour de splendides couleurs d'automne, plantez *Vitis coignetiae*, aux très grandes feuilles. Cette vigne est d'un bel effet sur un pont, mais sera tout aussi esthétique sur une pergola.

Quand son feuillage vire au cramoisi et à l'écarlate avant l'hiver, *Parthenocissus tricuspidata* est vraiment magnifique, mais réservez cette vigne vierge à ventouses pour un grand mur.

Trachelospermum asiaticum est une grimpante plus inhabituelle; son feuillage persistant et sa floraison parfumée blanc crème apprécient un mur chaud et ensoleillé.

Vitis coignetiae est une grimpante appréciée pour ses grandes feuilles, superbement colorées en automne. C'est une plante vigoureuse que vous pouvez planter au pied d'un arbre. Si besoin est, taillez-la pour limiter sa croissance.

LA PIERRE ET L'EAU

L'eau exerce un attrait quasiment magique, et fascine autant les enfants que les adultes. Si les plus jeunes restent le plus souvent indifférents aux diverses constructions qu'élaborent leurs parents dans le jardin, ils manifestent en revanche toujours beaucoup d'intérêt quand il s'agit de réaliser un bassin. Certaines familles avec de jeunes enfants envisagent toutefois ce projet avec quelque crainte, mais nul n'est besoin de grandes profondeurs pour qu'un jardin se transforme en un lieu vivant et plein de fraîcheur – un ruisselet de quelques centimètres ou une fontaine de galets ne présentent aucun risque. Les fontaines murales sont aussi très décoratives, et celles fonctionnant en circuit fermé avec un réceptacle très peu profond sont sans danger pour les petits.

Les rocailles, souvent associées à un bassin, sont des éléments intéressants dans les jardins ; de plus, elles permettent l'utilisation de nombreuses plantes alpines sur une surface plutôt restreinte. Un terrain en pente est parfaitement adapté à des installations rocheuses que bassins ou cours d'eau mettront davantage en valeur. Le sol creusé pour le bassin peut servir à former des berges surélevées, mais recouvrez toujours la couche inférieure par la couche arable, sinon vos plantes dépériront.

■ **CI-DESSUS**
Un simple pot, garni de galets, attire tout de suite le regard.

■ **PAGE DE GAUCHE**
Ce jardin de ville repose dans une calme luxuriance, uniquement suggérée par un petit bassin, garni de quelques plantes aquatiques comme le superbe *Aponogeton distachyos*, et entouré d'*Iris sibirica* et de potées d'hostas.

QUELQUES IDÉES

Faites en sorte que bassins et « cours d'eau » soient au centre de votre projet de jardin. Ils attirent une faune diversifiée, et vous pouvez bien sûr y introduire des poissons, qui s'apprivoisent facilement en les nourrissant régulièrement pendant les mois d'été.

■ CI-DESSUS

Vous pouvez construire un bassin rectangulaire surélevé, de style formel, en briques ou en parpaings, recouverts d'enduits intérieur et extérieur. Vous n'obtiendrez une parfaite étanchéité qu'avec une résine ou un produit bitumé, en vente chez des fournisseurs spécialisés. Vous pouvez aussi peindre l'enduit extérieur de couleur claire, ou même de motifs plus décoratifs. Les bassins surélevés sont appréciables pour les personnes handicapées ou celles qui éprouvent quelque peine à se baisser, car ils permettent une meilleure observation de la vie aquatique.

■ CI-DESSUS

Imaginez cet espace avec une pelouse ordinaire, flanquée de deux massifs sur les côtés : agréable, mais un peu ennuyeux, il ne semblerait pas avoir été réellement pensé. Un bassin seul aurait tout autant manqué d'attrait, par manque de relief, et en hiver il aurait été terne et sans charme. Au contraire, le fait d'avoir placé le bassin dans un espace circulaire plus grand, bordé de massifs en croissants, d'allées et de galets, structure très fortement cette partie du jardin. Les galets relient subtilement les massifs et le bassin, et la plage qui descend dans l'eau facilite l'accès à la faune.

■ CI-CONTRE

L'eau de cette fontaine provient directement d'un réservoir dissimulé par cette meule et les rochers autour ; une grille résistante soutient l'ensemble, écartant tout risque, même pour les jeunes enfants. Ces véritables pierres de meule sont peu utilisées, à cause de leur poids, leur coût et leur rareté, mais il existe des imitations assez convaincantes en résine. Vous pouvez parfois les acheter en kit avec le réservoir, et il ne vous reste plus qu'à trouver des rochers et des galets.

Ces installations procurent un décor agréable au milieu des plantations, mais elles seront beaucoup plus esthétiques dans une cour ou une atmosphère plus minérale, comme ici.

QUELQUES IDÉES

L'eau et la pierre sont de parfaits instruments pour les jardiniers amateurs de lignes fortes et audacieuses. Elles permettent également l'utilisation d'un grand choix de plantes aquatiques ou semi-aquatiques colorées.

■ **CI-DESSOUS**
Ce jardin de style japonais est une étude de formes et de textures fortes, avec uniquement l'eau et l'ardoise. Ce type de création séduira davantage une personne qui a un certain sens du design, plutôt qu'un passionné de plantes. On ne trouve ici que deux espèces aquatiques, le nénuphar et la jacinthe d'eau *(Eichhornia crassipes)*, qui toutes les deux disparaissent en hiver.

■ CI-CONTRE
Un bassin ne trouve pas toujours sa place dans un jardin, mais une petite fontaine comme celle-ci le remplace avantageusement. Son réceptacle circulaire fait écho à d'autres courbes, et reflète clairement un plan soigneusement conçu.

Conseils pratiques

UNE PERFECTION FORMELLE

S'il est préférable d'inclure un bassin dans le plan initial d'un jardin, il est néanmoins possible de l'ajouter à un jardin déjà structuré. L'addition de rocailles est plus problématique et leur intégration dans le projet original est fortement conseillée.

Si vous voulez des poissons et des fleurs dans votre plan d'eau, choisissez un emplacement qui bénéficie d'un bon ensoleillement, et dégagé des arbres à feuillage caduque, sauf si vous envisagez de poser un filet en surface ou d'éliminer régulièrement les feuilles afin d'éviter la pollution de l'eau.

Les bassins aux contours réguliers et aux formes géométriques sont plus adaptés à des jardins dessinés suivant une grille rigide, dont les mêmes lignes traversent le jardin de part en part. Les possibilités sont plus réduites pour les plantations de berges, mais plus nombreuses pour les poissons et les plantes aquatiques.

■ **CI-DESSOUS**

RUPTURE DE RYTHME Ce bassin de petite taille attire immédiatement le regard grâce à la géométrie de ses lignes. Dans un environnement minéral, l'eau est un élément majeur, qui en adoucit la sévérité. La fontaine présente un attrait supplémentaire après la disparition des feuillages en hiver.

SUGGESTIONS *Afin d'éviter la monotonie d'une grande surface pavée, utilisez une couleur contrastante pour souligner un détail ou un changement de niveau. Ici, ce sont les briques et la terre cuite qui apportent la note colorée indispensable.*

■ **CI-CONTRE**

UNE LONGUEUR FORMELLE Ce jardin très formel, dessiné autour du plan d'eau, est conçu pour un pays chaud ou pour donner l'illusion d'un climat clément. En apportant des variantes adaptées à un jardin de ville, on peut obtenir un résultat étonnant.

SUGGESTIONS *Quand l'eau est l'élément majeur du jardin, prévoyez l'aspect qu'il aura en hiver. En cas de froid rigoureux, il faut stopper les pompes. Pour mettre en valeur une surface gelée, vous pouvez disposer des persistants et de nombreux pots décoratifs ou autres ornements.*

■ CI-DESSOUS
DES FORMES ORIGINALES Un bassin est réalisable, même dans un petit jardin ; dans celui-ci, le tracé original et les plantations de caractère apporteront un intérêt toute l'année. La plate-forme surélevée relie les deux parties du jardin au lieu de les séparer.

SUGGESTIONS *Si vous trouvez le gravier décoratif, mais craignez qu'il ne s'éparpille sur une allée fréquemment utilisée, remplacez-le par du gravier enrobé, comme celui-ci. Les petits cailloux sont enrobés d'une résine et l'aspect final est aussi esthétique qu'avec du gravier traditionnel.*

■ CI-DESSUS
LES CASCADES Un jardin aménagé sur une pente douce permet l'installation de cascades ou de chutes, et dans celui-ci la cascade qui se déverse dans un bassin rectangulaire reflète le plan d'ensemble animé de lignes et d'angles droits.

SUGGESTIONS *La forme du bassin doit s'accorder au style du jardin. Dans celui-ci, où dominent les lignes droites, un bassin plus naturel aux lignes courbes et fluides, comportant des plages pour attirer la faune, paraîtrait incongru.*

LES BASSINS RECTANGULAIRES

Vous pouvez creuser un bassin rectangulaire et le doubler d'un liner en plastique en dissimulant les plis formés aux coins par des plantations. Il est possible de faire fabriquer des caissons étanches par des spécialistes, ou de passer un enduit sur un bassin construit en béton ou en parpaings et de l'étanchéifier avec une résine ou un produit bitumé destiné à cet usage.

Conseils pratiques

UN STYLE PLUS VRAI QUE NATURE

Les bassins de style naturel sont faciles à construire et attirent facilement la faune car l'eau est plus accessible et les plantations environnantes procurent un abri utile. Ces bassins permettent aussi l'aménagement d'une zone marécageuse sur les bords.

■ **CI-CONTRE**
UN BASSIN
NATUREL
Ce jardin, au style naturel, a été bien pensé et conçu, impression renforcée par la présence du pont et du treillage. Les contours irréguliers et les pierres donnent l'impression d'un plan d'eau situé en pleine nature et les plantations luxuriantes dissimulent les jardins voisins.

SUGGESTIONS
Ce bassin fait paraître le jardin plus grand. L'accès sur différents côtés et le pont qui relie des chemins incitent à la découverte.

■ **CI-CONTRE**
DES GALETS Il est très facile de créer ce type de ruisseau d'aspect si naturel. Il suffit d'un liner dont vous dissimulez les bords sous une plage de galets. Avec ce type de revêtement, la baisse du niveau de l'eau causée par l'évaporation ne se remarque pas. L'eau doit couler dans une partie plus profonde à l'extrémité, pour que la pompe reste toujours immergée.

SUGGESTIONS *Si vous voulez introduire un point d'eau dans votre jardin, ne prévoyez pas obligatoirement un bassin rempli de poissons. La réalisation ci-contre donnera à votre jardin un caractère plus sauvage où la faune locale viendra boire et se baigner.*

UNE EAU LIMPIDE

Un beau bassin manque de charme si son eau est verte. Certains plans d'eau ne verdissent que quelques jours ou quelques semaines, habituellement au printemps ou en début d'été, quand l'eau se réchauffe et que les plantes aquatiques ne sont pas assez développées pour obstruer la lumière du soleil. Si l'eau reste verte plus longtemps, un traitement s'impose.

Le verdissement de l'eau est causé par des millions d'algues flottantes qui consomment les éléments nutritifs contenus dans l'eau, et qui se multiplient vite sous la chaleur ou la lumière du soleil. Évitez de placer un sol riche en éléments nutritifs et d'utiliser des engrais ordinaires. Il est possible de contrôler ce phénomène avec des produits chimiques, dont l'efficacité varie suivant leur durée d'action, mais la décomposition des algues mortes peut entraîner la chute du taux d'oxygène – provoquant ainsi la mort des poissons.

La façon la plus satisfaisante de résoudre ce problème consiste à installer un filtre à ultraviolets ; il suffit d'un branchement électrique pour la lampe et la pompe alimentant le circuit d'eau. En choisissant une unité assez puissante pour la capacité de votre bassin, l'eau redeviendra claire en quelques jours.

■ CI-DESSUS

UN BASSIN ALIMENTÉ PAR UN RUISSEAU Un entretien régulier et la plantation de nombreux nénuphars ont transformé ce plan d'eau, alimenté par un ruisseau, en un décor magnifique. Sur les berges, les plantes présentent un attrait tout au long de l'année, et quelques statues et ornements attirent le regard en hiver quand la végétation a pratiquement disparu.

SUGGESTIONS *Quelques sièges où vous reposer dans un jardin sauvage vous permettront de l'apprécier davantage. Ici, deux coussins de couleurs vives ont transformé un banc ordinaire en siège confortable.*

■ CI-CONTRE

À PROXIMITÉ DE LA MAISON Ce bassin arrive au ras de la véranda, d'où un plancher le surplombe. De là, il est très agréable d'observer la vie aquatique, à l'intérieur ou à l'extérieur en fonction du temps.

SUGGESTIONS *Choisissez des plantes qui créeront une atmosphère intime. Ici, des plantations denses masquent une route passante.*

Conseils pratiques

DE L'EAU VIVE

Les eaux dormantes apportent calme et tranquillité dans un jardin, mais une certaine animation peut aussi être la bienvenue. Si un ruisseau qui rebondit de pierre en pierre donne un côté sauvage au jardin, une cascade, une fontaine ou un simple jet d'eau introduisent de la même façon une certaine vie. Quel que soit votre choix, l'eau vive deviendra à coup sûr l'un des attraits principaux du jardin.

■ CI-CONTRE
UN ESCALIER D'EAU C'est un projet ambitieux à réaliser, mais qui captera l'attention. La construction des marches en courbe permet d'utiliser au mieux l'espace, et ici, la réalisation est devenue la pièce maîtresse du jardin.

SUGGESTIONS
Ne renoncez pas à un projet ambitieux sous prétexte que vous n'avez aucune connaissance technique. Employez un artisan qualifié pour faire le travail, d'après vos plans.

LE DÉBIT DE L'EAU

L'installation d'une cascade ou d'une fontaine est complexe, aussi pensez à choisir une pompe dont le débit sera approprié à vos besoins (ce débit se mesure en litres par heure). Il faudra savoir également si cette pompe sera associée à un filtre ou assurera l'alimentation d'un autre point d'eau. Consultez un spécialiste sérieux, prêt à échanger la pompe si celle-ci ne convient pas. Pour de faibles débits, une pompe basse tension suffit, alors que pour de plus forts, une pompe haute tension est indispensable.

■ CI-CONTRE
UN PETIT JET D'EAU Sans eau vive, un bassin, même parfaitement dessiné, peut sembler sans intérêt. Un simple jet d'eau suffira à l'animer, et apportera une douce musicalité dans un petit jardin.

SUGGESTIONS *On manque parfois d'imagination pour aménager les coins. Un bassin en angle agrémenté d'un jet d'eau peut aisément tout changer.*

■ PAGE DE GAUCHE
UN RUISSEAU EN SOUS-BOIS Il faut une grande expérience et beaucoup de travail pour réaliser un tel ruisseau, de même qu'une bonne connaissance à la fois du paysage naturel, des différentes techniques, et du réglage du débit des pompes. Une version plus modeste reste à la portée de tout amateur passionné.

SUGGESTIONS *À moins que votre jardin ne soit situé sur une pente naturelle, prévoyez une pente douce pour le ruisseau. Cela vous évitera de déplacer une grande quantité de terre et des rochers trop lourds, et l'effet s'avérera tout aussi spectaculaire.*

■ CI-CONTRE
UNE FONTAINE MURALE Une telle installation suffit à métamorphoser n'importe quel mur ou courette. Un filet d'eau réjouit toujours les yeux et les oreilles. Cette fontaine est particulièrement décorative dans un lieu où rien d'autre n'attire l'attention.

SUGGESTIONS *Sachez qu'une fontaine située en hauteur du réceptacle est beaucoup plus sonore. Dans un petit espace, ce bruit peut devenir une nuisance pour vous ou vos voisins. Il est cependant tout à fait possible de régler le débit de la plupart des pompes.*

Conseils pratiques

À PROPOS DE ROCHERS

Les compositions rocheuses sont difficiles à intégrer dans le plan d'un jardin, particulièrement sur une surface plane, car elles s'adaptent davantage à un terrain en pente. Mais ne pensez pas qu'aux habituelles rocailles : des rochers saillants dans un massif sont plus faciles à mettre en place dans les jardins plats.

C'est souvent au printemps que les rocailles sont les plus belles, et le reste de l'année, elles paraissent plutôt tristes. Ne vous laissez pas décourager et apprenez à en tirer le meilleur parti. Choisissez des plantes qui fleurissent à diverses saisons, comme des persistants et des bulbes à floraison hivernale ; ainsi votre rocaille sera toujours superbe. En été, garnissez avec des annuelles, même si ce ne sont pas des plantes alpines, mais veillez à ce qu'elles ne se ressèment pas trop facilement, devenant un véritable fléau les années suivantes.

■ CI-CONTRE, EN HAUT
UN MASSIF ROCAILLEUX Il se peut qu'un talus artificiel dans un jardin plat ne fonctionne pas aussi bien que dans cet exemple, notamment s'il est peu élevé et garni uniquement de petites pierres. Ce massif rocailleux, bien proportionné, est un élément déterminant dans le paysage, et les nombreux persistants, ainsi que les bruyères à floraison hivernale, l'agrémentent au fil des saisons.

SUGGESTIONS *Afin d'éviter qu'une rocaille n'ait l'air morne en hiver, plantez des persistants et des plantes alpines en assez grand nombre.*

■ CI-CONTRE
UNE ROCAILLE EN PENTE Une pente douce comme celle-ci facilite la construction d'une rocaille qui a l'air parfaitement naturelle. Il est possible d'y planter un grand nombre de plantes et elle est idéale pour les amateurs d'alpines. Un sentier parmi les rochers permet d'admirer toutes ces plantes.

SUGGESTIONS *Cet effet naturel aurait été gâché si les marches décrivaient une ligne droite. Un sentier sinueux est toujours plus discret et moins fatiguant à emprunter.*

■ **CI-DESSUS**

DES BERGES ROCHEUSES La pierre et l'eau forment toujours une association heureuse, et ici la pierre calcaire, patinée par le temps, est particulièrement belle. Cette réalisation à grande échelle pourrait parfaitement s'adapter à un jardin de taille modeste, en une version plus réduite.

SUGGESTIONS *Suivez les contours naturels du terrain afin d'éviter de trop creuser et remuer la terre.*

■ **CI-CONTRE**

UNE ROCAILLE TOUTE SIMPLE Une rocaille de ce type s'intègre dans tous les plans de jardins de style naturel. Il suffit de découper une petite surface de pelouse, et de la planter de façon très dense. Les pierres utilisées sont calcaires et poreuses, et il est possible d'y mettre des plantations.

SUGGESTIONS *Faites en sorte que la hauteur du massif rocailleux soit proportionnelle à sa dimension. Si, comme ici, vous plantez de façon très dense, la hauteur a toutefois moins d'importance.*

131

Conception et réalisation

DIFFÉRENTS NIVEAUX

Les rocailles sont des solutions souvent adoptées dans la conception de jardins avec une forte pente, sur laquelle des affleurements rocheux paraissent naturels. Si la déclivité est plus douce et l'emplacement peu propice, remplacez une grande rocaille traditionnelle par un massif surélevé parsemé de rochers. Dans ce jardin, un massif de ce type sert à relier la pelouse du niveau supérieur à celle du niveau inférieur.

CONCEPTION

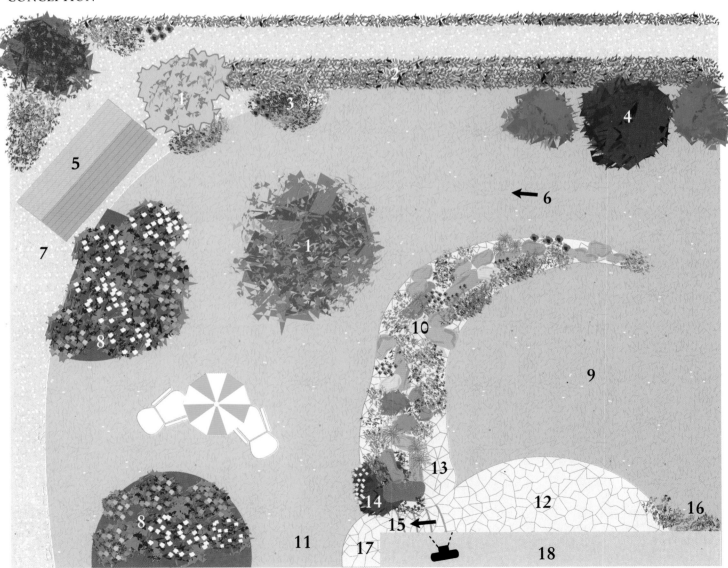

JARDINS EN PENTE

Les pentes, même les plus douces, posent des problèmes d'aménagement. Les terrasses sont dans l'ensemble les solutions les mieux adaptées, malgré un coût élevé et un travail considérable. Quand la différence de niveau est suffisamment faible pour permettre la tonte sans danger, la pelouse reste la meilleure solution. Ici, une surface plane, comprenant une terrasse et une pelouse, a été créée devant la maison, et la pelouse descend doucement vers le massif rocailleux.

Ce type de massif est agréable quand il est bien intégré. Dans ce cas, il sert à diviser le jardin avec une pente plus abrupte sur l'un des côtés.

INSTALLER UN MASSIF ROCAILLEUX

Vous pouvez construire ce genre de massif sur un terrain nivelé ou à l'arrière d'un bassin, en utilisant la terre extraite quand il a été creusé. Dans les deux cas, il faut une terre fertile pour les plantations. Choisissez des rochers en provenance de carrières locales, souvent moins chers et qui s'intègrent mieux à l'environnement.

RÉALISATION

RÉALISER UNE ROCAILLE

1 Avec de la terre, surélevez le niveau du sol. Maintenez toujours un espace dégagé entre le monticule que vous créez et une clôture ou un mur. Veillez à ne pas couvrir de terre une bande hydrofuge proche de constructions en briques.

2 Mélangez en parts égales, de la terre, du gravier grossier et de la tourbe ; étalez l'ensemble uniformément de manière à former un monticule. Posez la première rangée de pierre à la base, en essayant d'aligner les strates.

3 Positionnez la deuxième rangée de pierres, en vous aidant d'un levier pour les déplacer. Assurez-vous que les côtés soient en pente vers l'intérieur, et aplatissez le sommet.

4 Mettez en place les plantes. Procédez par couches en ajoutant le mélange terreux au fur et à mesure, et consolidez-le bien autour des rochers. Pour une jolie finition, déposez une couche de gravier horticole en surface.

Conception et réalisation

THÈMES CIRCULAIRES

Les thèmes circulaires apportent toujours une touche originale et composent des jardins étonnants, même quand les plantations sont réduites au minimum. Dans ce type de jardin, la structure révèle toute son importance ; ici une magnifique cascade murale en est le centre d'intérêt.

CONCEPTION

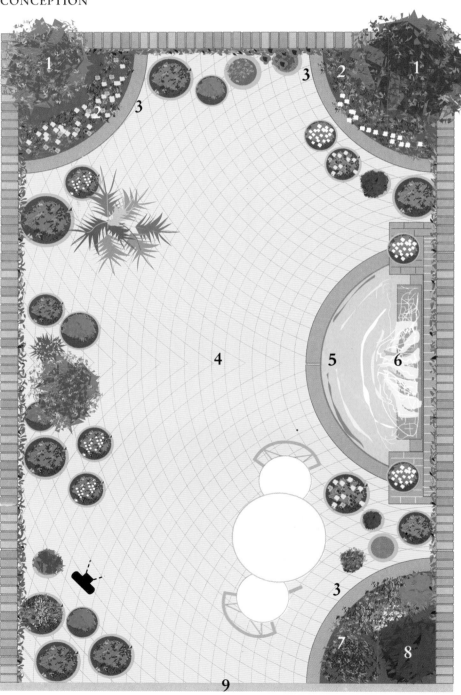

Les thèmes circulaires peuvent utiliser des cercles complets, des croissants, des arcs de cercle, qui parfois s'entrecroisent ou se chevauchent. Trois des angles de ce jardin sont occupés de façon symétrique par un quart de cercle ; cependant, trop d'éléments symétriques, comme une deuxième cascade sur le mur opposé, pourraient annuler l'effet.

Malgré le nombre de conteneurs figurant sur le plan, l'entretien est réduit ; ces pots d'annuelles apportent une note colorée suivant la saison.

Le choix du pavage et des briques pour les massifs surélevés est de la plus grande importance dans ce genre de jardin. Ici, les couleurs des briques et du pavage s'harmonisent parfaitement – un choix moins judicieux aurait pu gâché l'ensemble.

RÉALISATION

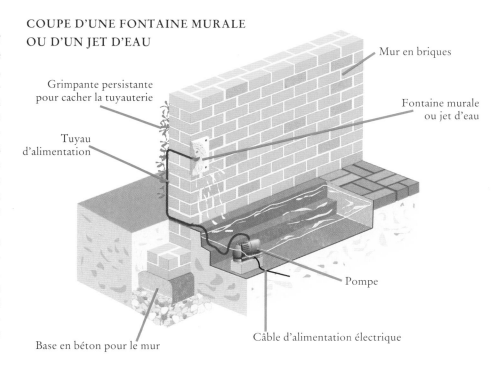

■ **CI-CONTRE**

FONTAINES MURALES ET JETS D'EAU
La réalisation de ce type de cascade ne
peut être confiée qu'à un professionnel,
ou à un amateur très expérimenté. Cependant, rien ne vous empêche de réaliser un
projet similaire, aux proportions moins
ambitieuses. Il n'est pas nécessaire de disposer d'un mur haut, une chute de 60 à
90 cm produit un son plus agréable qu'un
torrent puissant. Pour une construction
de petite taille, une pompe basse tension
suffit, à condition qu'elle soit équipée
d'un régulateur de débit.

Vous pouvez utiliser de la tuyauterie
en métal ou en plastique. Toute la difficulté consiste à bien dissimuler les tuyaux.
Si c'est possible, creusez un trou dans le
mur d'où sortira le tuyau qui aura été
monté derrière. Masquez toute tuyauterie inesthétique à l'aide d'une grimpante
à feuillage persistant comme le lierre.

COUPE D'UNE FONTAINE MURALE OU D'UN JET D'EAU

Mur en briques

Grimpante persistante
pour cacher la tuyauterie

Fontaine murale
ou jet d'eau

Tuyau
d'alimentation

Pompe

Base en béton pour le mur

Câble d'alimentation électrique

Conception et réalisation

ROMANTISME CLASSIQUE

Avec un peu d'imagination, même dans un espace restreint en ville, vous pouvez donner vie à un jardin faisant référence à un certain classicisme. Vous trouverez les matériaux nécessaires chez des revendeurs spécialisés dans la récupération.

CONCEPTION

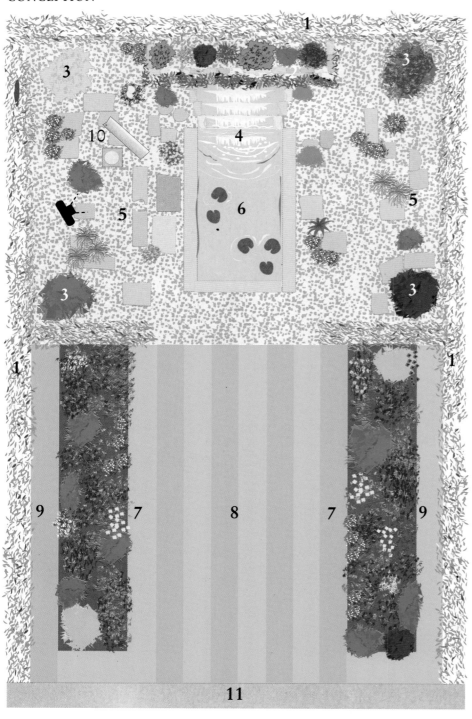

Voici un jardin pour les romantiques, amoureux des jardins traditionnels de style classique. La cascade en escalier en est l'attrait principal et donne le ton avec l'évocation d'une scène romantique. De plus, les matériaux récupérés sur des maisons anciennes confèrent à ce jardin de ville un côté intemporel. Une vieille colonne, qui semble être tombée de son socle depuis de nombreuses années, crée une atmosphère particulière.

Des plates-bandes herbacées à l'ancienne qui bordent la pelouse reflètent un style de jardinage formel qui fut en vogue à une certaine époque, et les haies traditionnelles d'ifs font la liaison entre les deux parties du jardin.

Quand vous optez pour l'utilisation de matériaux de récupération, soyez prêts à adapter vos projets en fonction de ce que vous trouverez.

RÉALISATION

■ CI-DESSOUS

**LA CONSTRUCTION D'UNE CASCADE
EN ESCALIER** La méthode retenue pour
la construction dépendra des matériaux
utilisés et de la taille de la réalisation,
mais des principes identiques peuvent
s'adapter à un grand nombre d'escaliers.

Après avoir creusé le bassin, formez
une pente avec la terre, à un angle qui
tient compte de la hauteur de chaque
marche. Sur une pente naturelle, il vous
suffit de tailler dans la berge, alors que

sur un terrain plat, il faut créer cette
pente et compacter le sol.

Mettez dans le bassin le liner en plastique, puis un autre liner sur la pente, en
laissant un rabat suffisamment important
pour que l'ensemble soit étanche. Placez
un feutre sous le liner pour le protéger des
petits cailloux, et utilisez une couche supplémentaire de ce liner pendant la construction, car les réparations seraient difficiles à effectuer, une fois les travaux finis.

Pour soutenir le mur en briques, couvrez de béton le fond du bassin après
avoir plié plusieurs fois en dessous un
reste de liner. Construisez le mur de soutien en briques jusqu'à la hauteur voulue,
c'est-à-dire la base de la première marche.

Cimentez la première marche dans
du mortier, et donnez-lui une légère
inclinaison vers l'avant. Mettez en place
les autres marches de la même façon.
Terminez par un petit canal, haut de deux
briques, qui alimentera le retour du tuyau.
Couvrez-le d'une autre dalle ou pierre.

Vérifiez la position du liner de chaque
côté des marches : il doit être coupé aux
dimensions exactes, et ses bords si possible
rentrés dans le sol. Plantez des persistants
en abondance pour dissimuler le tout.

Quand le mortier est complètement
sec, mettez la pompe en marche et vérifiez qu'il n'y a pas de fuite. La pompe
doit être suffisamment puissante pour
assurer un débit rapide sur chaque marche.
Demandez conseil à un spécialiste pour le
diamètre des tuyaux et les différentes installations. Dans le doute, optez plutôt
pour un tuyau plus gros, car il est toujours possible de réduire le débit.

COUPE D'UNE CASCADE EN ESCALIER

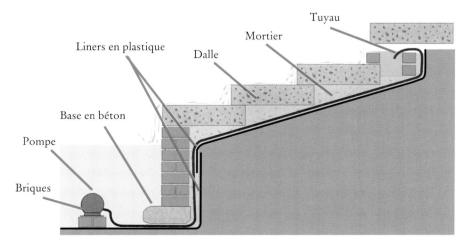

Tuyau

Mortier

Dalle

Liners en plastique

Base en béton

Pompe

Briques

Conception et réalisation

DE LA MODERNITÉ

Lors de la conception de votre jardin,
oubliez les bassins et les cascades, et
considérez l'eau davantage comme une
texture, à l'instar de ce que vous feriez pour
une zone pavée ou gravillonnée. Ne craignez
pas d'utiliser l'eau de façon imaginative.
Ce jardin l'intègre élégamment dans un
décor contemporain. En dépit de sa faible
quantité, elle est ici l'un des éléments
les plus intéressants et les plus créatifs.

CONCEPTION

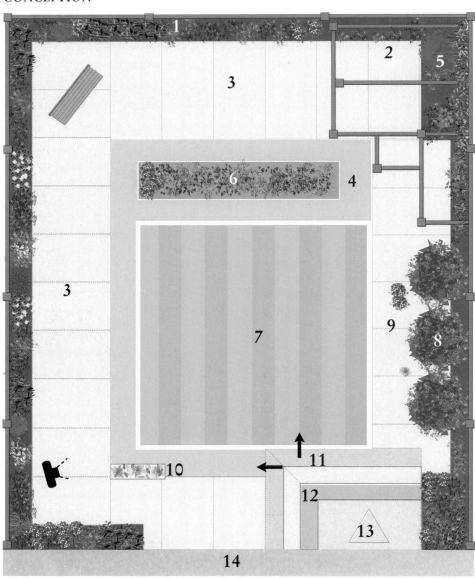

Tirant au mieux parti des formes
et des textures, ce jardin plaira
sans doute davantage à une
personne intéressée par le design
qu'à un passionné de plantes.
En dehors de la tonte régulière
de la pelouse, l'entretien est réduit
au minimum. Le rectangle vert
au-dessus de l'eau étant le point
de mire du jardin, il faut un
gazon ras et dense – veillez à ce
que l'herbe coupée ne tombe pas
dans l'eau.

   Un dallage ordinaire, plus
économique, aurait pu faire
l'affaire, mais le choix d'une
pierre naturelle, comme l'ardoise,
apporte une note plus sophistiquée
et accentue le design. Quand
le rôle du pavage est de première
importance dans un jardin,
consacrez le temps et l'argent
nécessaires au choix du matériau
qui répondra le mieux à votre
attente.

   Dans ce cas aussi, n'hésitez
pas à vous rendre dans plusieurs
carrières, pour expliquer en détail
vos besoins. Les professionnels
que vous y rencontrerez vous
conseilleront pour la sélection
et la façon de tailler la pierre.

RÉALISATION

■ CI-CONTRE

PERGOLA : DIFFÉRENTES OPTIONS
Pour les rosiers grimpants, les pergolas
faites de poteaux rustiques sont souvent
préférées, mais en terme de design, celles
en bois façonné produisent plus d'effet.

Ce type de construction permet de
supporter des grimpantes aussi vigoureuses que les glycines. Utilisez un bois
préalablement traité et traitez de nouveau
toutes les parties découpées avant l'assemblage (évitez les produits à base de créo-
sote si vous comptez planter immédiatement). Fixez les poteaux verticaux
solidement, dans du béton ou à l'aide de
piquets métalliques à enfoncer dans le
sol. Vérifiez les verticales avec un niveau.
Assurez-vous que tout s'emboîte parfaitement. L'assemblage des poutres hori-
zontales du dessus se faisant à mi-bois, il
faut en clouer les découpes inférieures
sur les poteaux verticaux avant de fixer

les moitiés supérieures. Il est recommandé
d'amorcer les trous quand l'ensemble est
encore au sol : percer en hauteur n'est
toujours aisé.

Si la pergola est longue, il est nécessaire de raccorder les poutres horizon-
tales au-dessus des poteaux verticaux.
Utilisez des clous ou des vis galvanisées.

MISE EN PLACE D'UN POTEAU · **ASSEMBLAGE À MI-BOIS** · **RACCORD DES POUTRES À MI-BOIS EN BOUT**

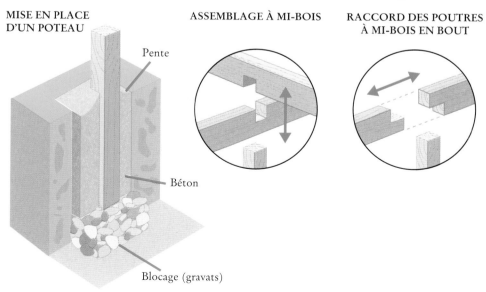

Pente · Béton · Blocage (gravats)

Conception et réalisation

UNE PENTE NATURELLE

Les jardins situés sur une pente douce sont une opportunité idéale pour des constructions d'aspect parfaitement naturel, associant rochers et eau, comme un ruisseau ou une petite cascade. Vous vous faciliterez la tâche en suivant les contours du site que vous devrez prendre en compte dans votre plan.

LÉGENDES DU PLAN

1 Banc de jardin
2 Pelouse
3 Rocaille
4 Pente et marche
5 Bassin
6 Cascade
7 Ruisseau
8 Mixed-border
9 Bassin supérieur
10 Conifère nain
11 Terrasse
12 Plantes en conteneurs
13 Maison

↑   sens de la descente des marches

lieu de la prise de vue

Une pente naturelle dans un jardin permet de réaliser une construction associant rochers et eau, mais votre projet sera bien évidemment dicté par les caractéristiques du terrain. D'un point de vue pratique, choisissez des pierres locales : elles seront plus adaptées à l'environnement et moins coûteuses que celles transportées sur de longues distances.

Il est difficile de dessiner le plan des plantations pour de tels terrains : utilisez quelques plantes de base comme des conifères nains ou de petits arbustes persistants. Les plantes alpines peuvent être plantées suivant l'inspiration, en veillant à ce qu'elles s'adaptent à la fois à l'espace disponible et à l'emplacement.

Une allée sinueuse est plus esthétique qu'un chemin rectiligne, tandis que l'association de pentes douces et de marches permet un changement d'allure et facilite la descente.

Il faut également bien réfléchir à l'emplacement des sièges et prévoir un coin repos assez grand à mi-chemin de la pente. Choisissez-le avec un joli point de vue sur le jardin, ou sur le paysage extérieur pour en profiter pleinement.

CONCEPTION

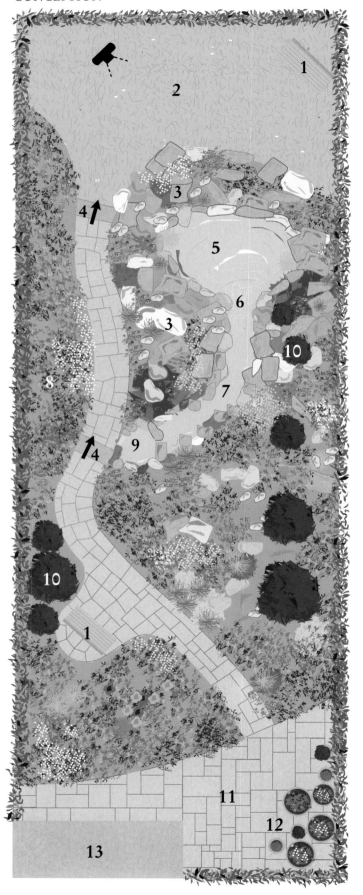

RÉALISATION

■ CI-CONTRE

CRÉER UN RUISSEAU PARMI LES ROCHERS Vous pouvez construire un ruisseau avec une succession de longs bassins étroits, en soudant les liners à chaque changement de niveau.

Utilisez un liner de bonne qualité, posé sur un feutre, et fabriquez de petites dalles de béton que vous placerez à chaque extrémité où il y a un changement de niveau, et sur lesquelles vous positionnerez vos rochers. Pliez des morceaux du liner restant et disposez-les sous la dalle de béton pour une protection supplémentaire.

Le lit du ruisseau sera étanche à chaque cascade si le bord du liner du bassin supérieur recouvre celui du bassin inférieur (voir illustration ci-contre). Mais pour plus de sécurité, soudez ou scellez ces parties à l'aide d'une colle ou d'un ruban adhésif étanche. Consultez les marchands spécialisés dans ce type d'aménagements.

Positionnez les rochers de façon stable sur les dalles de béton, de chaque côté de la cascade. Vous pouvez procéder à un premier essai, puis vider l'eau pour apporter quelques améliorations. Pour le choix de la pompe, là encore n'hésitez pas à faire appel à un spécialiste, car elle devra être suffisamment puissante pour maintenir un débit rapide à chaque cascade. Au sommet du ruisseau, un bassin alimente le tuyau de retour de la pompe.

COUPE D'UN RUISSEAU AVEC CASCADES

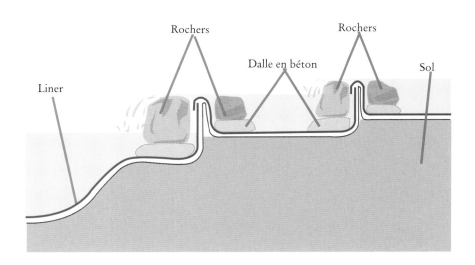

Rochers

Rochers

Dalle en béton

Sol

Liner

Conception et réalisation

TRADITION ET FORMALISME

Un bassin de grande taille est plus adapté à un grand jardin, mais en créant un espace très structuré autour d'un petit bassin, l'effet peut être particulièrement réussi.

Il est souvent difficile de dessiner de très grands jardins, surtout si vous souhaitez y introduire un style formel. Ici, on a contourné le problème en utilisant un espace avec une pelouse près de la maison, clairement séparé de la partie plus naturelle par des haies basses

CONCEPTION

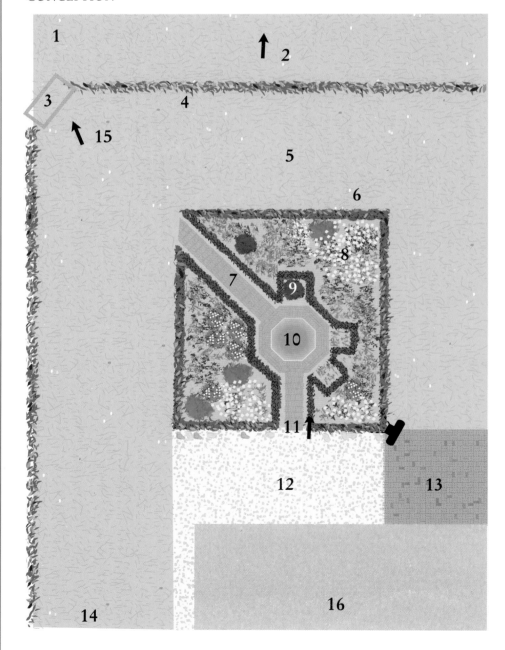

taillées. À l'intérieur de cette partie formelle, on a intégré un mini-jardin avec un bassin central, d'où partent des chemins qui relient les différentes parties. Un de ces chemins est aligné à angle droit sur la maison, d'où il est immédiatement visible en sortant. L'autre chemin contourne le bassin pour se diriger directement vers la pergola située dans l'angle de la pelouse.

UNE ROUE PLANTÉE D'ALPINES
Si vous avez de jeunes enfants, vous préférerez sans doute éviter le bassin central. Vous pouvez le remplacer par une roue de plantes aromatiques odorantes ou par de jolies plantes alpines. Il vous faut deux morceaux de bois, de la ficelle, une bêche, du terreau et de l'engrais, une vieille plaque d'égout, du gravier fin, des galets et des ardoises pour la décoration, et une bonne sélection de plantes alpines.

RÉALISATION

CRÉER UNE ROUE DE PLANTES ALPINES

1 Bêchez le sol et amendez-le de terreau et d'engrais. Attachez un morceau de bois à une ficelle de la longueur du rayon choisi. Pendant que quelqu'un tient le piquet central, dessinez le cercle en maintenant la ficelle tendue. Déposez des briques sur la circonférence et sur les rayons de la roue.

2 Positionnez les plantes en les laissant dans leur pot, pour vérifier l'espacement, puis plantez-les. Utilisez une espèce différente pour chacune des sections ; elles définiront mieux le dessin au fur et à mesure de leur croissance. Essayez de créer un contraste de couleurs et de textures.

3 Couvrez le sol restant de gravier, puis ajoutez les galets et les ardoises pour une finition plus soignée en attendant que les plantes atteignent leur maturité.

Sélection de plantes

PLANTES POUR MILIEUX HUMIDES ET ROCAILLES

Le choix de ce type de plantes est parfois déconcertant ; celles que l'on aimerait faire pousser sont toujours trop nombreuses pour l'espace disponible. Dans un bassin par exemple, il est important d'avoir des plantes immergées oxygénantes qui passent inaperçues, en même temps que des nénuphars dont le feuillage recouvre en partie la surface de l'eau. Toutefois, c'est parmi les plantes de berge (celles plantées dans l'eau peu profonde sur les bords du bassin) et celles pour milieux humides que le choix est le plus varié.

NÉNUPHARS

Choisissez des variétés adaptées à votre bassin : certaines sont très vigoureuses et conviennent pour des étangs ou des lacs, alors que des variétés miniatures peuvent pousser dans de petits bacs. En cas de doute, interrogez votre fournisseur. 'Froebeli' (rouge), 'Rose Arey' (rose) sont de bonnes variétés pour de petits bassins. 'Amabilis' (rose), 'Attraction', 'Laydeckeri Purpurata' (rouge) et 'Marliacea Chromatella' (jaune) conviennent pour des bassins de taille moyenne.

Nymphea 'Amabilis' est l'un des nombreux nénuphars qui peuvent prendre place dans un bassin de taille moyenne. Les nénuphars sont des plantes assez chères, mais elles durent de nombreuses années.

AUTRES PLANTES POUR EAUX PROFONDES

Les plantes portant cette appellation poussent avec environ 30 cm d'eau au-dessus de leur couronne, mais peuvent supporter une profondeur deux fois plus importante. Les nénuphars sont les plus connus dans cette catégorie, mais essayez *Aponogeton distachyos* dont la floraison odorante s'épanouit du printemps à l'automne. C'est une plante envahissante si elle est plantée directement dans la boue au fond d'un bassin, mais elle est plus facile à contrôler dans un conteneur.

Aponogeton distachyos est une plante aquatique étonnante qui fleurit du printemps, ou du début de l'été, jusqu'aux premières gelées. Ses fleurs blanches sont légèrement parfumées.

PLANTES POUR BERGES PEU PROFONDES

Ces plantes se cultivent avec seulement quelques centimètres d'eau au-dessus de la couronne. Elles sont souvent mises en place autour des bassins, dans environ 25 cm d'eau, sur des étagères spécialement conçues. Essayez dans cette catégorie *Acorus gramineus* 'Variegatus', *Caltha palustris*, *Pontederia cordata* et *Veronica beccabunga*.

Vous pouvez cultiver *Acorus gramineus* 'Variegatus' dans quelques centimètres d'eau, essentiellement pour son feuillage, semi-persistant, qui est décoratif.

PLANTES OXYGÉNANTES

Très peu de ces plantes immergées mettent en valeur le bassin, mais elles sont précieuses pour la qualité de l'eau, surtout si vous avez des poissons. Elles augmentent la

Myriophyllum aquaticum est l'une des plus jolies plantes oxygénantes, car son feuillage découpé se dresse à la surface de l'eau et peut, de façon esthétique, masquer les bords du bassin.

quantité d'oxygène contenue dans l'eau quand les poissons en ont le plus besoin et, en absorbant les aliments nutritifs, elles aident au contrôle de l'algue qui cause le verdissement de l'eau.

Lagarosiphon major (appelé aussi *Elodea crispa*) est la plus connue de ces plantes, mais elle est envahissante et il faut en éliminer régulièrement. Les différents myriophyllum ont un très joli feuillage découpé qui se dresse au-dessus de l'eau.

PLANTES POUR JARDINS « MARÉCAGEUX »

Ces plantes poussent dans la boue ou dans un sol qui ne se dessèche pas sans être inondé en permanence. Certaines peuvent vivre dans des massifs normaux, alors que d'autres meurent dès que le sol sèche. Les primevères comme *Primula japonica* et *P. bulleyana* sont excellentes en milieux humides, et *Lysichiton americanus*, avec ses étranges spathes jaunes, est vraiment très spectaculaire au printemps.

Primula bulleyana est une des nombreuses espèces de primevères ne prospérant que dans un sol humide ; très belles plantées en masse, elles ont une superbe floraison printanière.

PLANTES ALPINES FACILES

Dans cette catégorie, certaines plantes, comme les aubriètes et *Alyssum saxatile* (dont l'appellation correcte est maintenant *Aurinia saxatilis*), sont très envahissantes. Plantez-les pour leurs couleurs éclatantes, mais évitez la proximité de plantes plus raffinées, de croissance plus lente. *Cerastium tomentosum*, les phlox de rocailles *Phlox subulata* et *P. douglasii*, de même que de nombreux saxifrages à floraison printanière, sont des plantes de rocailles très décoratives et pas aussi envahissantes.

Phlox douglasii produit des tapis colorés dans les rocailles au printemps, mais reste facile à contrôler. La variété ci-dessus est 'Daniel's Cushion'.

PLANTES ALPINES REMARQUABLES

Ces plantes sont si nombreuses, que vous trouverez facilement de quoi satisfaire vos goûts. Parmi celles-ci, au moins deux sont à retenir, non seulement pour leur couleur bleu profond, mais aussi parce qu'après une floraison printanière, elles refleurissent de nouveau en automne : *Gentiana septemfida* (mi-juillet/mi-septembre) et *G. sino-ornata* (octobre/novembre).

Gentiana septemfida apporte une note colorée dans une rocaille en fin d'été, et, comme son feuillage est persistant, elle ne manque pas d'intérêt en hiver. Il lui faut un sol riche en humus.

CONIFÈRES NAINS

Les conifères nains ne sont pas du goût de tous les jardiniers, et dans certaines très petites rocailles, ils paraissent déplacés. Toutefois, ils donnent du relief et présentent un intérêt en hiver. De petite taille, *Juniperus communis* 'Compressa' forme une colonne miniature de feuillage gris-vert. Pour des endroits plus spacieux, *J. communis* 'Depressa Aurea' et *Thuya orientalis* 'Aurea Nana' sont de très jolis spécimens.

Juniperus communis 'Compressa' est l'un des conifères nains les plus adaptés pour rocailles. Sa croissante est relativement lente et les plantes adultes ne dépassent guère 75 cm de haut.

Un jardin pour attirer la faune

....

Pour beaucoup d'entre nous, un jardin ne se conçoit pas
sans la vie sauvage qui l'entoure : papillons, oiseaux et insectes
apportent couleurs et intérêts tout en contribuant activement à la
pollinisation des fleurs et au maintien d'un contrôle sur les nuisibles.

Mais un jardin envahi de mauvaises herbes, notamment des orties,
pour attirer les papillons par exemple, manquerait particulièrement
d'attrait. Des herbes folles et des fleurs sauvages, uniquement dans
le but de charmer la faune, ne correspondent certainement pas à l'idée
que vous avez d'un jardin bien tenu. Cependant, un compromis
est possible en attribuant une petite parcelle du jardin aux fleurs sauvages
et aux graminées, et en intégrant dans la partie plus formelle,
une pièce d'eau, de nombreux arbustes et grimpantes persistantes,
ainsi que des massifs de fleurs pour attirer les insectes.

■ **CI-DESSUS**
Un petit bassin est un moyen simple d'attirer oiseaux et autres petits animaux.

■ **PAGE DE GAUCHE**
Ce jardin, qui n'a pas été conçu spécialement pour la vie sauvage,
attire insectes et animaux, notamment des oiseaux, qui trouvent refuge
dans les massifs touffus d'arbustes et dans les arbres.

QUELQUES IDÉES

Il suffit de quelques éléments simples, comme un perchoir ou un bassin, pour attirer plein d'oiseaux. Un tas de compost ou de bois constitue également un excellent refuge où peuvent hiverner de nombreux animaux et insectes.

■ **CI-DESSUS**

Un jardin riche en arbres, arbustes et plantes couvre-sols offre de nombreux refuges pour les oiseaux, les insectes et d'autres animaux. En attirant plein d'oiseaux au jardin, les insectes constituent un lien important dans la chaîne alimentaire.

■ **CI-DESSUS**
Dans un jardin rural, il est beaucoup plus facile d'attirer la faune que dans un jardin citadin. Il suffit pourtant simplement que le jardin ait un couvert végétal abondant et soit garni de plantes donnant une atmosphère de jardin de curé.

■ **CI-CONTRE**
Même un simple jardinet devant la maison peut devenir un refuge pour la faune. Ici, un coin marécageux maintenu dans un état semi-sauvage, avec un petit bassin, attire des grenouilles, crapauds, salamandres, et de spectaculaires libellules et demoiselles, mais aussi divers insectes et petits mammifères. De tels refuges s'imposent dans les petits jardins de ville où l'habitat naturel est de plus en plus menacé.

QUELQUES IDÉES

Pour attirer la faune, un jardin ne doit pas nécessairement offrir un aspect sauvage, mais trouver un équilibre entre une partie ornementale et une autre plus naturelle.

■ CI-DESSUS

Un jardin citadin peut héberger une faune d'une diversité étonnante s'il est conçu avec des arbres, arbustes et un espace dégagé. Donnez régulièrement à manger aux oiseaux et autres petits animaux sauvages, et plantez des fleurs qui attirent papillons et autres insectes.

■ PAGE DE DROITE, EN BAS

Un jardin en sous-bois abrite une faune d'une grande variété, surtout s'il comporte des clairières alternant avec des aires boisées. Cependant, des arbres isolés ne font pas un jardin : il faut une pelouse óu un espace dégagé pour le structurer, mais aussi pour héberger une faune bien spécifique.

■ **CI-CONTRE**
Un massif où
abondent les
fleurs attire les
abeilles, papillons
et autres types
d'insectes.
N'hésitez pas
à conserver un
carré d'orties
dans un endroit
assez discret
– derrière l'abri
de jardin ou sur
un talus –, où
proliféreront
les chenilles de
papillons. Pour
attirer la faune,
l'idéal est de faire
un compromis
entre le côté
sauvage et le
côté esthétique.

Conseils pratiques

AU FIL DE L'EAU

Dans un jardin, la présence d'un bassin ou d'un petit ruisseau permet non seulement de cultiver de superbes plantes aquatiques ou d'imposantes plantes de berge, mais également d'attirer une faune d'une incroyable diversité.

Un point d'eau transforme un jardin, ne serait-ce que par la végétation qui y règne, mais aussi par la faune qu'elle héberge. Si vous avez de jeunes enfants, vous pouvez prévoir un bassin sans danger, qui permettra aux petits animaux de venir boire et se baigner : un petit bassin à oiseaux est de loin préférable à une totale absence d'eau.

■ CI-DESSOUS
UN BASSIN Ici, le bassin crée un décor à part entière, et peut constituer l'élément central autour duquel le jardin est conçu. En outre, il attire toute une faune bien spécifique.

SUGGESTIONS *Pour attirer la faune, préférez un bassin aux contours naturels, permettant un accès aisé depuis le bord, à un bassin aux formes géométriques, difficilement accessible.*

■ CI-DESSUS

UN COURS D'EAU Les jardiniers qui ont la chance d'avoir un cours d'eau naturel qui traverse leur jardin bénéficieront d'une faune importante. Sinon, il est tout à fait possible de créer un ruisseau artificiel tout aussi réussi que celui-ci.

SUGGESTIONS *Pour donner une apparence aussi naturelle à un cours d'eau artificiel, effectuez des plantations très denses sur les bords, en utilisant surtout des plantes indigènes.*

■ CI-DESSUS

UN PETIT JEU D'EAU Tout jardin peut se doter d'un petit jeu d'eau. Ici, il s'agit simplement d'un couvercle de poubelle recyclé, rempli de galets et placé sur une réserve avec une petite pompe qui fait jaillir l'eau de la bouche de la grenouille. Oiseaux et petits mammifères apprécieront ce point d'eau.

SUGGESTIONS *Utilisez ce type de jeu d'eau pour animer un coin morne du jardin, un lieu très ombragé, par exemple, où peu de plantes se développent.*

■ CI-CONTRE

UNE BERGE
N'hésitez pas à regrouper des plantes sauvages et des plantes cultivées afin de créer une illusion parfaite. Ici, la berge du bassin offre une apparence très naturelle bien qu'elle se compose uniquement de plantes cultivées.

SUGGESTIONS
Plus l'étendue d'eau est importante, plus il faut faire preuve d'imagination pour planter les rives, à moins que l'on préfère une simple surface engazonnée.

Conseils pratiques

UNE PRAIRIE DE FLEURS SAUVAGES

Dans un jardin récemment aménagé à la place d'une prairie riche en fleurs sauvages, celles-ci se ressèmeront d'elles-mêmes abondamment. Dans les autres cas, il faudra les introduire, en semant vous-même des graines de fleurs sauvages, vendues par espèces séparées ou en mélanges – il existe des sachets spéciaux « graines de prairie fleurie ».

■ **CI-CONTRE
DES ESPACES NATURELS** Dans le cas d'un jardin suffisamment grand, on peut conserver une partie avec une pelouse classique, et une autre où poussent librement des herbes folles et se ressèment des fleurs sauvages. Ici, des orchidées sauvages fleurissent dans les espaces non tondus du jardin. Une telle diversité de fleurs attire beaucoup de papillons et d'oiseaux.

SUGGESTIONS
Pour un effet plus « sculpté », tondez une vaste pelouse avec différentes hauteurs de coupe, les chemins et allées étant tondus plus ras que le reste.

■ **CI-CONTRE
UNE PRAIRIE FLEURIE** Cette prairie fleurie semée compte un mélange de graminées et de plantes à feuilles larges. Les mélanges où un seul type de plante prédomine sont souvent plus spectaculaires mais durant un moment assez bref, aussi un choix de plantes plus large s'avère utile pour attirer la faune, en fleurissant bien plus longtemps.

SUGGESTIONS *Un mélange « prairie fleurie » remplace le gazon dans un jardin où il y a de la place pour un espace « sauvage ». Ne le semez pas à proximité d'un massif ou d'une plate-bande classique.*

■ CI-CONTRE

DES PLANTES INDIGÈNES Dans un grand jardin, on peut laisser en friche de larges espaces en sous-bois comme au soleil. Ils seront colonisés par des plantes indigènes, dont certaines sont très décoratives. Le compagnon rouge *(Silene dioica)* montré ici est originaire de la région où a été prise cette photographie, et s'y ressème abondamment.

SUGGESTIONS *Ces espaces vraiment sauvages offrent un aspect étonnant durant un temps assez court, mais demeurent sans intérêt le reste de l'année. Pour cela, ils ne conviennent qu'à la périphérie d'un très grand jardin.*

■ CI-CONTRE

UN MASSIF NATUREL Ce groupe de fleurs sauvages donne une touche colorée naturelle. Dès qu'elles sont fanées, il suffit de les rabattre au ras du sol pour nettoyer la pelouse.

SUGGESTIONS *Ne placez pas ce type de massif dans un endroit trop en vue. Réservez-le de préférence à une partie du jardin plus à l'écart et plus sauvage.*

■ CI-CONTRE

DES FLEURS SAUVAGES CULTIVÉES Ces fleurs ont transformé une grande partie de terrain en friche en plate-bande vive et colorée, soigneusement conçue. Dans toutes les jardineries, on trouve des graines de fleurs sauvages en mélanges ou par espèces.

SUGGESTIONS *Semez des fleurs sauvages pour égayer un talus banal ou une bande de terre en friche. Ici, on les a semées au bord d'une voie de chemin de fer à l'extrémité du jardin, mais elles auraient donné un effet similaire le long d'une route.*

Conseils pratiques

VERGERS ET BOIS

Un bois ou un verger peut être une transition naturelle entre les parties agencées du jardin et celles plus sauvages, constituant un refuge idéal pour la faune.

UNE CLAIRIÈRE

C'est dans une clairière de sous-bois ou dans un espace dégagé près d'une haie que l'on observe une faune et une flore très diversifiées. Pour créer une clairière, il est inutile d'avoir un jardin très grand ni de la concevoir longtemps à l'avance. Choisissez des arbres à croissance rapide, comme le bouleau, notamment *Betula pendula*, qui peut dépasser 6 m de haut en dix ans, et espacez-les suffisamment pour qu'ils conservent une forme attrayante sans dispenser trop d'ombre. Un taillis d'une dizaine d'arbres offre plein d'attrait sur une pelouse et s'avère un refuge idéal pour la faune.

■ CI-DESSUS

AU PIED DES ARBRES Un sous-bois n'est pas toujours sombre et triste. Les jacinthes des bois s'étalent rapidement au point de se naturaliser à l'ombre. On peut aussi cultiver des bulbes de tulipes et muscaris à condition que l'ombre ne soit pas trop dense. Dans un grand jardin, un espace boisé est idéal pour attirer la faune.

SUGGESTIONS *Si vous voulez obtenir un bois rapidement, optez pour les bouleaux qui poussent vite ; ces arbres étant caducs, vous pourrez garnir leur pied de bulbes et bisannuelles à floraison printanière qui seront fanées une fois que le feuillage des arbres dispensera trop d'ombre.*

■ CI-CONTRE

UNE TERRASSE OMBRAGÉE N'hésitez pas à planter des arbres près de la maison afin de bénéficier d'une ombre précieuse en été sur la terrasse. Vous pouvez aussi consacrer un massif à des fleurs sauvages, sachant toutefois qu'elles attireront des insectes.

SUGGESTIONS *Veillez à ce que les bords d'un massif « sauvage » paraissent aussi naturels que possible.*

■ CI-CONTRE
DES SENTIERS ENGAZONNÉS Un jardin suffisamment grand pour avoir un verger ou un espace boisé s'avère idéal pour attirer une faune variée. Laissez pousser les fleurs sauvages dans la plus grande partie de cet espace et coupez les graminées une ou deux fois par an seulement – à condition qu'il n'y ait pas de plantes rares. Contentez-vous de tondre régulièrement les chemins.

SUGGESTIONS *Vous pouvez tracer des allées rectilignes ou sinueuses, en évitant de les tondre trop ras, pour obtenir un aspect le plus naturel possible.*

■ CI-CONTRE
DES FLEURS SAUVAGES AU VERGER Une partie de cet ancien verger est désormais constellée de fritillaire damier *(Fritillaria meleagris)*, d'anémones des bois *(Anemone nemorosa)* et de narcisses. Toutes ces plantes bulbeuses à floraison printanière se naturalisent bien dans l'herbe d'un verger. En été, des fleurs sauvages leur succèdent, attirant toute une faune bien spécifique.

SUGGESTIONS *N'attendez pas que la nature transforme un ancien verger. Commencez par naturaliser des bulbes et planter ou semer des fleurs sauvages si nécessaire.*

Conseils pratiques

NOS AMIS AILÉS

De tous les petits animaux qui visitent le jardin,
les oiseaux sont les plus faciles à apprivoiser. Ils viendront
régulièrement vous voir si vous prenez l'habitude de leur
laisser à manger. Pour les faire revenir fréquemment,
offrez-leur également un point d'eau (un petit bassin),
où ils puissent s'abreuver et se baigner en toute sécurité.

■ **CI-DESSUS**
**UNE MANGEOIRE DÉCORATIVE POUR
LES OISEAUX** Une mangeoire pour les
oiseaux s'avère souvent plus pratique
qu'ornementale, mais ce n'est pas toujours le cas, comme le montre ce modèle
fait main, qui constitue un élément décoratif à part entière.

SUGGESTIONS *Installez-la hors de
portée des chats ou d'autres animaux et
si possible, évitez le milieu de la pelouse.
Une volière comme une mangeoire se
patinent rapidement et se salissent vite si
l'on ne nettoie pas les fientes d'oiseaux.*

■ **PAGE DE DROITE, EN BAS**
**UN BASSIN ORNEMENTAL POUR
OISEAUX** Un bassin pour oiseaux est un
peu austère lorsqu'il est simplement isolé
sur la pelouse. En revanche, il devient un
décor attrayant lorsqu'il est entouré,
comme ici, de plantes alpines dans un lit
de gravier.

SUGGESTIONS *Le centre de la pelouse
n'est pas toujours le meilleur endroit pour
un bassin pour oiseaux. Installez-le de
préférence sur un côté de la pelouse, près
d'un massif, de sorte que l'on admire tout
le jardin pour le découvrir. En outre,
les oiseaux se sentiront plus en sécurité à
l'abri des arbres et des arbustes proches.*

■ **CI-DESSUS**
UN COLOMBIER Pour agrémenter votre
jardin du vol de gracieuses colombes, installez un colombier qui deviendra un
élément décoratif à part entière.

SUGGESTIONS *Souvent peint
en blanc et disposé bien en vue
sur une pelouse, le colombier
gagne pourtant à être placé
au fond d'un massif.*

■ CI-DESSUS
**UN BASSIN POUR OISEAUX DANS
UN MASSIF** Un bassin pour oiseaux
peut contribuer à animer un massif à une
époque de l'année où les vivaces manquent singulièrement d'attrait. Un tel
emplacement est adapté à certains styles
de jardin, mais ne convient pas dans un
jardin géométrique, où le bassin constitue un point de mire.

SUGGESTIONS *Plantez un
couvre-sol à la base du socle afin
qu'il s'intègre mieux au massif.
Choisissez-en un persistant qui restera
vert une fois le massif dénudé.*

Conception et réalisation

UN HAVRE DE PAIX

Ce jardin est un refuge pour une faune très diversifiée,
mais également un lieu où le jardinier peut se reposer des
pressions de la vie quotidienne. Il combine à la fois l'attrait
d'un lieu sauvage à celui d'un côté plus structuré.

Ce jardin offre les trois éléments
qui attirent une faune variée :
l'abri d'un sous-bois, l'eau et
l'abondance de fleurs, riches en
nectar et en pollen.

On a transformé en espace
boisé la partie du jardin qui
jouxte le bois, et créé un bassin
pour son attrait et son utilité.
La pergola fait une transition
naturelle entre la voûte d'arbres
et les îlots de massifs.

Il est tentant de planter une
multitude de fleurs sauvages dans

CONCEPTION

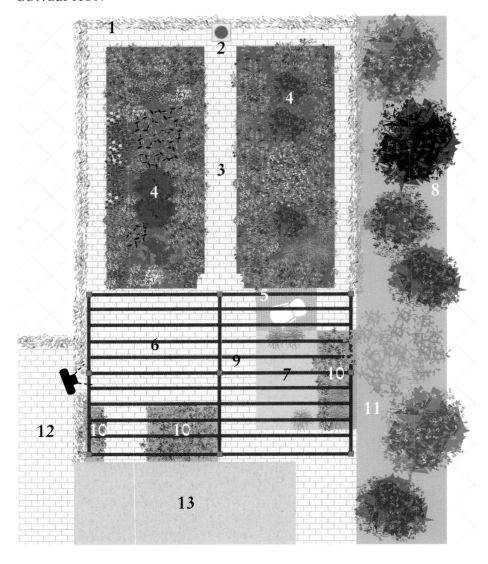

LÉGENDES DU PLAN

1 Haie d'ifs
2 Sculpture sur socle
3 Allée en pavés de béton
4 Massif comprenant arbustes,
  vivaces et annuelles pour
  attirer les papillons et
  les autres insectes
5 Plancher en bois
6 Terrasse en pavés de béton
7 Bassin
8 Bois limitrophe
9 Pergola
10 Arbustes
11 Ceinture longeant le bois
  limitrophe
12 Parking
13 Maison

∨ suite du jardin

◣ lieu de la prise de vue

un jardin comme celui-ci, doté
d'une structure assez rigide, mais
préférez toutefois les plantes
prisées par les insectes pour leur
richesse en nectar ou en pollen.

Si de nombreuses annuelles
et vivaces s'imposent, n'oubliez
pas des arbustes pour donner
du volume aux massifs et éviter
qu'ils ne se dénudent trop en hiver.
Pensez aux cotonéasters qui
produisent en automne et
en hiver des baies décoratives
dont raffolent les oiseaux.

Le bois limitrophe abrite
une faune riche, et vous pouvez
consacrer un ou plusieurs
carrés à de longues graminées
afin que s'épanouissent diverses
fleurs sauvages qui attireront
des insectes et des oiseaux.

RÉALISATION

MASSIF-ÎLOT

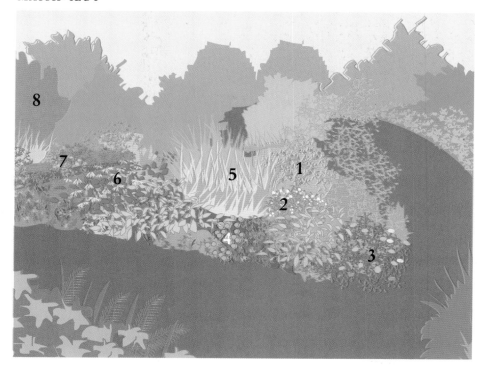

■ **CI-DESSUS**
MASSIF-ÎLOT Ce type de massif s'avère précieux pour briser un grand espace. Il est conçu pour être attrayant de tous côtés. Il peut avoir une forme géométrique, comme sur le plan de la page de gauche, ou bien une forme naturelle tel sur le plan ci-dessous. À gauche, les quatre côtés offrent une perspective et des groupements de plantes différents.

En plus des vivaces et des bulbeuses, quelques arbustes apportent du volume aux massifs, surtout durant l'hiver, même s'ils ne sont pas persistants. Privilégiez des arbustes à fleurs comme les hydrangéas, dont les têtes, même fanées, restent décoratives jusqu'au printemps suivant.

Pensez également aux arbustes à tiges colorées l'hiver, comme le *Cornus stolonifera* 'Flaviramea' ou le *Cornus alba* 'Sibirica', qui sont décoratifs toute l'année.

Conception et réalisation

LA NATURE APPRIVOISÉE

Ce jardin concilie les exigences de la faune qui préfère un espace inculte et le désir du jardinier de créer un jardin bien tenu et esthétique.

CONCEPTION

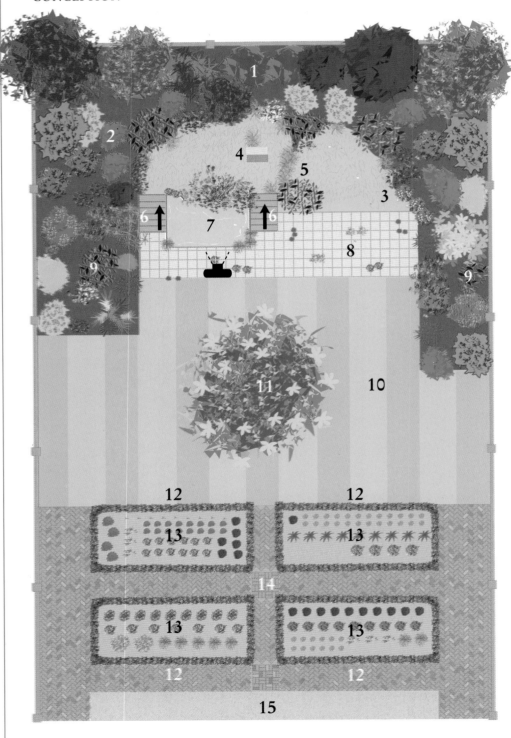

LÉGENDES DU PLAN

1 Petits arbres
2 Arbustes
3 Herbes folles
4 Mangeoire pour les oiseaux
5 Talus planté
6 Marches
7 Bassin
8 Espace dallé avec des plantes dans les fentes
9 Arbustes
10 Pelouse
11 Arbre pleureur
12 Haie de buis nain (*Buxus sempervirens* 'Suffruticosa')
13 Plantes aromatiques
14 Allée en briques
15 Maison

↑ sens de la montée des marches

lieu de la prise de vue

Les deux parties distinctes du jardin sont reliées par une pelouse et un grand arbre pleureur. Celui-ci, isolé sur le gazon, fait une transition progressive, mariant deux styles contrastés : un jardin géométrique d'herbes aromatiques près de la maison, et un espace d'herbes folles, avec un bassin, des arbustes et des arbres à l'extrémité du jardin.

Un espace sauvage donne souvent l'impression de n'être envahi que de mauvaises herbes. Il reflète en effet la nature, mais pas nécessairement la vision que l'on a d'un jardin. Comme compromis, transformez l'extrémité du jardin en une aire sauvage, tout en gardant un style plus raffiné auprès de la maison. Une pelouse est une bonne façon de lier les deux styles ; des herbes

RÉALISATION

folles avec des fleurs sauvages au fond, et un gazon d'ornement, fin, bien tondu, près de la maison.

Autour des massifs, posez le dallage selon deux motifs différents pour un rendu plus original.

DALLAGE IRRÉGULIER

Un motif très régulier où les dalles sont toutes alignées peut sembler répétitif, surtout sur une grande surface. Posez-les en quinconce, en utilisant par exemple des dalles de tailles différentes pour augmenter l'attrait et donner du caractère à l'ensemble. Si vous désirez planter entre les dalles, remplacez le mortier par du sable grossier et espacez un peu plus les dalles.

La pierre naturelle offre un effet très plaisant quand elle est posée irrégulièrement, et il est également possible d'acheter des dalles de béton de différentes tailles pour obtenir un effet similaire. Elles sont facilement disponibles et généralement moins chères.

POSER UN DALLAGE IRRÉGULIER

1 Creusez l'espace choisi à une profondeur permettant de disposer environ 5 cm de cailloutis tassé, surmonté d'environ 5 cm de mélange de sable et de gravier, plus l'épaisseur des dalles.

2 Placez cinq poignées de mortier à l'emplacement de la dalle, une au milieu et les autres aux coins. On peut aussi recouvrir de mortier tout l'espace sous la dalle, en le mettant bien à niveau.

3 Scellez la dalle sur le mortier, vérifiez l'horizontalité avec un niveau. Sur une grande superficie, faites une légère inclinaison pour l'écoulement de l'eau. Vérifiez la pente avec un morceau de bois placé sous un côté du niveau.

4 Utilisez des gabarits de même épaisseur pour assurer un espacement régulier, et ajustez à nouveau les dalles si besoin est. Si vous voulez planter dans les joints, laissez de grands espaces entre les dalles. Enlevez les gabarits avant de remplir les joints de mortier.

Attendez un jour ou deux avant de jointoyer au mortier. Utilisez un mortier maigre, et avec une petite truelle, insérez-le entre les joints. Lissez soigneusement en effectuant un léger retrait. Essuyez immédiatement toute tache sur les dalles avant que le mortier sèche.

Conception et réalisation

UN JARDIN AU CARRÉ

Ce jardin marie avec succès le raffinement d'un jardin à la spontanéité d'un espace sauvage. Le plan formel aux fortes lignes géométriques intègre parfaitement un espace boisé.

Un jardin boisé constitue un refuge idéal pour la faune, mais peut paraître sans intérêt quand on le regarde depuis la maison.

Ici, l'espace juste devant la maison est très structuré : il associe des rectangles et des carrés de différentes dimensions

CONCEPTION

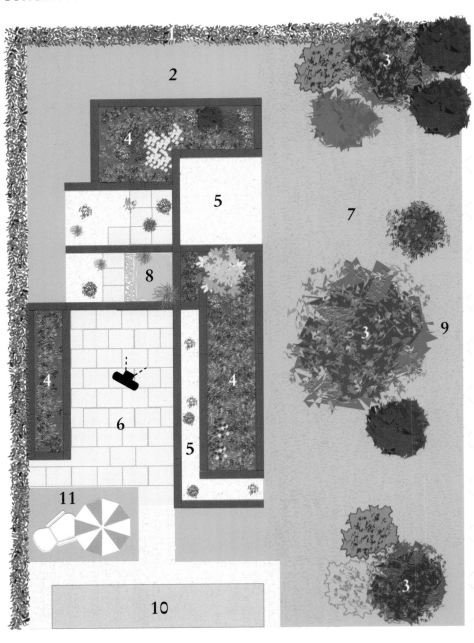

LÉGENDES DU PLAN

1 Haie
2 Pelouse
3 Arbres et arbustes
4 Massifs surélevés composés de traverses de chemin de fer et de diverses plantations
5 Gravier
6 Dallage
7 Herbes folles
8 Petit bassin pour la faune
9 Espace boisé
10 Maison
11 Salon de plein air

< suite du jardin

🔫 lieu de la prise de vue

comportant sur un des côtés un espace composé d'herbes folles et d'arbres. Situé en lisière de grands arbres, il est très ombragé, mais les lignes fortes et les différents revêtements de l'espace géométrique, ainsi que les nombreuses plantes d'ombre à feuillage décoratif, lui donnent un attrait permanent.

L'eau attirant toujours la faune, on a aménagé un petit bassin avec une pente peu profonde.

UN BASSIN PRÉFABRIQUÉ
Si un petit bassin d'allure naturelle s'impose dans le plan de votre jardin, optez pour un modèle préfabriqué, simple à installer. À l'achat, si ces bassins sont présentés sur le côté, n'hésitez pas à en mettre un à même le sol pour bien vous rendre compte de son volume car, une fois en place, ils paraissent toujours plus petits.

RÉALISATION

INSTALLER UN BASSIN PRÉFABRIQUÉ

1 Reproduisez la forme du bassin à même le sol en disposant des baguettes tout autour. Placez un tuyau d'arrosage ou une ficelle à l'extérieur des baguettes.

2 Enlevez le bassin et les baguettes, et creusez le trou à la profondeur requise, en suivant le contour aussi précisément que possible.

3 Disposez une planche de bois à bord rectiligne au-dessus du trou pour vérifier le niveau. Mesurez pour vous assurer que vous avez bien creusé à la profondeur requise.

4 Mettez le bassin dans le trou, puis ajoutez ou enlevez de la terre si besoin. Supprimez toute grosse pierre. Vérifiez l'horizontalité du bassin à l'aide d'un niveau.

5 Enlevez le bassin, puis tapissez le trou de sable humide si le sol est rocailleux. Une fois le bassin en place et le niveau vérifié, remblayez avec du sable ou de la terre fine, en veillant à conserver une bonne horizontalité.

6 Remplissez le bassin d'eau à l'aide d'un tuyau d'arrosage et remblayez à nouveau si nécessaire à mesure que l'eau monte, en vérifiant souvent le niveau car le remblai rehausse souvent légèrement le bassin. Il est désormais prêt à recevoir flore et faune.

Conception et réalisation

BEAUTÉ SAUVAGE

Un grand jardin, intégré dans un cadre séduisant, offre de multiples possibilités pour réaliser un décor superbe et attirer une faune très variée. La pente naturelle du terrain permet de structurer le jardin de diverses façons.

Un grand jardin disposant d'une déclivité doit se concevoir en utilisant si possible les contours naturels du terrain. C'est pourquoi, un jardin de ce type est presque toujours unique. Cependant, vous pouvez adapter à votre propre jardin les principes de base et les concepts du plan s'ils sont appropriés. Bien qu'il

CONCEPTION

s'agisse d'un grand jardin, on peut aménager de la même façon une pente plus petite.

Un cours d'eau naturel apporte un plus au jardin, mais avec ingéniosité et énergie, vous pourrez concevoir un ruisseau artificiel à l'aide d'un liner.

■ **PAGE DE DROITE**
PLANTER DANS UN SOL SEC ET OMBRAGÉ Un espace boisé est toujours plus attrayant s'il comporte à la base des arbres, des vivaces et des arbustes nains. Cependant, le sol ombragé au pied des arbres est souvent sec, aussi faut-il choisir des plantes qui tolèrent ces conditions, et veiller à bien les arroser la première année jusqu'à ce qu'elles reprennent.

N'hésitez pas à supprimer certaines des branches les plus basses des grands arbres (tâche à confier de préférence à un élagueur qui éclaircira aussi la cime si nécessaire).

Pour que le sous-bois conserve un aspect naturel, aménagez des sentiers sinueux plutôt que rectilignes, et laissez certaines plantes s'étaler sur les bordures. Pour la plantation d'un grand espace, préférez aux plantes individuelles qui auraient peu d'effet, des touffes comprenant cinq à sept pieds de la même variété.

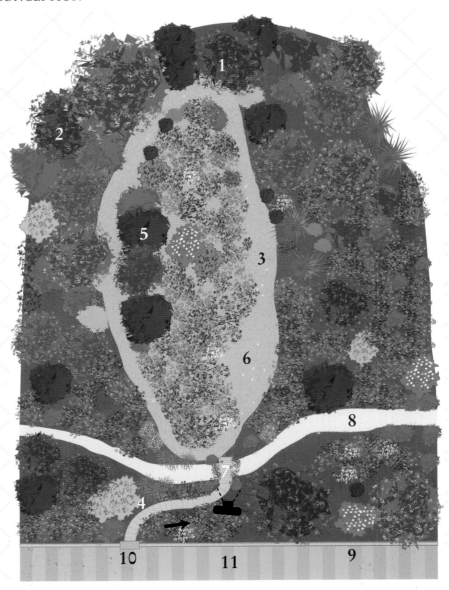

RÉALISATION

PLANTES POUR SOL SEC ET OMBRAGÉ

LES PLANTES CHOISIES

1 *Ajuga reptans*
2 *Geranium magnificum*
3 *Geranium pratense*
4 *Deutzia × kalmiiflora*
5 *Rubus spectabilis* 'Flore Pleno'
6 *Geranium macrorrhizum* 'Album'
7 *Colchicum autumnale*
8 *Arum italicum*
9 *Myosotis sylvatica*
10 *Helleborus* Hybrides
11 *Geranium macrorrhizum*
12 *Galium odoratum* (syn. *Asperula odorata*)

SE RAPPROCHER DE LA NATURE

Lorsque le jardin est suffisamment grand pour consacrer tout un espace à des promenades bucoliques, serpentant parmi de petits cours d'eau, en sous-bois et le long d'herbes folles, le rapprochement avec la nature est vraiment réussi.

CONCEPTION

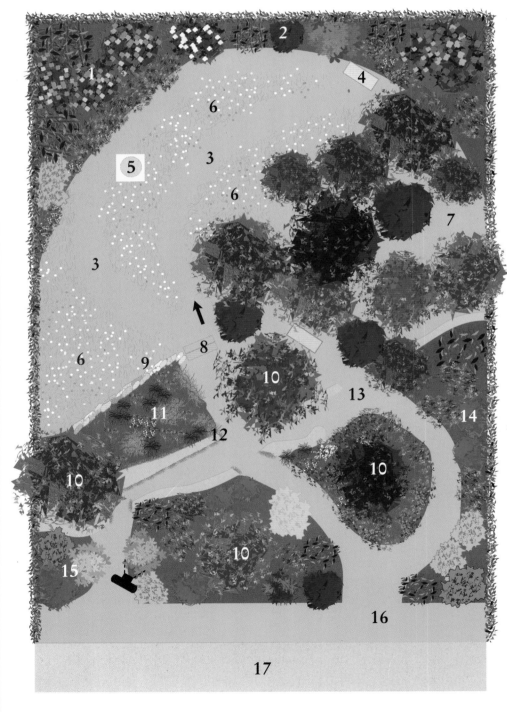

LÉGENDES DU PLAN

1 Arbustes
2 Mixed-border garni surtout de plantes qui attirent les papillons et autres insectes
3 Allée de gazon tondu
4 Banc
5 Grande sculpture ou élément décoratif
6 Herbes folles et fleurs sauvages
7 Jardin en sous-bois
8 Marches
9 Mur en pierres
10 Arbre remarquable
11 Jardin marécageux
12 Cours d'eau
13 Sentier engazonné
14 Massif d'arbustes et de vivaces
15 Arbustes
16 Pelouse
17 Maison

↑ sens de la descente des marches

📷 lieu de la prise de vue

Dans ce jardin, les allées sinueuses qui paraissent parfaitement naturelles ont été conçues pour avoir un impact maximal. Elles décrivent surtout des boucles, se rencontrent puis se séparent au hasard du terrain, offrant des possibilités multiples pour explorer le jardin. La présence d'arbres, d'eau, d'herbes folles et de fleurs sauvages, constituant autant d'habitats différents, fait venir une faune très variée. Les massifs sont plantés de fleurs attirant les insectes et d'arbustes mûrissant des baies dont raffolent les oiseaux.

RÉALISATION

DES CHAISES LONGUES DÉCORATIVES

■ CI-DESSUS

Dans un jardin naturel comme celui du plan de la page de gauche, des chaises longues s'imposent pour prendre le soleil au milieu des fleurs sauvages et des chants d'oiseaux. Si vous avez des chaises longues usagées, rajeunissez-les en les recouvrant d'un nouveau tissu décoré au pochoir. Il vous faut environ 1,50 m de tissu par chaise, que vous lavez, rincez, séchez et repassez avant de l'utiliser.

Vous pouvez acheter un pochoir dans un magasin spécialisé, ou bien créer le vôtre pour la toile et le cadre. Il est possible également de teindre le vieux bois avec une lasure colorée, du même ton que la toile ou d'une teinte complémentaire.

■ CI-DESSUS

Concevez d'abord le motif, puis fixez le pochoir à l'aide d'un ruban adhésif. Imprégnez la brosse à pochoir de peinture, enlevez tout excès en badigeonnant un papier journal, puis appliquez la couleur sur la partie spécifique du pochoir. Déplacez-le et répétez l'opération pour la même couleur. Puis repositionnez le pochoir et appliquez une nouvelle teinte. Répétez jusqu'à ce que le motif soit complet. Laissez sécher, puis fixez la peinture en la couvrant d'un linge blanc et en passant un fer à repasser très chaud sur chaque partie durant au moins deux minutes. Utilisez des clous de tapissier pour fixer solidement la toile au sommet et à la base de la chaise longue.

Conception et réalisation

INTÉGRÉ DANS LE PAYSAGE

Un grand jardin dans un cadre rural peut se fondre dans le paysage s'il est clos d'une ceinture d'arbres et d'arbustes, un peu comme en lisière d'un espace boisé. Un jardin d'une telle taille comporte une importante surface engazonnée, dont l'entretien sera réduit si l'on consacre certains espaces à des fleurs sauvages et des herbes folles pour attirer la faune.

CONCEPTION

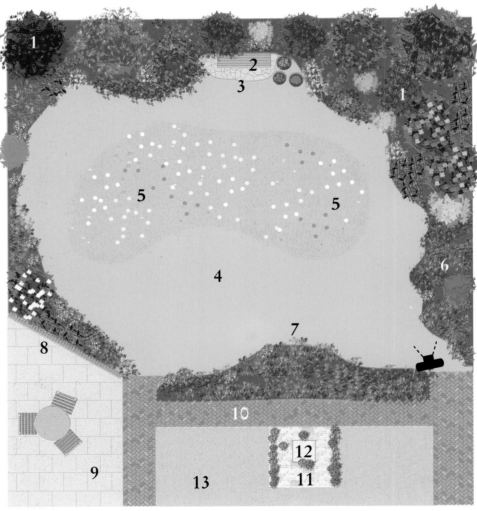

LÉGENDES DU PLAN

1 Massif d'arbres et d'arbustes
2 Banc
3 Terrasse dallée autour du banc
4 Pelouse
5 Herbes folles et fleurs sauvages
6 Arbustes et plantes couvre-sols
7 Arbustes à faible développement
8 Mur de soutènement
9 Terrasse
10 Dallage en briques
11 Cour en pierre naturelle garnie d'arbustes nains
12 Bassin carré
13 Maison

🔲 lieu de la prise de vue

faune abondante, notamment des oiseaux, qui s'y désaltèrent et s'y baignent.

La grande terrasse, légèrement surélevée, offre une belle vue sur le jardin, renforçant son côté agréable et reposant.

DES FLEURS SAUVAGES
INTRODUITES AU JARDIN
Pour attirer les oiseaux, les papillons et autres petits animaux, l'idéal est de créer un gazon de fleurs sauvages à la place d'une pelouse tondue. Ne procédez pas sur toute la surface, mais plutôt par touches.
Si votre pelouse ne comporte pas déjà des fleurs sauvages, vous pouvez semer un mélange de graines spécial « prairie fleurie » ou, dans un petit espace, planter des fleurs sauvages en godets.

La tonte de l'herbe est la seule vraie corvée, encore qu'elle soit réduite grâce à la présence de fleurs sauvages et d'herbes folles ; il suffit de disposer d'une tondeuse puissante pour faciliter la tâche. S'il faut arroser régulièrement les plantations saisonnières en pots, les arbres et les arbustes ne requièrent aucun entretien suivi.

On a aménagé un petit bassin géométrique dans la cour pavée entre les deux ailes de la maison ; ce petit espace est visité par une

RÉALISATION

SEMIS ET PLANTATION DE FLEURS SAUVAGES

1 Le meilleur moyen de créer un gazon de fleurs sauvages est de semer un mélange spécial « prairie fleurie » au lieu d'une pelouse. Mais auparavant, veillez à bien nettoyer le terrain des mauvaises herbes vivaces.

2 Pour ensevelir les graines, contentez-vous de ratisser dans une direction, puis dans l'autre. Cela n'a pas d'importance si certaines graines restent en surface. Arrosez bien jusqu'à la levée et protégez des oiseaux si nécessaire.

3 Pour un très petit espace, préférez les plantes sauvages sous forme de jeunes plants en godets, que vous aurez semées au préalable, ou bien achetées en jardinerie ou dans une pépinière spécialisée.

4 Plantez-les à même le sol nu, ou bien directement sur la pelouse existante. Arrosez-les bien jusqu'à ce qu'elles reprennent.

Sélection de plantes

LES PLANTES POUR ATTIRER LA FAUNE

La plupart des plantes attirent la faune, mais certaines ne sont visitées que par des insectes bien particuliers : ainsi, le *Buddleja davidii*, dénommé à juste titre « arbre à papillons », car ceux-ci apprécient ses fleurs, ou bien le népéta, souvent envahi par les abeilles.

DES ARBUSTES POUR LES PAPILLONS

L'arbre aux papillons doit figurer en premier sur la liste, mais n'oubliez pas les autres buddleias, comme *B. alternifolia* et *B. globosa*. Les autres arbustes courants qui attirent les papillons sont les céanothes, les bruyères, de nombreuses *Hebe*, les lavandes, et *Spiraea × bumalda* (désormais rebaptisé *S. japonica*).

Le *Buddleja davidii* est également dénommé « arbre à papillons » car il les attire. Il est très facile à cultiver, même en sol pauvre, mais doit être régulièrement taillé pour rester compact. Il en existe des variétés à fleurs bleues, pourpres, roses et blanches.

DES VIVACES POUR LES PAPILLONS

Les vivaces suivantes attirent les papillons, au même titre que les meilleurs arbustes. En outre, certaines fleurissent tard, comme la plupart des asters vivaces, tels *Aster amellus*, *Aster × frikartii*, *Aster novae-angliae*, *Aster novi-belgii*, ainsi que le *Sedum spectabile* et ses hybrides.

Le *Sedum spectabile* anime un massif en automne de toute une population d'abeilles et de papillons. La variété 'Meteor', sur la photo, figure parmi les meilleures.

DES ANNUELLES POUR LES PAPILLONS

De nombreuses annuelles d'été, comme les pensées et les œillets d'Inde, attirent également les papillons. Sans oublier l'agératum, l'ibéris, et l'alysse (*Alyssum maritimum*, rebaptisé *Lobularia maritima*).

L'œillet d'Inde est une annuelle idéale pour l'été, fleurissant sans arrêt de juin aux gelées, si l'on supprime les fleurs fanées au fur et à mesure. Il attire ainsi les papillons très longtemps. Cette variété est 'Red Cherry'.

LES PLANTES PRÉFÉRÉES DES CHENILLES

Les chenilles se nourrissent de plantes différentes de celles dont raffolent les papillons. Le fait que les papillons déposent généralement leurs œufs sur des plantes autres (souvent des mauvaises herbes) que celles dont ils puisent le nectar est un

La capucine (*Tropaeolum majus*) est une annuelle rustique, charmante et simple à cultiver, encore que certaines espèces de papillons pondent leurs œufs sur les feuilles. Il s'agit donc d'une plante bénéfique car les chenilles qui éclosent restent sur leurs feuilles au lieu de s'attaquer à d'autres plantes et sont faciles à maîtriser.

grand soulagement pour le jardinier. Ainsi, les chenilles prolifèrent sur les orties (*Urtica dioica*), les chardons, la capucine (*Tropaeolum majus*) et la capucine des canaris (*Tropaeolum peregrinum*).

Cependant, les papillons s'avèrent parfois étonnants

par le choix des plantes sur lesquelles ils pondent leurs œufs. Si vous vous intéressez aux papillons, n'hésitez pas à consulter un ouvrage spécialisé qui vous recommandera les plantes qu'ils préfèrent.

LES PLANTES POUR PAPILLONS DE NUIT

Les papillons de nuit et autres insectes nocturnes n'embellissent pas vraiment le jardin, mais pour les passionnés, les insectes à activité nocturne s'avèrent tout aussi intéressants que les diurnes. Ils sont généralement attirés par les plantes qui embaument la nuit, comme certains tabacs d'ornement *(Nicotiana)*, et certaines giroflées, telle *Matthiola bicornis*, rebaptisée *M. longipetala*.

Les tabacs d'ornement, dont les fleurs s'épanouissent la nuit, attirent des insectes, comme les papillons de nuit. Ils ont aussi l'atout d'un parfum puissant. Prenez garde toutefois aux hybrides modernes qui, souvent, ont été créés pour que leurs fleurs s'ouvrent durant la journée ; vérifiez bien sur le sachet de graines la période d'éclosion.

DES PLANTES POUR LES OISEAUX

Des plantes, telles des grimpantes denses et des haies persistantes, procurent aux oiseaux un lieu pour nicher ainsi que de la nourriture. Ceux qui se nourrissent surtout de graines sont attirés par des plantes comme la cardère *(Dipsacus fullonum* et *D. sativus)*, qui mûrit de gros fruits, aux graines abondantes, tandis que les oiseaux qui picorent les baies viennent dans les jardins plantés de sorbiers *(Sorbus)* et pyracanthas.

En automne, le pyracantha s'orne de baies décoratives. Les oiseaux n'y touchent pas à cette saison, mais s'en régalent dès qu'arrive le temps froid.

LES PLANTES MELLIFÈRES

Si vous avez des ruches ou êtes tout simplement fasciné par ces insectes si actifs, vous privilégierez les plantes mellifères (c'est-à-dire qui attirent les abeilles). Les abeilles raffolent du népéta *(Nepeta racemosa,* toujours vendu sous ses anciens noms *N. mussinii* et *N. × faassenii)* et de l'origan, mais aussi de nombreuses autres plantes de massif, comme les géraniums vivaces. Pour le printemps, pensez au genêt *(Cytisus)*, à l'aubriète

Le *Nepeta × faassenii* est une belle plante de massif, très prisée des abeilles, qui fleurit de mai à septembre. Ne le plantez pas en bordure d'une allée afin d'éviter de vous faire piquer.

et au crocus, et pour l'automne, au *Sedum spectabile* et aux asters vivaces recommandés pour les papillons.

LES PLANTES POUR INSECTES BÉNÉFIQUES

La meilleure façon d'attirer les insectes bénéfiques au jardin est de planter une grande diversité de fleurs, notamment des annuelles. Une des meilleures est *Limnanthes douglasii*, qui produit un beau tapis de fleurs jaune et blanc ; cette annuelle se ressème abondamment.

Le *Limnanthes douglasii* est une petite annuelle à floraison vive et colorée, qui se ressème spontanément au point de coloniser un emplacement ensoleillé.

LES PETITS JARDINS

....

La dimension est une notion relative, notamment lorsqu'elle s'applique aux jardins, et souvent, l'on dispose d'un espace plus petit que ce que l'on souhaiterait. Non seulement il est difficile d'y cultiver toutes les plantes que l'on voudrait, mais de plus, le manque de place conditionne souvent le plan et son style. S'il s'agit d'un jardinet devant la maison, il faudra certainement trouver de la place pour une allée carrossable.

Il existe autant de solutions que de jardins, mais les pages qui suivent prouvent qu'un petit espace ne signifie pas nécessairement un effet réduit. Avec un peu d'imagination, il est possible de transformer une cour minuscule, en pleine ville, a priori sans attrait. De plus, certaines des idées préconisées pour un petit jardin peuvent évidemment s'adapter à une partie d'un grand terrain.

Les limites du jardin revêtent plus d'importance lorsque l'espace est exigu et quoi que vous fassiez pour agencer le centre, clôture, haie ou mur délimitent souvent la vue. Essayer d'en tirer le meilleur parti, en choisissant une clôture décorative, ou en plantant une haie fleurie naine, ou encore en peignant un vieux mur d'une couleur pâle pour refléter la lumière et créer un fond esthétique pour les arbustes palissés et autres plantes.

■ **CI-DESSUS**
Ce massif digne d'un jardin de curé déborde de couleurs et de parfums.

■ **PAGE DE GAUCHE**
Des plantations judicieuses et un plan adapté créent
une illusion d'espace dans ce petit jardin de ville.

QUELQUES IDÉES

Un petit jardin peut avoir autant d'effet qu'un grand terrain. Ne négligez pas l'idée d'un élément imposant, souvent plus percutant sur une surface réduite, ou de végétaux volumineux, car une grande quantité de petites plantes ne fait que renforcer l'exiguïté de l'espace.

■ **PAGE DE GAUCHE, EN HAUT**

Si un très petit jardin est cerné de hautes clôtures, essayez d'attirer l'attention vers le centre. Un massif surélevé est une bonne solution et devient l'intérêt majeur du jardin. Dans ce cas, il reste suffisamment de place sur la gauche pour quelques sièges et un coin barbecue.

■ **PAGE DE GAUCHE, EN BAS**

Si le jardin devant votre maison est minuscule, cet exemple devrait vous convaincre qu'on peut malgré tout créer un bel espace. L'entrée d'inspiration japonaise démontre que la forme et la structure, ainsi que la couleur, peuvent jouer un rôle tout aussi important qu'une profusion de plantes.

■ **CI-DESSOUS**

Un jardinet derrière la maison peut avoir tout le charme et l'élégance d'un jardin traditionnel, plus souvent associé à une grande demeure de campagne. La structure raffinée du jardin, déclinée sur un thème de blanc et d'argenté, fait un ensemble harmonieux. La couleur de la structure et du socle, une fois les floraisons achevées, met en valeur le vert des arbres et des bordures de buis (*Buxus sempervirens*).

QUELQUES IDÉES

Pour tirer parti au maximum d'un petit espace, attirez le regard en hauteur avec un élément vertical, comme un bassin à oiseaux, un mur élevé orné de pots, ou encore un treillage habillé de grimpantes ou peint de couleurs vives.

■ **CI-DESSUS**
Ce terrain étroit est typique de nombreux jardins de ville derrière la maison. La présence d'une allée rectiligne, menant à la porte, limite les possibilités de plan ; le gravier, dans ce cas, est plus adapté que des dalles de béton qui auraient renforcé la rigidité de l'allée.

L'arche transforme de manière agréable la banale porte du fond. Malgré la contrainte de dimension et de forme, il y a malgré tout de nombreuses choses à découvrir dans ce jardin. La densité des plantations contribue à faire oublier le manque d'éléments structurels.

■ **PAGE DE DROITE, EN BAS**
Lorsque le jardin est exigu, vous pouvez le concevoir à la verticale. Si la surface occupée au sol est très limitée, sa décoration jusqu'au premier étage, lui donnera couleur et intérêt. Les nombreuses plantes à feuillage décoratif, bien employées ici, durent tout l'été.

■ **CI-DESSUS**

Même lorsque le jardin se limite à une bande étroite, coincée entre la maison et le trottoir, il est possible de créer aussi bien en ville qu'à la campagne, une atmosphère tout à fait étonnante. Le mieux est d'éviter toute tentative de « paysagisme » et d'opter pour des plantations très denses d'annuelles colorées pour l'été, et de bulbes pour le printemps. Les floraisons gagnent même la façade grâce à la présence de jardinières et de paniers suspendus qui donnent à ce massif une note verticale. Dans un jardin aussi petit, l'arrosage régulier qui s'impose est loin d'être une corvée.

La peinture blanche de la façade contribue à mettre parfaitement en valeur les paniers suspendus de ce minuscule jardin.

Conseils pratiques

UN JARDIN CLOS EN BEAUTÉ

Un mur ou une clôture sans attrait gagnent à être habillés de grimpantes et d'arbustes palissés, qui risquent toutefois de faire paraître l'espace plus fermé. Si la vue au-delà du jardin est séduisante, transformez les limites en un élément décoratif.

■ CI-CONTRE
UNE PALISSADE Une palissade s'avère toujours plus décorative qu'une clôture pleine ou à lattes jointives. Habituellement, on la teint couleur bois ou on la peint en blanc, mais n'hésitez pas à sortir des sentiers battus, comme ici, en peignant une partie d'un rose pastel assorti aux rosiers, et une autre d'un bleu-gris pour différencier les deux propriétés.

SUGGESTIONS Gardez en mémoire les couleurs des fleurs dans les massifs proches, non seulement à l'époque de l'année où vous peignez la clôture, mais aussi durant le reste de l'année.

■ CI-DESSUS
UNE CLÔTURE DÉCORATIVE Si vous vous entendez bien avec vos voisins et que vous souhaitez que votre clôture laisse passer un peu de lumière, optez pour une clôture « à fenêtres ». Ce principe s'adapte particulièrement bien dans un petit jardin et se conçoit selon les goûts de chacun.

SUGGESTIONS Pour entretenir parfaitement vos clôtures, passez au moins une fois par an une nouvelle couche de produit de protection ou de peinture. Si vous transformez votre clôture en élément de décoration, ne la dissimulez pas sous des grimpantes, des arbres ou des arbustes, et favorisez un accès facile pour pouvoir la peindre ou la traiter sans problème.

■ CI-CONTRE

UNE CLÔTURE ATTRAYANTE Une ancienne clôture a été doublée d'un treillage garni de grimpantes, comme des clématites et des rosiers. La sculpture apporte une touche inattendue, constituant un élément de décoration précieux en hiver, une fois que tout le feuillage est tombé.

SUGGESTIONS *Si vous estimez qu'un tel treillage*
est trop dénudé en hiver, ajoutez une grimpante persistante
comme le lierre, sachant toutefois que ces plantes qui
s'enroulent autour de leur support gênent considérablement
l'entretien du treillage et de la clôture.

■ CI-DESSOUS

UN MURET-JARDINIÈRE Pour clore le jardinet devant la maison, un muret est souvent préférable à un grand mur terne. Mais, pour éviter la monotonie d'un long muret de pierre, l'idéal est, comme ici, qu'il soit transformé sur toute sa longueur en jardinière abondamment fleurie. Afin de créer une unité, on a retenu sur le muret le même mélange de plantes que dans les massifs du jardin.

SUGGESTIONS *Un muret suffit dans un jardin de ville,*
où l'intrusion d'animaux n'est pas à craindre. Dans ce cas,
on peut également envisager une simple butte de terre,
plantée au sommet d'un massif, visible des deux côtés.

Conseils pratiques

L'ENVERS DU DÉCOR

Dans le plan du jardin, n'oubliez pas une place pour les éléments utilitaires – un endroit pour la poubelle, pour faire sécher le linge, et un emplacement pour un barbecue permanent.

Le jardin le plus séduisant deviendra une source d'irritation s'il ne comporte pas de place pour étendre le linge, ou si l'accès à la poubelle est peu commode.

■ **CI-CONTRE
FAIRE SÉCHER
LE LINGE**
Dans ce petit jardin, le seul endroit pour faire sécher le linge était la surface pavée montrée ci-contre. On a opté pour un étendoir, dont le socle, installé à la place d'une dalle, est bien caché par des galets. Ainsi on peut enlever facilement l'étendoir quand on ne l'utilise pas, et dégager l'espace de cet objet encombrant.

SUGGESTIONS
Évitez si possible la corde à linge qui traverse tout le jardin à un superbe emplacement. À moins de l'enlever après chaque utilisation, elle divisera visuellement le jardin. On peut aussi masquer complètement un étendoir par un mur-écran dans un emplacement adéquat.

■ CI-CONTRE
LE BARBECUE
Même si vous ne l'utilisez pas fréquemment, un barbecue permanent donne l'impression d'un jardin bien pensé et conçu judicieusement. Il suffit de construire les parois du barbecue et d'y intégrer des grilles spécifiques.

SUGGESTIONS
Avant d'établir le plan, il est important d'obtenir des précisions du fabricant d'un barbecue en kit. Muni des dimensions exactes, il sera simple d'intégrer les grilles dans des parois.

■ CI-DESSOUS
LA POUBELLE Dans un recoin d'un petit jardin, ce type de construction peut abriter un barbecue ou un espace pour la poubelle, selon l'usage qu'on veut en faire.

SUGGESTIONS *Si possible, regroupez les éléments utilitaires dans le même recoin, afin de les dissimuler du reste du jardin.*

■ CI-DESSUS
LES DRAINS L'inspection d'un regard de drains semble banale, mais le réseau de drains est important lorsqu'il s'étend au sein d'une partie essentielle du jardin, comme la terrasse ou la pelouse. Ces regards métalliques inesthétiques attirent immédiatement l'attention et jurent par rapport aux autres éléments. Procurez-vous des regards comportant un vide pour accueillir des plantes, ou pouvant être recouverts du revêtement utilisé pour la terrasse, qu'on découpe précisément pour obtenir un aspect esthétique.

SUGGESTIONS *N'essayez pas de cacher un regard sous une potée imposante : vous risqueriez d'obtenir l'effet inverse car on le remarquerait encore plus.*

Conseils pratiques
ILLUSIONS D'OPTIQUE

Au jardin, le trompe-l'œil est utile car il donne l'illusion que l'espace est plus grand ou plus abondamment planté qu'en réalité. Il a sa place partout, mais s'avère particulièrement précieux dans les petits jardins.

■ **CI-DESSUS**
AU-DELÀ DE LA PORTE La présence d'une porte ou d'un portail au fond du jardin suggère la possibilité d'en explorer une autre partie. Sur cette photo, la grande porte fait partie intégrante du jardin et l'embellit. On peut s'arranger avec son voisin pour créer une telle porte décorative entre les deux propriétés. Si l'on est en bons termes avec lui, on peut même utiliser cette porte ; sinon, on la gardera fermée. Dans les deux jardins, on aura l'impression que l'espace s'étend bien au-delà de ses vraies limites.

SUGGESTIONS Dans les deux jardins, il est bon qu'une allée mène à la porte, afin de renforcer l'illusion qu'il y a vraiment une autre partie à explorer.

■ **CI-CONTRE**
TROMPE-L'ŒIL PEINT Si vous avez des talents artistiques, ou si pouvez compter sur quelqu'un qui a de tels dons, la peinture d'une fausse perspective, suggérant la continuité d'une allée ou d'un massif, s'avère étonnamment convaincante. Ici, l'allée tourne à gauche juste avant la porte, mais au premier coup d'œil, elle donne l'impression de continuer tout droit.

SUGGESTIONS Ce type de trompe-l'œil paraît bien plus convaincant lorsque le décor semble se prolonger au-delà d'une porte ou d'un portail.

■ **CI-CONTRE**

UN SENTIER SANS FIN Des plantations denses à l'extrémité d'un jardin, avec de grands arbustes ou des arbres, peuvent suggérer que la propriété continue bien au-delà, même si l'allée tourne ou ne mène nulle part. L'effet est encore plus saisissant en été, lorsque le feuillage des plantes est pleinement développé.

SUGGESTIONS *Un sentier donne l'illusion d'être plus long s'il devient de plus en plus étroit à son extrémité. Des plantations denses sur le périmètre du jardin contribuent également à laisser croire que le terrain se prolonge au-delà.*

■ **CI-DESSOUS**

UN TREILLAGE EN TROMPE-L'ŒIL Pour égayer un mur uni et monotone, n'hésitez pas à poser un treillage en trompe-l'œil qui donnera l'illusion d'un espace plus grand.

SUGGESTIONS *Si vous utilisez un treillage aussi décoratif, évitez de le masquer sous la végétation d'arbustes palissés ou de grimpantes.*

Conseils pratiques

DES NOTES VERTICALES

Dans un grand jardin, les notes verticales sont généralement fournies par les arbres, mais dans un petit espace, elles viennent souvent des limites du terrain et des murs de la maison qui ont un côté oppressant mais qu'on peut adoucir en y palissant des grimpantes et des arbustes. N'oubliez pas le rôle précieux des arches, pergolas et treillages, notamment avant que les jeunes arbres, récemment plantés, n'aient pris toute leur ampleur.

■ CI-CONTRE
VÉGÉTATION LUXURIANTE
Un jardinet ou une petite cour en ville procurent souvent presque un effet de claustrophobie, mais on peut tirer parti de leur nature confinée en les entourant d'une végétation luxuriante qui cachera les façades environnantes et créera un havre secret.

SUGGESTIONS
Ce type de plantation est plus adapté à un massif irrégulier, qui s'étale vers le centre, qu'à une plate-bande étroite et rectiligne. Privilégiez des potées de plantes persistantes et panachées, en installant les plus petites en bordure et les grimpantes et les plus grandes au fond.

■ PAGE DE GAUCHE, EN HAUT

UN SUPPORT ÉLÉGANT Les plantes grimpantes requièrent un support adapté : des fils de fer, étirés le long d'un mur, ou un treillage, plus décoratif, surtout si le mur n'est pas esthétique, et qui reste ornemental lorsque la plante est défleurie.

SUGGESTIONS Prolongez le treillage au-dessus du mur ou de la clôture, surtout s'ils sont peu élevés. Vous pourrez mieux palisser les tiges épineuses du rosier qui risqueront moins de vous piquer.

■ CI-CONTRE

UNE ALLÉE SOUS LES ARCHES Cette allée d'arches a été conçue pour fournir une note verticale dans cet espace dégagé au centre, où seules la maison et la clôture donnent de la hauteur. En outre, elle crée un couloir reliant les deux parties différentes du jardin. Une fois que les grimpantes auront recouvert les arches, l'effet de tunnel sera accentué.

SUGGESTIONS Dans un petit jardin, mieux vaut installer une pergola ou une succession d'arches de façon à ce qu'on ne devine pas l'ensemble du jardin au premier coup d'œil.

■ CI-DESSUS

UNE FAÇADE HABILLÉE DE ROSES N'hésitez pas à habiller les façades de votre maison. Il est tentant d'utiliser des grimpantes persistantes, comme le lierre, mais si les murs sont attrayants, préférez des caduques à fleurs, tels les rosiers et glycines.

SUGGESTIONS Les grimpantes caduques sont parfaites contre une façade peinte. Mais il n'est pas toujours pratique de les détacher pour repeindre la maison. Préférez des grimpantes moins exubérantes.

■ CI-DESSUS

UN ÉCRIN VÉGÉTAL CONTRE LA MAISON Dans un jardin minuscule, tirez parti de l'espace vertical en habillant les façades de la maison. Ici, un fusain persistant panaché (une variété d'*Euonymus fortunei*), flanqué d'un pyracantha qui peut monter plus haut, de part et d'autre, décore le pied de la fenêtre.

SUGGESTIONS Les arbustes persistants s'imposent dans un tel cas, mais gagnent à être égayés de fleurs vivement colorées à leur pied.

Conception et réalisation

UN SALON DE VERDURE

LÉGENDES DU PLAN

Pour changer un jardin de plain-pied, sombre, en un agréable salon de verdure, il suffit de bien le dessiner et le planter. L'avantage d'un petit espace est qu'une telle transformation ne revient pas cher, vu le peu de plantes qui y tiennent.

CONCEPTION

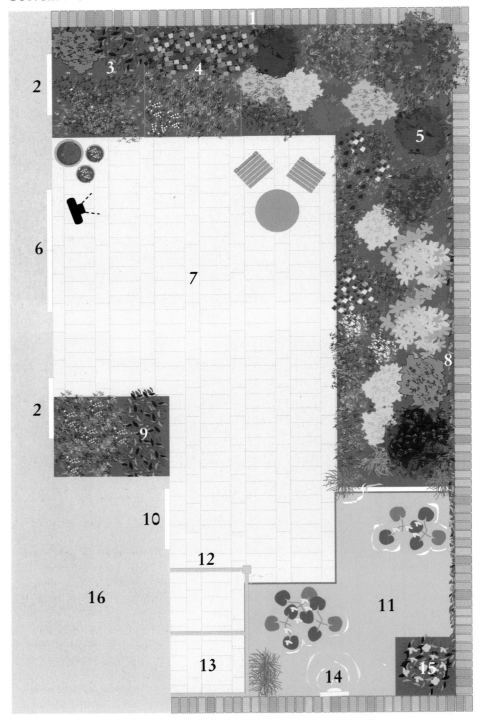

LÉGENDES DU PLAN

1 Mur
2 Fenêtre
3 Massif au niveau du sol, traité en mixed-border
4 Massif légèrement surélevé (jardin suspendu), traité en mixed-border
5 Massif davantage surélevé (jardin suspendu), traité en mixed-border
6 Porte-fenêtre
7 Terrasse dallée
8 Grimpantes palissées contre le mur
9 Arbustes nains
10 Porte de service
11 Bassin
12 Pergola
13 Rangement de la poubelle
14 Fontaine murale
15 Petit massif avec arbuste remarquable
16 Maison

lieu de la prise de vue

Une cour sombre, en ville semble a priori peu propice pour accueillir un beau jardin. Mais on peut la métamorphoser facilement en peignant les murs en blanc pour réfléchir le plus de lumière possible, en concevant quelques jardins suspendus pour créer des effets de plantations denses, en aménageant un bassin, et en achetant des meubles de jardin élégants.

Dans un tel jardinet, les éléments utilitaires, comme la poubelle, trouvent difficilement une place. La meilleure solution est de les dissimuler dans un endroit où on ne les verra pas depuis le coin repos. Remplacez la corde à linge par un étendoir qu'on enlève dès qu'il ne sert plus. Masquez la poubelle dans l'alcôve formée par la pergola.

RÉALISATION

JARDIN SUSPENDU

Pour surélever les massifs contre la maison, l'idéal est de créer des jardins suspendus de préférence en briques, ce matériau s'harmonisant généralement mieux à la maison que le béton ou la pierre reconstituée.

Il est très simple et rapide d'édifier un muret, si la fondation est bien préparée. On peut toujours s'adresser à un professionnel si besoin.

ÉDIFIER UN JARDIN SUSPENDU

1 Tous les murs doivent reposer sur une fondation. Pour un muret, l'épaisseur d'une simple rangée de briques suffit, mais il faut une double rangée pour un mur plus haut. Creusez une tranchée d'environ 30 cm de profondeur, et installez au fond près de 12 cm de cailloutis tassé. Enfoncez des piquets dont le haut sera à la hauteur finale de la base. Mettez à niveau.

2 Remplissez un mélange d'1 part de ciment, 2 parts de sable fin et 3 parts de gravillons, et nivelez le tout au sommet des piquets. Dès que le béton a pris (1 à 2 jours), posez les briques sur un lit de mortier en versant du mortier entre chacune. Pour une meilleure stabilité, prévoyez un pilier à chaque extrémité, et tous les 2-2,50 m si le mur est long.

3 Pour les assises suivantes, posez du mortier au sommet du rang précédent, puis « beurrez » une extrémité de la brique à poser. Mettez à niveau en vérifiant constamment au niveau à bulle. En guise de finition, recouvrez le mur d'un chaperon spécifique.

Conception et réalisation

UN JARDIN PRIVÉ

L'intimité peut être importante dans un petit jardin, surtout s'il est dominé par les propriétés voisines. Pour supprimer ces vis-à-vis gênants, une solution est d'entourer le jardin de nombreux grands persistants. Une fois ce rideau établi, il suffit d'ajouter des éléments décoratifs au milieu de l'espace afin d'attirer le regard vers l'intérieur et d'éviter toute sensation de claustrophobie.

LÉGENDES DU PLAN	
1 Conifère	7 Dalle décorative
2 Arbuste persistant	8 Plantations saisonnières
3 Couvre-sols	9 Plantes en pots
4 Arbuste persistant	10 Terrasse
5 Gravier	11 Salon de plein air
6 Potée de plantes et éléments décoratifs	12 Terrasse en opus incertum
	13 Maison

👑 lieu de la prise de vue

Ici, toutes les plantes vivement colorées abondent au centre du terrain, tandis que le pourtour du jardin se compose de plantations denses de grands persistants, notamment des conifères, qui contribuent à créer une sensation d'intimité et d'isolement.

Pour éviter l'effet trop monotone d'une allée principale rectiligne, courant longitudinalement au centre du jardin, le cheminement a été brisé par la présence, çà et là, de dalles décoratives et de gravier. En mélangeant les matériaux de revêtement et en traçant l'allée de façon irrégulière, le regard se tourne vers les massifs fleuris, au lieu de se limiter à suivre l'allée.

POTÉES FLEURIES

Pour obtenir de superbes potées fleuries, préférez des pots suffisamment volumineux, pouvant contenir une bonne quantité de substrat et un grand nombre de plantes.

CONCEPTION

CRÉER UNE POTÉE FLEURIE POUR LA TERRASSE

1 Une potée de plantes étant lourde à déplacer, procédez à son emplacement avant de la remplir de substrat. Couvrez les trous de drainage d'une couche de tessons, de gros gravier ou d'écorce broyée.

2 Choisissez un substrat à base de terre de jardin ; pour les pots disposés en un lieu où le poids est important, comme sur un balcon, préférez un substrat plus léger, à base de tourbe.

3 Au milieu du pot, installez une plante grande ou imposante, comme une *Cordyline australis* ou un fuchsia, ou bien une plante à grosses fleurs, tel le dimorphotheca *(Osteospermum)*, retenu ici.

RÉALISATION

4 Autour de la plante centrale, disposez quelques plantes plus petites et buissonnantes. Choisissez des fleurs si l'élément central est une plante verte, et vice versa.

5 Recouvrez la surface du substrat d'un beau paillis, comme l'écorce broyée, qui outre son aspect décoratif, contribue à maintenir l'humidité. Arrosez copieusement et régulièrement durant toute la belle saison.

Conception et réalisation

LA CONTRAINTE DES MURS

Les murs d'un petit jardin clos peuvent être oppressants. Les masquer d'arbustes persistants et de conifères renforce la petitesse de l'espace. Ici, le centre est bien dégagé et le mur du fond, habillé d'un treillage élégant, s'avère très décoratif.

CONCEPTION

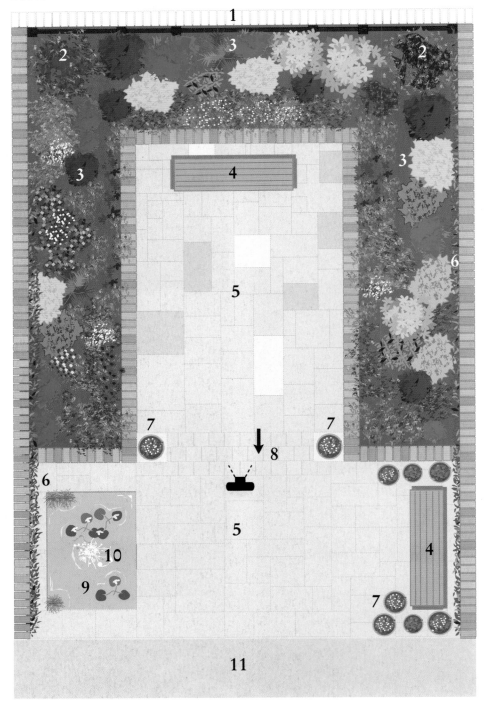

Un treillage aussi élégant que celui choisi ici crée un effet immédiat, et sera rapidement dissimulé sous une végétation assez dense, destinée à faire oublier l'aspect terne ou oppressant des murs. Peint en blanc, un treillage tranche toujours sur un fond de feuillage vert, mais n'hésitez pas à le peindre d'un ton foncé, surtout si le mur est blanc ou d'une couleur pâle.

Dans le jardin suspendu, les plantes mises en place vont camoufler rapidement les parties les plus tristes du mur. Le changement de niveau qu'il apporte sur la terrasse suscite un intérêt, de même que la présence d'un bassin, doté d'une fontaine, dont on peut jouir depuis un banc bien placé.

DES NÉNUPHARS
Plantez des nénuphars au printemps, avant que leurs feuilles ne s'étalent complètement. Installez les souches dans un panier à maille spécifique ou dans un récipient aux bords pleins, comme un seau.

RÉALISATION

PLANTER UN NÉNUPHAR

1 Utilisez un substrat lourd, pas trop riche en éléments nutritifs (si possible un mélange spécial plantes aquatiques).

2 N'ajoutez pas d'engrais ordinaire au substrat afin d'éviter la prolifération d'algues. Préférez un engrais à action lente.

3 Dépotez le nénuphar et plantez-le dans le nouveau pot, à la même profondeur que dans son précédent godet.

4 Ajoutez une couche de gravier en surface pour éviter que les poissons ne dérangent le substrat et pour favoriser son maintien quand on immerge le pot.

5 Afin d'éviter que l'eau ne devienne boueuse quand on immerge le pot, arrosez-le copieusement et laissez l'eau s'écouler à la base.

6 Placez le pot dans une partie peu profonde, surtout si le nénuphar est sur le point de sortir des feuilles. Attendez une semaine ou deux avant de l'immerger.

Conception et réalisation

DES FORMES GÉOMÉTRIQUES SIMPLES

Un jardin miniature gagne à être structuré par
des formes géométriques simples. Ici, le choix de plantes
transforme un terrain banal en un espace étonnant et
bien conçu, offrant un attrait évident malgré sa taille.
Le jardin s'articule autour d'une pelouse miniature en
losange, au centre, contre la partie oblique du sentier.

CONCEPTION

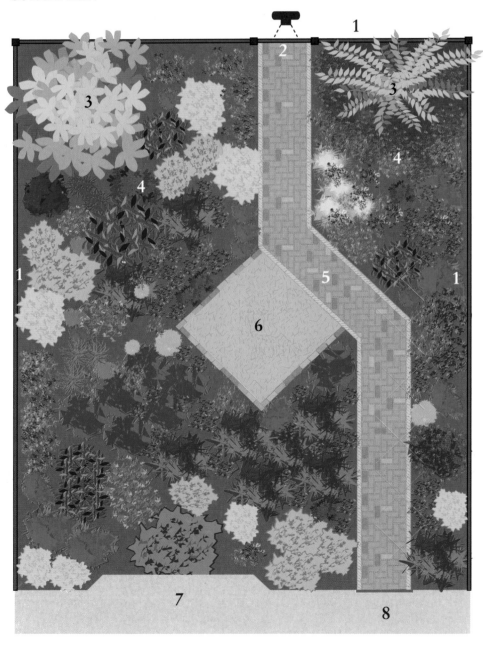

LÉGENDES DU PLAN

1 Clôture métallique
2 Portail
3 Arbuste remarquable
4 Arbustes nains et vivaces
  persistantes
5 Allée de pavés en argile,
  avec une bordure torsadée
6 Gazon aromatique de
  menthe tapissante, entouré
  d'une bordure en briques
7 Baie vitrée
8 Maison

🎥 lieu de la prise de vue

Dans un jardin minuscule, évitez
de scinder l'espace en deux parties
encore plus petites par une allée
rectiligne, menant du portail à la
porte d'entrée, mais n'hésitez pas
à adopter un plan tout simple. Ici,
en plaçant le portail vers le milieu
de la clôture, on a créé une ligne
forte, tout en variant le volume
des massifs pour ménager des
plantations plus intéressantes.
Ce jardin aurait pu rester austère
sans la présence insolite du gazon
de menthe, sur lequel il sera doux
de s'asseoir, et dont la texture
particulière joue un rôle important.

  Ci-contre, les plantations sont
encore jeunes : il faudra patienter
un an ou deux pour qu'il n'y ait
plus aucune trace de terre ou de
paillis entre les plantes.

UN GAZON AROMATIQUE
Pour tapisser un petit espace,
remplacez sans hésiter la pelouse
par un gazon de menthe rampante
ou de thym que l'on plante
pareillement (page suivante,
on a utilisé du thym).

RÉALISATION

PLANTER UN GAZON AROMATIQUE

1 Au moins un mois avant de planter, bêchez le carré en éliminant toutes les racines de mauvaises herbes. Binez les jeunes semis qui apparaissent entre-temps et ratissez bien le sol avant la plantation.

2 Arrosez les plantes avant de les dépoter, puis mettez-les en place, tous les 15-20 cm, pour déterminer l'emplacement et le nombre de plants nécessaires.

3 Dépotez les plantes et, si nécessaire, démêlez délicatement le chignon éventuel à la base de la motte.

4 Installez chaque plant à la même profondeur que dans le godet et tassez la terre autour des racines. Arrosez copieusement après la plantation et poursuivez des apports d'eau réguliers le premier été.

Conception et réalisation

CRÉER DES POINTS DE MIRE

Dans un jardin aussi minuscule que celui-ci, il suffit d'attirer l'attention vers l'intérieur pour oublier la petitesse de l'espace. La cheminée qui trône au milieu et les pots qui l'entourent, constituent des éléments de décoration sur lesquels le regard s'attarde.

CONCEPTION

le style s'accordera à celui de la maison. Dans ce cas, où la maison constitue un élément dominant, il est important que la maison et le jardin s'harmonisent autant que possible.

UNE BORDURE ÉLÉGANTE
Embellissez les massifs et le sentier en les séparant par une bordure élégante, qui reflète, si possible, le style de votre jardin. Si vous préférez un modèle ancien, il existe des reproductions de bordures d'époque.

AUTRES BORDURES

Pour une bordure insolite, enterrez des bouteilles de vin vides à l'envers, en ne laissant dépasser que le cul de la bouteille sur 2-3 cm. Dans un jardin de bord de mer, utilisez des grandes coquilles Saint-Jacques en bordure.

Ici, des pots de différentes sortes servent de points de mire, et s'avèrent particulièrement précieux à une époque de l'année où il y a peu de couleurs et où les plantes des massifs sont flétries. Comme sur le plan de la page précédente, l'allée n'est pas rectiligne et ménage ainsi des surprises.

Si l'on a utilisé un revêtement moderne pour l'allée, on la limitera par une bordure torsadée dont

RÉALISATION

RÉALISER UNE BORDURE ÉLÉGANTE

1 Dans un jardin de style rétro, une bordure torsadée à l'ancienne s'impose le long d'une allée de gravier ou pavée.

2 Une bordure ondulée comme celle-ci rappelle certains styles de jardin d'autrefois, mais a tout à fait sa place dans un jardin contemporain pour assurer un effet raffiné.

3 Des rondins sciés sont une bordure robuste et séduisante pour surélever légèrement un massif de fleurs par rapport à la pelouse. N'oubliez pas que la tonte sera moins aisée le long d'une telle bordure.

Conception et réalisation

DES RECOINS PLEINS D'ATTRAIT

Au jardin, les recoins et les angles sont toujours difficiles à traiter. Voici un exemple fort réussi qui concilie parfaitement les lignes droites et les courbes, et qui prouve que l'on peut faire preuve d'audace pour concevoir un emplacement délicat.

CONCEPTION

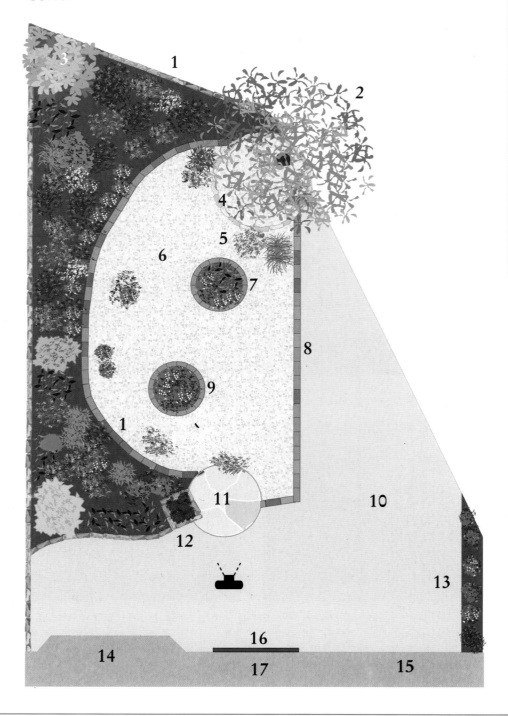

LÉGENDES DU PLAN

1 Muret
2 Bouleau
3 Plantations variées
4 Jardin suspendu circulaire
5 Plantations sur gravier
6 Gravier
7 Massif de vivaces, bordé de briques
8 Bordure en briques
9 Massif de plantes saisonnières, bordé de briques
10 Allée carrossable
11 Cercle dallé
12 Jardinière plantée
13 Arbustes nains
14 Baie vitrée
15 Garage
16 Porte
17 Maison

⚊ lieu de la prise de vue

Les angles du jardin sont difficiles à aménager, d'autant plus s'il faut y intégrer une allée carrossable.

Dans ce plan, on a surtout tiré parti du bouleau adulte, déjà en place, pour détourner le regard de l'allée inesthétique. La création d'un massif circulaire autour de l'arbre renforce son côté attrayant, et donne au jardin une unité : le thème circulaire est en effet répété avec plusieurs jardins suspendus, et un cercle dallé qui constitue un lien entre l'allée et la zone de gravier.

UNE SURFACE DE GRAVIER
Pour éviter tout problème de mauvaises herbes, mieux vaut poser le gravier sur un film plastique, ce qui n'empêche pas d'installer quelques plantes à travers ces deux matériaux, si besoin.

RÉALISATION

PLANTER À TRAVERS UNE SURFACE DE GRAVIER

1 Creusez l'espace pour 5 cm de gravier. Nivelez, puis couvrez de film plastique épais. Laissez se chevaucher deux bandes contiguës sur 5 cm au moins.

2 Recouvrez de gravier que vous nivelez en le ratissant. Pour installer une plante à travers le gravier, commencez par l'enlever à cet emplacement, puis fendez le film.

3 Plantez normalement à travers la fente, en enrichissant le sol si nécessaire, avec un apport d'engrais ou de compost.

4 Tassez la terre au pied de la plante et arrosez copieusement, puis remettez le film en place autour de la plante avant de le recouvrir de gravier.

Sélection de plantes
DES PLANTES POUR UN PETIT JARDIN

Dans un petit jardin, évitez les arbres de développements moyen à grand, tels les très grands arbustes ou les couvre-sols envahissants. Si vous ne résistez toutefois pas à l'envie d'une plante imposante, vous devrez la tailler régulièrement. Dans la mesure du possible, préférez des plantes naturellement compactes qui ne deviennent jamais trop encombrantes.

LES ARBRES PERSISTANTS

Si l'on excepte les conifères, il y a peu d'arbres persistants pour un petit jardin. En climat tempéré, peu d'arbres à cime large sont persistants, et souvent, ceux qui le sont, comme le chêne vert *(Quercus ilex)*, ont un développement trop important. En toutes régions, retenez le houx, vraiment coriace, qu'on peut tailler en cône ou mener sur tige avec un tronc bien apparent. En climat doux uniquement, offrez-vous une espèce rare, comme le *Drimys winteri,* qui est trop grand pour un jardin minuscule, mais ne pousse pas vite.

Le *Crataegus oxyacantha* (désormais rebaptisé *C. lavigáta*) 'Rosea Flore Pleno' est une belle aubépine à fleurs doubles, roses, en mai. Ces arbres ne deviennent jamais trop grands.

Le *Drimys winteri,* une espèce rare du Chili, ne réussit qu'en climat doux où il constitue un grand arbuste ou un petit arbre fort intéressant, doté de grandes feuilles persistantes, coriaces, et de fleurs blanches, parfumées en mai.

LES ARBRES CADUCS

Dans un petit jardin, privilégiez les arbres qui restent petits et offrent plus d'un attrait. Ainsi, l'*Acer griseum,* qui, outre ses couleurs d'automne magnifiques, offre une belle écorce cannelle, encore plus belle avec la lumière de l'hiver. De nombreuses aubépines *(Crataegus)* constituent de beaux arbres compacts dans un petit jardin. Parmi les arbres à fleurs, préférez ceux à port fuselé, comme le *Prunus* 'Amanogawa'.

LES CONIFÈRES

Les conifères existent dans de nombreuses teintes d'or et de vert (parfois avec une note bleutée), ainsi que diverses formes et hauteurs. La grande majorité sont persistants. Hélas, la plupart deviennent bien trop grands pour un petit jardin. Choisissez ceux à port colonnaire, étroit, qui restent assez petits à l'âge adulte : *Juniperus scopulorum* 'Skyrocket', *Juniperus communis* 'Hibernica', *Taxus baccata* 'Fastigiata Aurea', et *Cupressus macrocarpa* 'Goldcrest', qui présente un port érigé et une couleur vive.

LES CONIFÈRES NAINS

Toute jardinerie offre un choix considérable de conifères censés rester nains, encore qu'il faille vérifier leur développement probable au bout de 10 à 15 ans. Ceux qui restent vraiment nains s'imposent dans une rocaille.

Le *Cupressus macrocarpa* 'Goldcrest' finit par prendre un développement moyen, mais avec son port étroit, il n'occupe pas trop de place au sol. Le jeune feuillage est d'un jaune séduisant.

Parmi ceux à port arbustif, figurent *Thuya orientalis* 'Aurea Nana', *Thuya occidentalis* 'Rheingold' et *Chamaecyparis pisisfera* 'Filifera Aurea'. Le *Juniperus squamata* 'Blue Star' est très compact. Beaucoup d'autres conifères sont tapissants et s'étalent largement sans trop pousser en hauteur.

LES ARBUSTES PERSISTANTS

Les arbustes persistants offrent un grand choix de plantes, petites et grandes. En sol acide, plantez des rhododendrons en vous méfiant toutefois de leur développement

De croissance lente, le *Thuya occidentalis* 'Rheingold' forme une masse ovale ou conique qui reste toujours élégante. Son coloris vieil or est très séduisant en hiver.

car certaines espèces deviennent très imposantes, tandis que d'autres cultivars sont des miniatures idéales en rocaille ; choisissez une variété d'un développement adapté à l'utilisation souhaitée. Les *Hebe* offrent également une diversité de formes et de tailles, mais sont rustiques uniquement en climat doux, et idéales en bord de mer. Les bruyères persistantes s'imposent dans un petit jardin car elles sont toujours compactes ; préférez notamment celles à floraison hivernale, comme les variétés d'*Erica carnea*.

L'*Hebe × franciscana* 'Variegata' est un arbuste nain persistant, au feuillage panaché. Il faut le réserver aux climats les plus doux, car il n'est pas très rustique.

LES ARBUSTES CADUCS

Le problème de nombreux arbustes caducs est leur courte période d'intérêt : parfois leur floraison ne dure pas plus de deux semaines. Pour utiliser au mieux l'espace, préférez un arbuste à feuillage doré ou panaché, ou bien sélectionnez ceux à floraison précoce, tel *Chaneomeles*, en fleur dès février-mars ou ceux qui offrent un attrait tardivement, comme *Cotoneaster horizontalis*, avec ses baies éclatantes et son feuillage d'automne vivement coloré. Les hydrangéas gardent très longtemps leurs fleurs qui, même une fois fanées, demeurent intéressantes tout l'hiver.

La couleur des fleurs de l'*Hydrangea macrophylla* dépend de la nature du sol ; elle passe du rose en sol alcalin au bleu en sol acide.

LES VIVACES

Toutes les vivaces ont une place dans un petit jardin, hormis quelques-unes envahissantes. Préférez celles à floraison précoce ou tardive et celles qui restent attrayantes longtemps. Les lupins sont magnifiques pendant quinze jours en juin, mais manquent singulièrement d'intérêt par la suite. Retenez plutôt des plantes à très longue floraison estivale

Les doronics ne fleurissent plus du tout pendant l'été, mais offrent une magnifique floraison jaune vif, en avril-mai.

ou à feuillage séduisant. Avec leurs fleurs jaune vif, les doronics ouvriront la saison dans les massifs, tandis que les *Schizostylis* et les variétés et hybrides de *Sedum spectabile* la termineront en beauté, tard dans l'automne.

LES VIVACES PERSISTANTES

Lorsque vous visitez des jardins durant l'hiver, notez les vivaces qui restent persistantes. S'il n'y en a pas beaucoup, elles s'avèrent indispensables par leur décor permanent durant les mois les plus tristes. Parmi ces plantes, figurent les bergenias, ajugas et *Stachys byzantina*.

L'*Ajuga reptans* 'Atropurpurea' constitue une bordure pourpre, de toute beauté, qui est pratiquement persistante et pousse aussi bien au soleil qu'à l'ombre.

LE JARDIN EN FAMILLE

Certains jardins sont conçus avant tout pour être admirés, d'autres pour y vivre – un lieu où les enfants peuvent s'amuser et les adultes se détendre et apprécier un repas avec des amis. Cependant, un jardin bien pensé doit concilier l'aspect esthétique et le côté facile à vivre.

La présence d'enfants dans un jardin demande beaucoup d'attention au préalable, non seulement parce qu'ils exigent un espace de jeux, pas toujours compatible avec le type de jardin dont vous rêvez, mais aussi parce que les plantes qui bordent ces espaces doivent être plus résistantes pour supporter les ballons ou les bagarres. De plus, on évitera d'y mettre des plantes épineuses, comme des rosiers, pour ne pas risquer de blessures inutiles.

Si vous avez de jeunes enfants, renoncez à l'idée d'aménager un bassin, à moins de bien le protéger ; cependant, l'installation d'une barrière de protection est souvent inesthétique et bien peu engageante. Il est préférable d'opter pour un jeu d'eau sans eau stagnante tant que les enfants sont jeunes.

■ CI-DESSUS
Pour profiter du jardin en famille, il faut aménager un endroit où recevoir et se détendre.

■ PAGE DE GAUCHE
L'espace de jeux des enfants n'est pas forcément dépourvu de raffinement.
Ainsi, on peut transformer la balançoire en élément décoratif plutôt que de la dissimuler.

QUELQUES IDÉES

Les enfants apprécient également le jardin des adultes, notamment s'il comporte des plantes intéressantes – des arbustes à feuillage impressionnant, ou des plantes insectivores – qui stimulent leur imagination et leur intérêt au fil des saisons.

■ CI-DESSOUS
On peut intégrer un espace de jeux dans le plan du jardin aussi facilement que toute autre structure décorative. Ici, le bac à sable est placé entre deux allées recouvertes d'un plancher en bois, avec un autre petit terrain de jeux derrière le massif de fleurs. Ce massif intègre avantageusement l'aire de jeux au jardin.

■ **CI-DESSUS**

Les enfants vont s'en donner à cœur joie avec l'échelle de corde et cette structure en bois, construite entre le massif et le mur. Une fois qu'ils auront passé l'âge de s'y intéresser, il sera très simple de démonter ces agrès, et inutile de redessiner le massif.

■ **CI-CONTRE**

Si ce jardin semble plutôt destiné aux adultes, les enfants seront toutefois fascinés par son aspect de grotte, magique et enchanteur.

L'éclairage d'une partie du jardin permet d'en profiter pleinement, durant les chaudes soirées d'été.

QUELQUES IDÉES

Il est tout à fait possible de trouver un style de jardin qui séduise autant les parents que les enfants. Un jardin bien conçu pourra comporter une aire de jeux sûre pour les enfants et un salon de plein air où toute la famille aime se réunir et prendre les repas.

■ **CI-DESSUS**

Les enfants en âge de faire du trampoline n'ont pas besoin d'être surveillés de près. Puisqu'il ne s'agit pas d'un élément ornemental, il est préférable de le dissimuler dans un coin à l'écart, en évitant de le placer sur un revêtement en dur. Ici, le trampoline repose sur une surface engazonnée, isolée de la maison par des massifs d'arbustes.

■ **PAGE DE DROITE**

La pelouse est vraiment indispensable pour que les jeunes enfants puissent s'amuser en toute sécurité. Mais il est parfois difficile d'intégrer de grands éléments, comme une balançoire ou une bascule. Ici, la balançoire est placée de façon à pouvoir surveiller les enfants depuis la maison. Quand les enfants auront grandi, il sera facile de la démonter, sans modifier le jardin.

Conseils pratiques
MANGER DEHORS

Quelle que soit la superficie de votre jardin, vous devrez
considérer certaines exigences spécifiques pour bien en profiter
en famille. Ainsi, si vous recevez beaucoup, un barbecue
et un salon de plein air s'imposent en tout premier lieu.
Si vous prenez peu de repas à l'extérieur, mais avez de jeunes
enfants, l'important est que le jardin comporte une pelouse et
une aire de jeux où ils pourront s'amuser en toute sécurité.

Il est bien plus agréable et
délassant de prendre les repas
au jardin que dans la salle
à manger. Le barbecue est une
source d'amusement pour les
enfants, et facilite en outre
grandement la préparation de
la cuisine, faite sur place.

■ CI-DESSOUS
DE LA COULEUR PLEIN LES YEUX
Une jolie nappe colorée transforme
immédiatement une table triste. Ajoutez
quelques pots de plantes en fleur, ou un
simple bouquet, pour la touche finale.

SUGGESTIONS *N'hésitez pas à
déplacer la table dans le jardin selon
les occasions, afin de profiter des
floraisons successives. Choisissez des
nappes colorées pour égayer les repas.*

■ CI-DESSOUS

DE LA LUMIÈRE AU JARDIN Même le dîner le plus simple devient une véritable fête pour les enfants s'il est pris au jardin à la nuit tombée. Pour l'éclairage, adaptez des ampoules sous un parasol.

SUGGESTIONS *L'éclairage transforme le jardin à la tombée de la nuit. Mais prenez garde à l'utilisation des spots; dans la mesure du possible, assurez-vous qu'ils sont bien dirigés vers le bas et non vers le haut pour ne pas risquer d'éclairer la maison voisine. Ici, le parasol s'avère utile pour diffuser la lumière vers le bas.*

■ CI-DESSUS

EN TOUTE SIMPLICITÉ Un bouquet de fleurs et de feuillages fraîchement cueillis, une salade assaisonnée de fines herbes et une assiette de fraises, voilà les ingrédients d'un repas au jardin, bucolique à souhait. Pour un déjeuner rapide, privilégiez la simplicité; dans un environnement aussi propice à la détente, vous l'apprécierez tout autant qu'un repas gastronomique.

SUGGESTIONS *Ne vous contentez pas d'une finition en bois naturel. Vous pouvez peindre la table et les chaises pour en faire un décor original.*

■ CI-CONTRE

UNE TABLE MANIABLE Ce petit jardin comprend tous les éléments indispensables à la vie en plein air : un joli cadre, un barbecue permanent et une bouteille de vin ! Inutile d'avoir un grand jardin, tout cela peut tenir dans un petit espace.

SUGGESTIONS *Dans un petit jardin ou un salon de plein air, optez pour une table légère, facile à porter et à ranger, qui n'occupe pas l'espace dès qu'elle ne sert plus.*

Conseils pratiques

S'ASSEOIR EN BEAUTÉ

Au soleil sur la terrasse ou à l'ombre d'un arbre, disposez des sièges adaptés à l'extérieur – banc, fauteuil en teck ou autres – pour profiter pleinement de la vie en famille, ainsi que de la vue des massifs et du calme apaisant du jardin.

■ **CI-CONTRE**
UN FAUTEUIL DÉCORATIF Une niche spécialement conçue pour abriter un fauteuil de plein air donne au jardin un aspect bien conçu et structuré.

SUGGESTIONS *Avant de commencer la construction, prenez les dimensions exactes du siège pour aménager la niche sur mesure.*

■ **CI-DESSOUS**
UN BANC EN BOIS Les enfants apprécieront certainement ce banc original, de conception toute simple, qui est fabriqué avec une ancienne traverse de voie de chemin de fer.

SUGGESTIONS *Réservez ce type de banc à un espace naturel du jardin auquel il s'intègre bien, par exemple près d'un bosquet d'arbres.*

■ CI-CONTRE
UN SIÈGE IMPROVISÉ Insolite et amusant à réaliser, un siège improvisé s'avère souvent fort décoratif. Les enfants adoreront s'asseoir sur ce vieux rouleau de jardin, idéalement placé sur un fond de mini-haie taillée.

SUGGESTIONS *Installez pareil siège de façon à ce qu'il devienne un élément de décor du jardin.*

■ CI-CONTRE
AU PIED D'UN ARBRE Un banc au pied d'un arbre suscite toujours des commentaires admiratifs, et plaît aussi bien aux enfants qu'aux parents. Ici, il devient un élément décoratif dans une partie du jardin qui, autrement, manquerait d'intérêt. Sa couleur blanche contribue à éclairer l'emplacement sombre et attire l'attention depuis le fond du jardin.

SUGGESTIONS *Si possible, choisissez un arbre doté d'un tronc large ; en effet, un banc construit autour d'un arbre grêle aurait de mauvaises proportions et un impact moindre.*

Conseils pratiques

L'HEURE DE LA DÉTENTE

Dans tous les jardins, élégants ou rustiques, la présence de chaises longues ou d'un hamac est essentielle pour créer une atmosphère conviviale et reposante, donnant l'impression que ce lieu est une pièce supplémentaire où vit et se repose la famille en toute quiétude.

■ **CI-CONTRE**

UN HAMAC Un arbre imposant peut devenir le support d'un hamac ou d'une balançoire pour les enfants. Toutes les générations de la famille se retrouvent dans un coin du jardin comme celui-ci.

SUGGESTIONS *Le meilleur emplacement pour un hamac est à l'ombre d'un arbre.*

■ **CI-DESSOUS**

DES CHAISES LONGUES Les chaises longues sont faciles à déplacer dans le jardin. Choisies d'une couleur originale, elles constituent un élément décoratif.

SUGGESTIONS *Rassemblez deux ou trois chaises longues pour donner l'impression d'un plaisir partagé. Disposez une table basse pour des boissons rafraîchissantes.*

■ **CI-CONTRE
SALON DE
PLEIN AIR EN
BOIS** Les meubles
d'extérieur en
bois s'intègrent
facilement dans
un jardin et
seront plus
confortables
recouverts
de coussins.

SUGGESTIONS
*Installez votre
salon de plein air
le plus près
possible de plantes
parfumées.*

■ **CI-CONTRE
AUPRÈS D'UN
BASSIN** On
recherche parfois
un emplacement
calme où s'allonger
dans un isolement
absolu, pour lire
ou faire une sieste,
à l'écart du reste
de la famille
regroupée sur la
pelouse au soleil.

SUGGESTIONS
*Une chaise longue
aussi rudimentaire
peut devenir
un élément du
décor dans un
emplacement qui
sans quoi, serait
sans attrait.*

Conseils pratiques
PELOUSES FAMILIALES

La pelouse offre une formidable aire de jeux pour les enfants mais si ces derniers sont jeunes et turbulents, elle risque de devenir la partie du jardin la plus difficile à maintenir en bon état.

Avec un peu d'entretien et de savoir-faire, vous pourrez conserver une belle pelouse verdoyante, si vous savez la tondre, la fertiliser et réparer les dégâts éventuels.

■ CI-DESSOUS
UNE PELOUSE PLATE Les pelouses plates sont parfaites pour les jeux des enfants, mais leur surface doit être résistante. Les jeux de ballon dans un jardin qui ne s'y prête pas peuvent être un désastre. Dégagez la pelouse au maximum et réduisez les massifs au minimum. Vous les agrandirez lorsque les enfants auront grandi. Pour optimiser l'espace, la pelouse de jeux idéale devrait s'appuyer contre un mur de clôture ou de garage qui subira sans dommages les assauts répétés des ballons.

MÉLANGES DE GRAINES

Les mélanges de graines pour une pelouse familiale doivent contenir les espèces suivantes (proportions approximatives) :

3 parts de ray-grass anglais *(Lolium perenne)*
Résistant et s'établissant rapidement

4 parts de fétuque *(Festuca)*
Ces herbes qui donnent une pelouse luxuriante s'établissent rapidement mais sont assez délicates et facilement envahies par les mauvaises herbes.

1 part d'agrostis *(Agrostis canina)*
Herbe à feuilles fines, lente à s'établir mais qui finit par former une pelouse nette et dense.

2 parts de pâturin des prés *(Poa pratensis)*
Herbe traçante qui, une fois établie, est solide et résistante à la sécheresse.

■ **CI-CONTRE**
Dans un jardin de taille moyenne, une pelouse circulaire ou centrale suffit à de nombreux jeux de ballon. Les végétaux qui l'entourent doivent être assez résistants pour supporter les assauts des ballons et le piétinement des enfants. Évitez les plantes épineuses qui risquent de les égratigner. Les plantes à feuilles caduques sont préférables car les feuilles abîmées se renouvellent chaque année.

■ **CI-DESSOUS**
Toutes les pelouses doivent être tondues régulièrement pour garder leur aspect soigné et rester vigoureuse. Elles ne présentent pas de risque pour les asthmatiques, leurs fleurs n'ayant pas le temps de se former. En revanche il vaut mieux éviter les prairies d'herbes hautes des jardins dits « naturels ».

Conception et réalisation

Un jardin de ville élégant

Ce jardin citadin est un endroit idéal pour se détendre, loin des pressions de la vie quotidienne. La dominance des verts et des blancs dans le plan confère une unité au lieu et une atmosphère paisible.

CONCEPTION

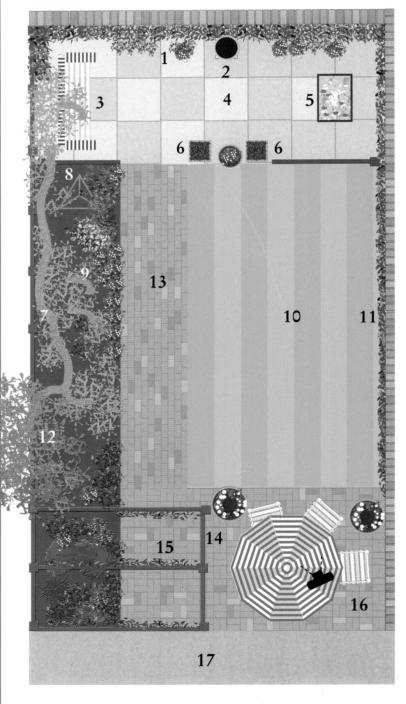

LÉGENDES DU PLAN

1 Haie
2 Vasque
3 Balancelle
4 Terrasse dallée
5 Fontaine
6 Buis taillé
7 Treillage
8 Trépied pour les grimpantes
9 Massif légèrement surélevé, garni de plantations variées
10 Pelouse
11 Grimpantes palissées contre le mur
12 Arbre remarquable, taillé et mené le long du treillage
13 Sentier en briques
14 Pergola
15 Grimpante palissée sur la pergola
16 Terrasse
17 Maison

🜊 lieu de la prise de vue

Voilà le type de jardin qui, d'emblée, attire les adultes, notamment pour sa vaste pelouse, propice à la détente et au repos. Un gazon d'ornement, aussi raffiné que celui-ci, est trop fragile pour être piétiné fréquemment ou pour y jouer au ballon ; pour cela, mieux vaut le remplacer par un espace dallé qui ne craint rien. Ici, la pelouse est l'élément dominant du jardin, donnant une impression d'espace dégagé.

L'arbre remarquable du côté gauche du jardin a été mené de façon à ce qu'il s'étende tout le long du terrain au lieu de le surplomber, évitant ainsi le problème d'une ombre trop dense. Un arbre de petite taille aurait été tout aussi adapté à cet emplacement.

Cantonné au pied de l'arbre, le massif associe des plantes saisonnières colorées, qui apportent de la diversité au fil de l'année, à un large choix de plantes persistantes.

■ CI-CONTRE

COMMENT ADOSSER UNE PERGOLA À UN MUR Une pergola s'avère précieuse sur la terrasse pour l'ombrage plus ou moins dense qu'elle dispense. En outre, elle crée un lien visuel entre la maison et le jardin, et peut supporter une ou plusieurs grimpantes selon son importance. Généralement, elle s'adosse à une façade de la maison, ou bien à un mur du jardin.

Pour obtenir une structure plus fermée, avec un ombrage permanent et un degré d'intimité plus important, il suffit

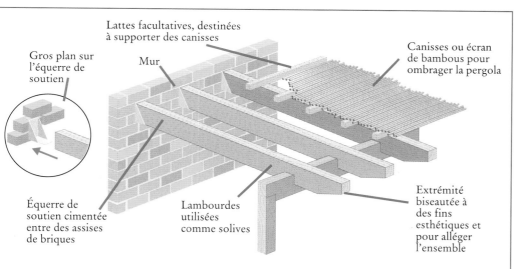

Lattes facultatives, destinées à supporter des canisses

Gros plan sur l'équerre de soutien

Mur

Canisses ou écran de bambous pour ombrager la pergola

Équerre de soutien cimentée entre des assises de briques

Lambourdes utilisées comme solives

Extrémité biseautée à des fins esthétiques et pour alléger l'ensemble

RÉALISATION

de recouvrir la pergola de canisses après avoir disposé tout un réseau de lattes sur les solives.

Veillez à ce qu'une pergola adossée contre la maison soit suffisamment haute pour dégager la ou les fenêtres, et ne pas boucher la vue – surtout avec la végétation exubérante de grimpantes.

Utilisez des lambourdes comme solives et fixez-les au mur à l'aide d'une équerre de soutien (voir le schéma), conçue avec un rebord qu'on lie avec du mortier dans le mur. Une fois que le mortier a pris, insérez la solive et clouez une extrémité dans l'équerre. Vous trouverez ces équerres de soutien dans les magasins de matériaux de construction et de bricolage.

Dans le cas d'une pergola de taille moyenne, une seule traverse au sommet des poteaux suffit à maintenir les solives. Mais pour une pergola plus importante, il faut prévoir plusieurs autres traverses intermédiaires.

Si vous souhaitez pouvoir ombrager la pergola durant les fortes chaleurs de l'été, il suffit de clouer des lattes parallèles au mur sur les solives sur lesquelles vous déroulerez et attacherez solidement des canisses ou un écran de bambous, comme le montre le schéma.

Procurez-vous des poteaux suffisamment solides pour supporter la structure et scellez-les dans le sol en les bétonnant ou en les fixant à des supports spécifiques pour poteaux.

RÉALISATION

LES MAISONS POUR JOUER

Ajoutez une note personnelle à la maison de jeux que vous avez achetée en kit. Vos enfants la trouveront encore plus séduisante s'ils participent à son embellissement et au choix de la peinture.

Si vous choisissez de réexploiter cette maison à d'autres fins une fois que les enfants seront grands, construisez une structure en dur. Équipez-la d'éléments solides et résistants et, si vous la réalisez en bois, traitez convenablement les parois extérieures contre les intempéries et le vieillissement. Assurez-vous que la maison préfabriquée que vous achetez dans le commerce soit conforme aux normes de construction en vigueur et entretenez-la régulièrement.

Les maisons de jeux les plus économiques sont en plastique souple ou en toile sur une structure de tubes métalliques. Vous les trouverez dans une vaste gamme de coloris. Les cabanes en PVC rigide, plus chères, existent en tout autant de couleurs et sont plus résistantes au temps.

Une tente peut également servir de maison de jeux. Elle a l'avantage d'être moins coûteuse qu'une structure en bois et de vieillir moins rapidement qu'une structure en plastique à condition de la traiter avec attention et de la protéger pendant les saisons froide et pluvieuse.

Conception et réalisation

UNE MAISON POUR EUX

Il est souvent difficile d'adapter au sein du jardin les exigences des enfants. L'idéal est d'aménager leurs structures de jeux de façon à pouvoir les enlever facilement quand ils ne les utiliseront plus, évitant ainsi de laisser un vide gênant et d'avoir à redessiner le jardin. Ici, l'espace des enfants est séparé de la partie plus ornementale du terrain.

CONCEPTION

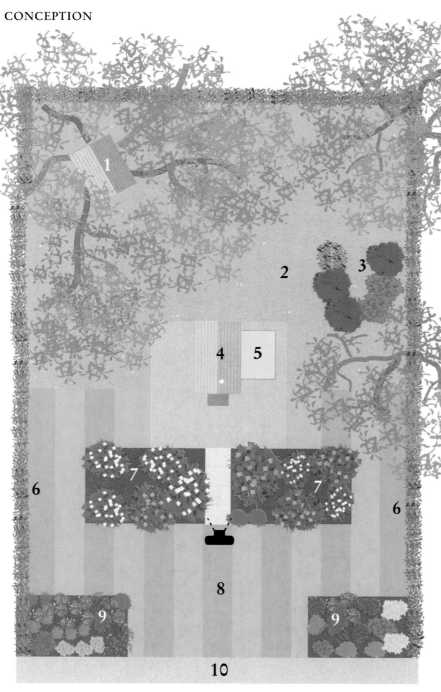

L'espace dévolu aux enfants doit correspondre à leurs âges, ce qui n'est pas toujours simple lorsqu'une famille comprend plusieurs enfants. Mais ici, les structures attirent aussi bien les adolescents que les petits.

Dans ce jardin, il convient de surveiller les jeunes enfants, à cause des surfaces en dur et des plantes épineuses, comme les rosiers. Il faut également leur empêcher l'accès à la maison perchée, réservée aux plus grands ; ces derniers imagineront toutes sortes d'aventures dans la tanière et les cachettes secrètes du jardin.

Selon l'âge des plus jeunes, vous devrez ou non clôturer l'espace au-delà de la maison de jeux.

Conception et réalisation

UN JARDIN POUR TOUS

Ce jardin est conçu pour que toute la famille et les amis puissent s'y retrouver. Pour ce faire, il comprend des bancs, un barbecue permanent, un bac à sable pour les enfants, et un grand espace pour jouer dans un environnement sûr et clos.

CONCEPTION

 1 Mur peint en blanc
 2 Mur palissé de grimpantes
 3 Arbustes nains
 4 Arche métallique
 5 Banc
 6 Pavage en briques
 7 Marches
 8 Barbecue dans un demi-cercle avec rebord en briques
 9 Bac à sable
10 Arbustes
11 Traverse de voie de chemin de fer en bois
12 Terrasse pavée en briques
13 Maison

↑ sens de la montée des marches
lieu de la prise de vue

De nombreux éléments de ce jardin lui donnent son cachet : les changements de niveau, divers endroits pour s'asseoir et se détendre, un pavage attrayant qui s'harmonise bien aux murs, des éléments de décoration originaux et une symétrie dans la construction.

On peut s'étonner que le bac à sable soit un élément central, mais quand les enfants ne l'utiliseront plus, il sera transformé en joli bassin circulaire, avec peut-être une fontaine qui créera un mouvement et des sons apaisants.

L'ÉCLAIRAGE

Un système d'éclairage dans le jardin permet de profiter des longues soirées d'été, et peut s'avérer utile pour emprunter un escalier dangereux. Si vous envisagez d'installer un système haute tension, faites toujours appel à un électricien compétent. Si, en revanche, vous optez pour un système basse tension, c'est assez simple à installer soi-même, mais en cas de doute, demandez l'avis d'un professionnel.

RÉALISATION

L'ÉCLAIRAGE DU JARDIN

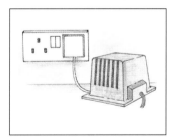

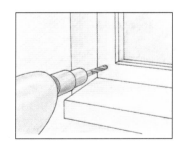

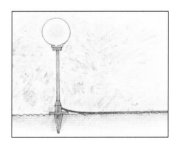

1 Un système d'éclairage basse tension, en kit, est vendu avec un transformateur qu'il faut impérativement protéger des intempéries, en le mettant dans un lieu sec, à l'abri, ou dans un garage ou un appentis.

2 À l'aide d'une perceuse électrique, faites un trou assez large pour le câble, dans le chambranle de la fenêtre ou à travers le mur. Bouchez ensuite les interstices avec du mastic étanche.

3 Bien que le câble soit parcouru par une basse tension, il demeure un risque potentiel s'il n'est pas recouvert. Protégez-le dans un conduit, à moins que les lampes soient à proximité de la sortie du câble.

4 Les systèmes d'éclairage basse tension sont généralement conçus pour être facilement transportables ; il suffit de les piquer dans le sol à l'endroit voulu.

Conception et réalisation

DES LIGNES ET DES COULEURS

Dans ce jardin, l'impact des lignes fortes et des couleurs prévaut sur celui des plantations.

Il est conçu avant tout comme une pièce d'extérieur où prendre les repas et recevoir.

CONCEPTION

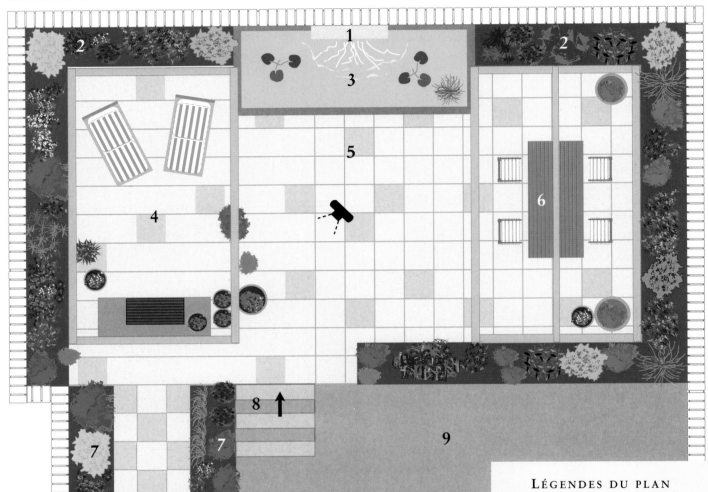

En général, le plan d'un jardin privilégie les plantations. Mais si pour vous, le jardin signifie davantage la détente et la vie en plein air, n'hésitez pas à regrouper les plantes dans quelques massifs adoucissant la présence des murs et des clôtures. Ce jardin, propice à la détente, est conçu pour recevoir et prendre les repas à l'extérieur.

À L'ABRI DU SOLEIL
Si l'on rêve tous de journées ensoleillées en été, il faut cependant se mettre à l'ombre d'un soleil trop puissant. Pour cela, utilisez un parasol ou un vélum, qui seront aussi beaux que pratiques, et deviendront des éléments de décoration.

LÉGENDES DU PLAN

1 Fontaine murale
2 Plantes variées de faible développement
3 Bassin
4 Barbecue et salon de jardin
5 Terrasse pavée
6 Coin repas avec pergola
7 Arbustes de faible développement
8 Escalier
9 Maison

↑ sens de la descente des marches
🔦 lieu de la prise de vue

■ CI-DESSUS
Un parasol de ce type peut faire autant d'effet qu'un massif de fleurs et se transforme en objet de décoration.

RÉALISATION

■ CI-DESSUS, AU CENTRE
Un vélum constitue un brise-vent précieux par mauvais temps et dispense une ombre appréciable en été. Celui-ci se monte facilement : on glisse simplement la toile sur un cadre métallique.

■ CI-DESSUS, À DROITE
Voilà une structure fort élégante, qui apporte plein de couleurs au jardin, ce qui est appréciable s'il est peu fleuri. Imaginez la sensation d'intimité qu'on éprouve en partageant un repas à l'intérieur.

Conception et réalisation

UNE JUNGLE MAGIQUE

Ce jardin luxuriant avec ses changements de niveau et ses grandes plantes à feuillage imposant, dont un bananier, plaira autant aux grands qu'aux petits. On peut l'apprécier aussi bien en y prenant les repas qu'en y partant à l'aventure.

CONCEPTION

Si vous voulez entourer le salon de plein air d'un écran végétal, il suffit de faire une sélection de variétés spécifiques et les planter de façon très dense. Les changements de niveau et l'emploi d'arbustes pour masquer les différentes parties du jardin contribuent à en faire un lieu passionnant à explorer et idéal pour s'amuser.

Le choix des planchers en bois est particulièrement adapté dans ce cas, car ils se marient bien aux plantes, renforçant une atmosphère propre à une jungle.

La terrasse pavée fait le lien entre la maison et les plantations. On y laisse le barbecue, mais le coin repas est dégagé de tout objet qui gâterait son style.

PLANTES À FEUILLAGE IMPOSANT
L'impressionnant bananier constitue un élément primordial du jardin. En période de froid, il faut le mettre à l'abri dans une véranda ou une grande serre. Cependant, il existe de nombreuses plantes rustiques à feuillage imposant, dont une sélection judicieuse permet de donner

RÉALISATION

l'impression d'une végétation tropicale luxuriante.

Les plantes du schéma ci-contre préfèrent toutes un sol humide, comme celui d'un jardin marécageux. Mais vous pouvez les cultiver dans un massif ordinaire en utilisant un tuyau d'arrosage au goutte à goutte afin d'assurer une humidité adéquate. Dans de bonnes conditions, les feuilles de gunnera atteignent 2 m de diamètre sur un pétiole de 3 m de haut ; en sol moins humide, elles seront plus petites.

PLANTES À FEUILLAGE IMPOSANT

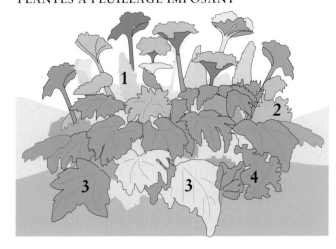

LÉGENDES DU DESSIN

1 *Gunnera manicata*
2 *Petasites japonicus giganteus*
3 *Rheum undulatum*
4 *Rheum palmatum tanguticum*

Conception et réalisation

UN JARDIN SECRET

Ce jardin inclut plusieurs structures sur une surface assez réduite : une pelouse dégagée pour la détente et les jeux, et des massifs abondants qui font écran et procurent une sensation d'intimité.

CONCEPTION

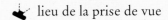

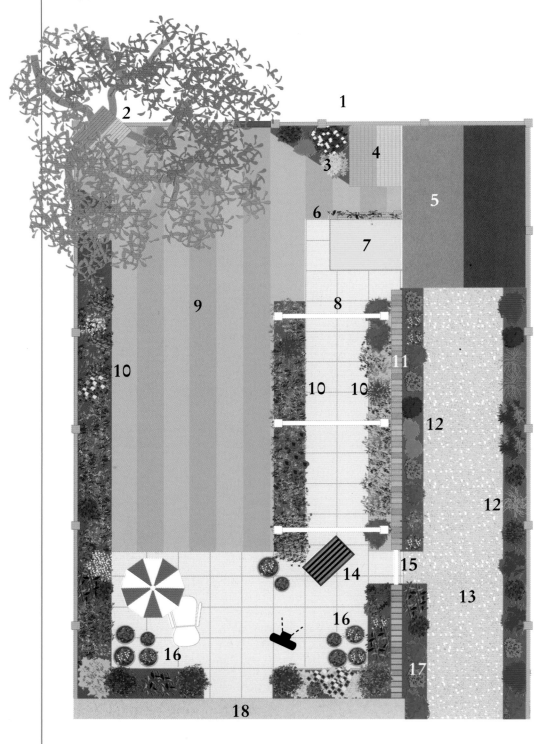

Dans ce jardin, les enfants ont un bac à sable et une maison perchée pour jouer, ainsi qu'une pelouse où toute la famille peut se détendre. La pergola dispense de l'ombre, permet une certaine intimité et donne au jardin une structure verticale. Un treillage placé derrière le bac à sable dissimule la remise des regards.

Un garage et une allée carrossable risquent de gâcher l'ensemble du jardin s'ils ne sont pas camouflés. Dans ce cas, un mur masque l'allée. Si la construction d'un mur en pierres ou en briques vous rebute, optez pour la pose facile de parpaings que vous habillerez de grimpantes et d'arbustes.

UNE PERGOLA DISCRÈTE
Une pergola n'est pas forcément imposante. On peut concevoir une structure légère et discrète, avec des poteaux rustiques, qui se fondra naturellement dans l'environnement.

RÉALISATION

ASSEMBLER DES POTEAUX RUSTIQUES

1 À l'aide d'une scie, constituez au sommet du poteau support une entaille suffisamment large· pour qu'il puisse recevoir un poteau horizontal.

2 Pour assembler deux poteaux, procédez juste au-dessus d'un support. Entaillez chaque extrémité de façon que les deux poteaux s'encastrent parfaitement l'un dans l'autre.

3 Pour fixer une traverse sur un poteau horizontal, façonnez une entaille en V à la base de la traverse à l'aide d'un ciseau à bois si besoin est, puis clouez les deux éléments.

4 Pour assembler deux poteaux qui se croisent à angle droit, évidez-les chacun de moitié, d'abord à la scie, puis au ciseau à bois. Pour solidifier l'assemblage, badigeonnez de la colle à bois, puis enfoncez des clous.

5 Pour assembler un poteau horizontal à un support vertical, entaillez le support en V sur 3 cm de profondeur, puis sciez l'extrémité de l'autre poteau afin qu'elle s'encastre. Finissez les entailles au ciseau à bois.

Sélection de plantes

DES PLANTES POUR UN JARDIN FAMILIAL

Les meilleures plantes sont celles que vous aimez, à condition qu'elles ne soient pas dangereuses. Il est plus simple de recommander des plantes à éviter plutôt que des plantes à cultiver. Cependant, petits et grands sont impressionnés par les plantes à feuillage imposant.

LES PLANTES À ÉVITER
Évitez les plantes épineuses et soyez vigilants : a priori, le *Yucca gloriosa* ne paraît pas plus dangereux que les autres yuccas, pourtant l'extrémité effilée de ses feuilles peut causer une vive douleur. Évitez également les rosiers armés de nombreuses ou grosses épines. Renoncez absolument aux plantes toxiques ou urticantes. Certaines ont des racines ou des feuilles toxiques, et les baies constituent le plus grand danger car elles sont toujours tentantes. D'autres plantes provoquent des dermatoses ou autres irritations cutanées. Parmi les plus dangereuses figure la rue *(Ruta graveolens)*, dont la sève peut causer une allergie cutanée très sérieuse au soleil.

DES ARACÉES FASCINANTES
Les enfants les trouvent fascinantes. Les Aracées sont des plantes étranges de la famille de

En pleine fleur, *Dracunculus vulgaris* est loin de passer inaperçu en raison de l'odeur vraiment très désagréable de ses énormes spathes cramoisi velouté.

l'arum. On cultive souvent l'arum *(Zantedeschia aethiopica)* pour la fleur coupée et, en pot, sous une véranda ; mais en climat doux, il a une place au jardin en pleine terre. Ses fleurs insignifiantes sont groupées sur un spadice en forme de massue ou de tisonnier, qu'entoure la spathe spectaculairement colorée. Pour les enfants, essayez deux plantes voisines : l'*Arisarum proboscideum* ou le *Sauromatum venosum*, qu'on peut faire fleurir à l'intérieur, sans terre, ni eau, puis planter au jardin pour qu'il produise son feuillage impressionnant. L'odeur de ses fleurs est si repoussante qu'elle peut dégoûter certains. Au jardin, essayez le *Dracunculus vulgaris* qui a d'énormes spathes cramoisi velouté, de 30-60 cm de long, et des fleurs qui sentent la viande pourrie et attirent les mouches. D'autres Aracées ont des fleurs présentant l'aspect d'une tête de cobra.

DES ANNUELLES RAPIDES ET FACILES
Les plantes qui poussent rapidement et passent du jeune semis à la fleur en quelques mois sont susceptibles d'intéresser les jeunes. Les enfants pourront s'amuser à semer *Limnanthes douglasii*, une annuelle tapissante, facile à cultiver et à faire fleurir ; avec la culture des grands soleils, ils apprendront à faire des apports d'eau et d'engrais réguliers.

Limnanthes douglasii est une annuelle tapissante facile à cultiver. À la fin de l'été, les plantes semées au printemps meurent, mais se ressèment abondamment pour refleurir l'année suivante.

VOS PROPRES FRUITS
Les plantes qui mûrissent des fruits consommables ont un attrait certain, notamment les pommiers et poiriers qui, de plus, forment des structures très décoratives menés en cordon ou en espalier contre une clôture ou un mur. Autre sujet d'étonnement, un pommier greffé, qui, outre son côté insolite, permet de cultiver plusieurs variétés.

Avec beaucoup de patience, un poirier mené en espalier offre bien plus d'attrait qu'un banal arbre sur tronc. En outre, il facilite grandement la cueillette.

DES VIVACES

Retenez surtout les vivaces
très rustiques et peu fragiles,
comme les hémérocalles, les
kniphofias et les hostas. Si vous
avez de jeunes enfants, évitez
les plantes qui attirent les abeilles,
comme les népétas.

On surnomme les hémérocalles
« lis d'un jour » car chaque fleur est
éphémère et ne vit pas plus d'une journée.
Heureusement, elles en produisent
beaucoup, sur une longue période.

DES ARBUSTES

En toile de fond, les arbustes
persistants à feuillage panaché
s'imposent : superbes toute l'année

Aucuba japonica 'Variegata' est très
résistant, supportant soleil ou ombre.
Ce persistant est précieux pour les endroits
difficiles que comporte tout jardin.
Il existe sous plusieurs formes panachées.

et très résistants, ils supportent
les aléas des jeux violents ; parmi
eux figurent *Aucuba japonica*
sous une de ses nombreuses formes
panachées, *Elaeagnus pungens*
'Maculata' et les phormiums (à
éviter dans les climats à hiver froid).
Prévoyez également de nombreux
arbustes à fleurs caduques.

Elaeagnus pungens 'Maculata'
est un arbuste persistant particulièrement
séduisant à un emplacement où le
soleil de l'hiver rehausse l'or de ses
feuilles panachées.

DES PLANTES AROMATIQUES

Les enfants s'intéressent
particulièrement aux différents
parfums des plantes aromatiques
ainsi qu'à leur utilisation dans
la cuisine. Initiez-les avec les
thyms, le fenouil *(Foeniculum
vulgare)* à la senteur anisée,
et les nombreuses variétés de
menthes dont les senteurs vont
de la menthe poivrée à la pomme.
Ils s'amuseront également à les
cultiver en pots.

Le fenouil *(Foeniculum vulgare)*
présente un feuillage duveteux qui
en fait une plante aussi ornementale
que culinaire. Outre le fenouil vert,
le plus répandu, il en existe un bronze.

DES PLANTES BULBEUSES

Les enfants aiment planter
les bulbes qui produisent si
rapidement des fleurs aux tons
éclatants – quelques semaines
pour les colchiques. Faites-leur
cultiver des crocus à floraison
printanière et des colchiques à
floraison automnale dans un massif
ou éventuellement dans un coin
de la pelouse. Pour mai-juin,
choisissez des grosses plantes
spectaculaires, comme l'*Allium
giganteum* ou l'*Eremurus*.

Comme le dit la chanson, le colchique des
prés *(Colchicum autumnale)* marque la fin
de l'été ; il fleurit parfois dès la fin août,
parfois seulement en septembre-octobre.

UN CARRÉ
DE LÉGUMES

....

Si l'idée d'un potager n'attire pas certains jardiniers, d'autres en revanche
sont heureux de consacrer la plupart de leur temps libre et tout
leur espace disponible à la culture de légumes et de fruits. Toutefois, on
associe de plus en plus l'aspect ornemental et comestible, en cultivant fruits
et légumes côte à côte au potager, ou dans différentes parties du jardin.

On peut difficilement vivre en autarcie avec les récoltes de son potager, sauf
s'il est très grand, et peu de jardiniers sont prêts à y consacrer beaucoup de
temps et d'efforts. Toutefois, on peut souhaiter récolter ses propres pommes
de terre nouvelles alors qu'elles sont encore chères, cueillir des pommes
sur son arbre et se régaler de verdure durant tout l'été, avec ses salades et
ses plantes aromatiques. S'ajoute à cela, la satisfaction de cultiver ses propres
légumes et de les consommer frais et sans pesticides (selon votre choix).

■ CI-DESSUS
C'est un grand plaisir de cueillir ses fruits (ici un poirier 'Conférence') dans son jardin.

■ PAGE DE GAUCHE
Un carré de choux rouges, limité par une haie de buis nain
(*Buxus sempervirens* 'Suffruticosa'), s'avère très ornemental.

QUELQUES IDÉES

C'est un vrai plaisir de cultiver des plantes que l'on peut consommer. Certains légumes, comme la poirée, la betterave ou la laitue à couper, s'avèrent très décoratifs en plantes d'ornement dans les massifs. N'hésitez pas à marier légumes et fruits aux fleurs dans votre jardin.

■ CI-DESSOUS

Un potager est encore plus esthétique lorsqu'il est divisé en petits carrés, séparés par une allée et clos, comme ici, d'une jolie bordure torsadée. L'accès aux légumes pour la plantation ou l'entretien (le binage notamment) y est plus facile depuis l'allée. Vous pouvez concevoir un plan strict, en donnant aux carrés de légumes une forme géométrique parfaite.

Choisissez des matériaux de qualité pour les allées. Ici, les pavés gris pâle contrastent agréablement avec les bordures torsadées, couleur brique.

■ PAGE DE DROITE, EN HAUT

Une atmosphère de jardin de curé se dégage de ce massif où se marient naturellement fleurs et légumes. La bordure d'œillets d'Inde assure une double fonction : outre un effet décoratif de juin aux gelées, ces plantes sont précieuses pour repousser les ravageurs, en raison de leur odeur puissante, ce qui protège ainsi les plants de maïs sucré.

■ PAGE DE DROITE, EN BAS

Ne limitez pas les légumes exclusivement au potager : réservez-leur également une place dans les massifs, ou comme ici, dans le jardinet devant la maison, sur fond de palissade peinte en blanc.

De nos jours, la mode revient aux jardins de curé, où les légumes se marient parfois de façon insolite aux fleurs. Ainsi, les potagers ne sont plus forcément relégués au fond des jardins. L'intérêt de celui-ci s'accentue au fil de l'été, alors que mûrissent les premières citrouilles et courges.

QUELQUES IDÉES

Inutile de prévoir un emplacement réservé au verger. Les pommiers, poiriers et pêchers sont faciles à mener contre un mur ou une clôture, sous forme de palmette, de cordon ou d'espalier. Quant aux fraisiers, ils prospèrent en pots ou dans un petit massif en plein soleil.

■ PAGE DE GAUCHE
Très en vogue, les jardins d'herbes sont
souvent créés pour leur attrait ornemental
plutôt que culinaire. Ils se prêtent bien à
des motifs géométriques ou pour décorer
un bassin à oiseaux ou un cadran solaire.

■ CI-CONTRE
Même sur une terrasse ou un balcon, vous
pouvez concevoir un jardin d'herbes en
les plantant en pots. Pour certaines plantes aromatiques, comme la menthe, la
plantation dans un sac de culture est
nécessaire afin de maîtriser les racines traçantes et envahissantes. Trois sauges ornementales prospèrent dans des pots, près
de la menthe, tandis que la jarre à fraisiers
héberge diverses plantes aromatiques.

Ces condiments sont mis en valeur par
la double rangée de fleurs : des pétunias
colorés et l'herbe aux écus (*Lysimachia
nummularia*), tapissante, à fleurs jaunes.

■ CI-DESSUS
Un potager peut être très décoratif, comme ici. Dans ce
jardin clos, les bordures de buis ou de rue forment un
tracé très net, et délimitent des carrés garnis de plantations
différentes – des légumes, comme des pommes de terre ou
des tomates, mais aussi des fleurs, comme les dahlias, ou
encore des herbes aromatiques, et même des arbustes
à petits fruits, comme les groseilliers.

Malgré cette profusion de plantes dans les carrés, ce
jardin offre une conception judicieuse et une belle unité,
en raison de son plan d'origine, très élaboré.

Conseils pratiques

DES LÉGUMES EN POTS

Si vous n'avez pas suffisamment de place pour un grand potager, faites preuve d'imagination.

Cultivez des légumes dans des potées aussi élégantes que savoureuses.

Certains légumes, comme les tomates et les laitues, donnent de très bons résultats en pots : en effet, leurs racines supportent d'être confinées, et ils poussent très facilement. Plantez-les dans des jardinières ou des pots en terre. Avec un peu d'expérience, vous pourrez tenter d'autres essais fructueux.

■ CI-CONTRE

LES LAITUES Les laitues sont vraiment faciles à cultiver en pots, notamment les petites variétés qui se contentent d'un espace réduit. Pour obtenir une succession de laitues pommées, échelonnez les semis en semant juste quelques graines chaque semaine, à partir d'avril, ou bien choisissez une variété à couper, comme 'Salad Bowl', dont les feuilles, prélevées au fur et à mesure des besoins, repoussent continuellement et qui, ainsi, ne laisse pas de trous dans les plantations après la récolte, à la différence des laitues pommées.

Pour créer une belle composition de laitues dans une auge, un bac ou une jardinière, regroupez divers types de laitues, dont le feuillage diffère par leur forme ou leur couleur.

SUGGESTIONS *Si vous cultivez des laitues dans une jardinière, recherchez deux ou trois jardinières en plastique, s'encastrant parfaitement dans la jardinière en terre cuite. Ainsi, vous pourrez échelonner les semis dans les jardinières en plastique que vous mettrez successivement en place lorsque leurs plantations seront à leur apogée.*

■ CI-CONTRE

LES POMMES DE TERRE À priori, la culture des pommes de terre ne semble pas pouvoir se faire en pot. Pourtant, cela vaut la peine de planter quelques tubercules d'une variété précoce qu'on pourra récolter tant qu'ils sont encore petits et particulièrement savoureux, à une époque de l'année où les pommes de terre sont encore chères. Mettez-les en végétation dans une serre ou une véranda hors gel, et attendez qu'il fasse suffisamment doux avant de les sortir. Un pot est facile à déplacer, mais si vous optez pour un sac de culture, mieux vaut le mettre sur une planche et se faire aider pour le rentrer facilement à l'abri en cas de risque de gelée. Cela paraît demander beaucoup d'efforts, mais un repas ou deux de pommes de terre nouvelles est un vrai régal.

SUGGESTIONS *Ne disposez pas les pots de pommes de terre en évidence car leur végétation n'a rien d'attrayant, mais veillez à ce qu'ils reçoivent beaucoup de lumière.*

■ CI-CONTRE

D'AUTRES LÉGUMES Les courges, courgettes et concombres fructifient dans un sac de culture ou dans un grand pot. Ici, la courgette plantée dans une demi-barrique commence à produire.

SUGGESTIONS *Courges et courgettes sont très décoratives avec leurs grandes fleurs jaunes. Certaines variétés mûrissent des fruits jaunes.*

■ CI-DESSOUS

TOUT UN POTAGER EN POTS Si vous avez de la place sur votre terrasse, créez un potager dans plusieurs pots. Regroupez-en de différents types, assez volumineux pour pouvoir contenir beaucoup de substrat et ne lésinez pas sur les apports d'eau.

SUGGESTIONS *De grands pots comme ceux-ci sont peu esthétiques. Rendez-les plus attrayants en les couvrant d'une peinture acrylique.*

■ CI-CONTRE

DANS UN SAC DE CULTURE Tous les légumes de cette photo tiennent uniquement dans deux sacs de culture : pommes de terre nouvelles, épinards, laitues et petits oignons. Voilà un vrai potager, toujours à portée de main sur une terrasse ou un balcon ! Préférez des variétés à petit développement, ou des légumes précoces.

SUGGESTIONS *Regroupez tous les légumes sur une partie de la terrasse, surtout s'ils sont dans des sacs de culture, afin que leur aspect peu esthétique ne dépare pas les massifs de fleurs.*

Conseils pratiques
UN ARBRE FRUITIER DANS UN PETIT JARDIN

Il est possible d'accueillir un ou plusieurs arbres fruitiers dans un petit jardin. Cultivés en cordon, en espalier ou en palmette, les pommiers, poiriers ou pêchers prennent peu de place, surtout s'ils sont greffés sur un porte-greffe nanifiant. Ces arbres, souvent taillés pour conserver leur forme, fructifient abondamment sur des rameaux courts. Le cordon a un tronc court et une tige principale horizontale, ou bien un tronc oblique (45°). L'espalier et la palmette sont des formes palissées voisines, à adosser contre un mur ou une clôture. Une deuxième solution est de cultiver des arbres fruitiers nains, tels que nectariniers ou pommiers, en pots. Une troisième solution est celle des nouvelles variétés anglaises de pommiers à port érigé, adaptées à un jardin minuscule.

■ CI-CONTRE
UN POMMIER ÉRIGÉ Encore réservés au marché britannique, les pommiers érigés se caractérisent par l'absence de grosses branches et la formation de rameaux courts, fructifères, à même le tronc. On peut en planter toute une collection dans un petit jardin.

SUGGESTIONS *Plantez tout un rang de différentes variétés pour clore le potager d'un écran productif original.*

■ CI-CONTRE
UN POMMIER EN CORDON Un pommier mené en cordon ne prend pas beaucoup de place et s'avère idéal pour créer une bordure séduisante, notamment lors de la floraison et au cours du mûrissement des fruits. Pour conserver sa forme et maintenir une fructification à proximité de la charpente, il faut le tailler en hiver et durant l'été – taille dite en vert, qui consiste en un pincement.

SUGGESTIONS *Plantez des pommiers ainsi menés en cordons, non seulement autour du potager, mais aussi le long d'un massif de fleurs.*

■ CI-CONTRE

UN PÊCHER EN POT Seule une variété naine de pêcher acceptera de fructifier en pot, dans un emplacement chaud. Ici, le pêcher 'Garden Silver' est planté dans un pot de 30 cm de diamètre. Il existe aussi des nectariniers nains, parfaits en pots.

SUGGESTIONS Réservez une place de choix sur votre terrasse ou votre balcon à un pêcher en pot, vraiment superbe au printemps quand il est en pleine fleur.

■ CI-DESSUS

UN POMMIER EN POT De même que pour le pêcher, seules les variétés greffées sur un porte-greffe nain acceptent de pousser dans un gros pot où elles ne passent pas inaperçues. Leur production est certes limitée, mais tout à fait acceptable.

SUGGESTIONS Ne cultivez pas de pommier en pot si vous avez la possibilité d'en planter en pleine terre, où il demande beaucoup moins de soins réguliers et d'apports d'eau. Réservez une telle culture sur une terrasse dallée ou un balcon.

■ CI-CONTRE, AU CENTRE

UN POIRIER EN ESPALIER Voilà une clôture productive séduisante. Le poirier en espalier 'Conférence' croule sous les fruits.

SUGGESTIONS Palissez de tels espaliers en plein soleil, le long de la clôture ou du mur bordant votre potager. Ainsi, ils libéreront de l'espace que vous pourrez utiliser pour planter des arbustes à petits fruits.

■ CI-CONTRE, EN BAS

UN PÊCHER EN PALMETTE Pour faire de votre pêcher ou nectarinier une plante ornementale qui fructifie généreusement, conduisez-le en palmette contre un mur ou une clôture.

SUGGESTIONS Palissez un pêcher en palmette contre un mur chaud et ensoleillé, mais n'espérez pas une récolte abondante dans une région froide.

Conseils pratiques

DES PLANTES AROMATIQUES

De nombreuses plantes aromatiques, avec leurs jolies fleurs et leur agréable parfum, ont leur place dans un massif de fleurs. Mais de nos jours, les paysagistes les plus talentueux, imités par les jardiniers, n'hésitent pas à les utiliser pour créer un massif ou tout un jardin.

■ **CI-DESSUS**

SUR LA TERRASSE Pour pouvoir utiliser commodément les plantes aromatiques, installez-les à proximité de la cuisine. Ici, c'est tout un jardin d'herbes qui embellit la terrasse. Lorsqu'on s'assoit sur les bancs aménagés sur lesquels ces plantes aromatiques débordent, et qu'on les froisse, elles exhalent un parfum puissant.

SUGGESTIONS *Placez en bordure les plantes les plus ornementales, comme les sauges panachées et la ciboulette, et reléguez au fond les moins intéressantes, comme l'estragon ou la livèche. Pour que ce jardin d'herbes reste attrayant toute l'année, privilégiez les plantes persistantes comme la sauge, le thym ou le romarin.*

■ CI-DESSUS

DANS UNE JARDINIÈRE Si vous manquez de place dans votre jardin, n'hésitez pas à regrouper une sélection de plantes aromatiques dans une jardinière décorative comme ici, que vous pourrez placer, au besoin, sur le rebord d'une fenêtre assez ensoleillée.

SUGGESTIONS *Cherchez une jardinière ornementale pour la placer en vue. Ici, le conteneur est en fibres de verre.*

■ CI-DESSUS

DANS UN MASSIF Donnez à vos massifs d'herbes des formes géométriques qui resteront attractives durant toute la mauvaise saison, alors que les plantes flétries auront perdu leur attrait.

SUGGESTIONS *Entourez les massifs d'une bordure singulière, accentuant leur forme et leur contour. Elle se compose ici de pavés de granit qui contrastent avec le gravier de l'allée.*

■ CI-DESSUS

UNE ROUE D'HERBES AROMATIQUES Quelle que soit la taille de votre jardin, vous y trouverez toujours une place pour quelques plantes aromatiques, à condition de leur offrir une exposition assez ensoleillée. Très répandue au XIXᵉ siècle, la roue permet de cultiver de nombreuses plantes aromatiques dans un petit espace.

SUGGESTIONS *Adoptez cette structure géométrique et symétrique seulement si vous avez du temps à consacrer à la taille des plantes aromatiques. Elles ne doivent pas en effet déborder du cadre qui leur est imparti, sous peine de masquer les bords et les rayons de la roue, et ainsi de détruire l'effet voulu.*

Conseils pratiques

DES LÉGUMES PARMI LES FLEURS

Si vous ne souhaitez pas consacrer toute une partie de votre jardin uniquement aux légumes et aux plantes aromatiques, mariez-les avec des fleurs. Vous pourrez ainsi créer des associations souvent étonnantes et fort réussies.

■ **CI-CONTRE**

UN POTAGER FLEURI Mariez les fleurs et les légumes sans les séparer franchement comme dans ce potager fleuri : ou vous apprécierez cette association, ou bien vous la trouverez déconcertante.

SUGGESTIONS *Accordez un espace à un potager fleuri, au sein du jardin, en le séparant de la partie purement ornementale par une haie naine ou une palissade.*

■ **CI-CONTRE**

DES LÉGUMES BORDÉS DE BUIS Créez un jardin géométrique avec un échiquier de carrés, bordés d'une mini-haie de buis (*Buxus sempervirens* 'Suffruticosa'), et séparés par des allées. Réservez certains carrés aux légumes et d'autres aux fleurs.

SUGGESTIONS *Dans les carrés remplis de légumes en été, plantez des bulbes à floraison hivernale et des bisannuelles pour le printemps. Faites-le après avoir récolté tous les légumes (septembre-octobre).*

■ CI-DESSUS

DES LÉGUMES ORNEMENTAUX La poirée (ou bette) à côtes rouges est un légume vraiment spectaculaire qui mérite une place dans les massifs de fleurs (associée ici à un lobélia). Elle offre un effet tout aussi étonnant plantée simplement en rang au potager.

SUGGESTIONS La poirée donne de la hauteur dans les massifs. Même si vous ne la cuisinez pas, cultivez-la pour son attrait esthétique.

■ CI-DESSUS

UN MARIAGE SUBTIL Dans ce jardin de curé, le bleuet *(Centaurea cyanus)* se fraie un chemin parmi la bourrache aux fleurs bleues et une grande variété de légumes. Ceux qui n'apprécient que des jardins bien tenus, aux plantations très délimitées, n'aimeront certainement pas celui-ci, au charme particulier. Dans un tel jardin, pas de problème de ravageurs ou de maladies sur les légumes en raison de la diversité des plantes cultivées.

SUGGESTIONS Si le reste du jardin est traité de façon plus raffinée et plus géométrique, séparez les deux parties par une haie ou un écran, pour éviter que cette association paraisse trop fouillis.

■ CI-CONTRE

UN CONTRASTE SAISISSANT Le feuillage pourpre, vraiment admirable, de la betterave, tranche ici nettement sur la rangée d'œillets d'Inde du fond. Lorsque vous aurez récolté les betteraves, vous pourrez les remplacer par un autre légume, ou des plantes à fleurs.

SUGGESTIONS Pour faciliter la récolte d'un tel légume, mieux vaut le regrouper, comme ici, que de le disséminer çà et là parmi des fleurs.

Conception et réalisation

UN ÉCHIQUIER AROMATIQUE

LÉGENDES DU PLAN

Si vous avez de la place dans votre jardin, installez le potager ou le carré d'herbes à proximité de la maison, pour faciliter la cueillette. Ici, une terrasse dallée, bien exposée, a été transformée en séduisant jardin d'herbes aromatiques.

CONCEPTION

1 Remise
2 Banc de pierre
3 Petit arbre remarquable
4 Échiquier d'herbes aromatiques
5 Légumes
6 Gravier
7 Arche à travers la haie d'ifs
8 Haie d'ifs
9 Arbustes nains
10 Pelouse
11 Maison

∨ suite du jardin

🐦 lieu de la prise de vue

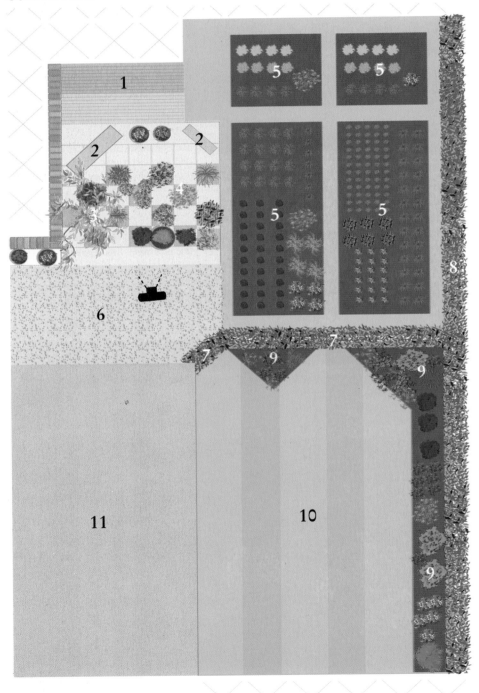

UNE ROUE D'HERBES AROMATIQUES
Cette roue est une bonne solution pour cultiver de nombreuses plantes aromatiques sur une surface réduite. Vous pourrez utiliser une vieille roue de charrette, encore que cela soit difficile à trouver. L'idéal est de construire vous-même une roue en briques. Plus elle est grande, plus vous pourrez y aménager de rayons.

Entre chaque rayon, adoptez des plantes contrastant par leur couleur, leur senteur ou la forme du feuillage.

CONSTRUIRE UNE ROUE D'HERBES AROMATIQUES

1 Dessinez un cercle d'environ 1,50-2 m de diamètre en utilisant une corde fixée à un piquet pour obtenir un contour régulier. Si nécessaire, aidez-vous d'une bouteille de verre, remplie de sable sec pour marquer le périmètre. Creusez le sol sur une profondeur d'environ 15 cm.

RÉALISATION

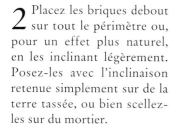

2 Placez les briques debout sur tout le périmètre ou, pour un effet plus naturel, en les inclinant légèrement. Posez-les avec l'inclinaison retenue simplement sur de la terre tassée, ou bien scellez-les sur du mortier.

3 Construisez une croix de briques, comme montré ci-dessus. Si du fait du diamètre du cercle, subsiste un vide au milieu entre deux briques, mettez-y un pot ou un élément décoratif, à défaut d'une plante.

4 Remplissez les quarts de cercle d'une bonne terre de jardin ou d'un substrat assez riche que vous avez préparé. Ajoutez de l'engrais à ce stade si nécessaire.

5 Dans chaque quart de cercle, installez des plantes aromatiques offrant, si possible, une végétation comparable. Cultivez par exemple différents thyms. Pour une finition soignée, couvrez de gravillons la terre apparente.

Conception et réalisation

UN POTAGER ORNEMENTAL

Ne reléguez pas forcément les légumes au fond du jardin.
Vous pouvez les associer à des fleurs et les planter dans
des carrés géométriques, clos de buis nain, créant ainsi un
superbe potager ornemental.

Ce potager géométrique est
suffisamment vaste pour créer
un décor intéressant toute l'année.
Avant d'obtenir une haie de buis
aussi parfaitement taillée que
sur la photographie, il faudra

patienter près de quatre à cinq ans.
Pour joindre l'utile à l'agréable
et créer un potager ornemental
de toute beauté, plantez des
légumes dans ce cadre géométrique,
en les mariant à des fleurs.

LÉGENDES DU PLAN

1 Jardin naturel et
  espace boisé
2 Haie
3 Grand conifère taillé
4 Fleurs et légumes entourés
  d'une mini-haie de buis
5 Topiaire
6 Banc
7 Gravier
8 Jardin en sous-bois
9 Pelouse et jardin
  d'ornement
10 Sentier menant au sous-bois
11 Chambre principale
  de la maison donnant
  sur le potager
12 Maison

< suite du jardin

lieu de la prise de vue

CONCEPTION

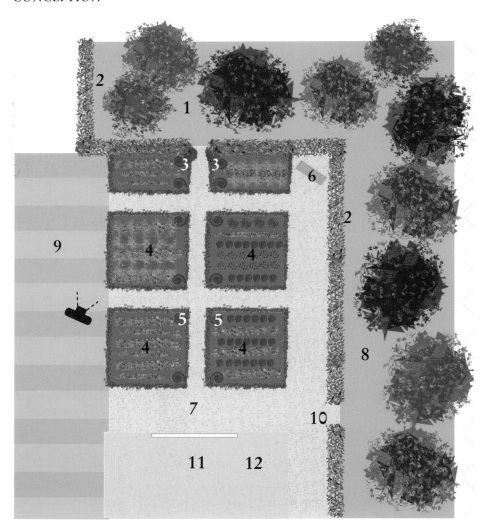

LA TAILLE DU POMMIER EN CORDON ET EN ESPALIER

Un arbre fruitier mené en cordon
ou en espalier est précieux
dans un petit jardin car il occupe
peu de place et est plus décoratif
qu'un arbre de plein vent.
Le seul inconvénient est qu'il faut
le tailler régulièrement – au moins
une fois en été (taille en vert)
ainsi qu'en hiver pour les plantes
âgées, à végétation surabondante.
Cette taille d'hiver vise à réduire
le nombre des spurs, les rameaux
fructifères, courts, devenus
si serrés que les fruits n'ont
pas assez de place pour se
développer convenablement.

RÉALISATION

TAILLE EN VERT DE L'ESPALIER

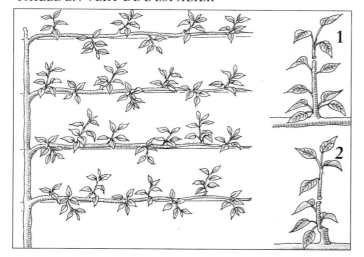

TAILLE EN VERT DU CORDON

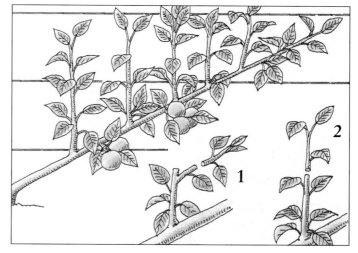

1 Rabattez, à trois feuilles au-dessus du groupe de feuilles basal, les nouvelles pousses feuillues. Procédez seulement quand les pousses ont des feuilles vert foncé et que l'écorce commence à brunir et à se lignifier à la base. En climat froid, ne taillez en vert qu'en septembre, afin que les pousses soient assez aoûtées.

2 Si la pousse est émise à partir d'un chicot laissé par une taille précédente, et ne s'insère pas sur une des tiges principales, rabattez-la à une feuille au-dessus du groupe de feuilles basal.

1 Rabattez, à une feuille au-dessus du groupe de feuilles basal, les pousses naissant à partir d'un chicot laissé par une taille précédente.

2 Taillez un cordon de la même façon qu'un espalier, encore que la forme de la plante diffère. Rabattez, à trois feuilles au-dessus du groupe de feuilles basal, les pousses naissant directement sur la branche principale.

Conception et réalisation

UN THÈME CIRCULAIRE

Ce plan montre ce que l'on peut créer dans un jardin assez petit, ne faisant que 11 × 9 m. Inspirez-vous en si vous pensez qu'il vous faut absolument un grand jardin pour concevoir un plan imaginatif, débordant d'idées novatrices.

CONCEPTION

grande roue, on ne peut cultiver qu'un nombre limité de plantes, les plus hautes, comme le fenouil, étant exclues. Afin de pouvoir planter plus d'herbes aromatiques, on leur a réservé au pied de la maison une plate-bande très décorative qui parfume les pièces les plus proches ; celles à forte végétation y trouvent leur place ainsi que de simples arbustives, comme les sauges panachées, si colorées.

DES HERBES AROMATIQUES SUR LA TERRASSE

Si votre terrasse dallée paraît triste et manque de couleurs, ôtez quelques dalles pour planter à la place des herbes aromatiques vivement colorées ou parfumées. Essayez d'enlever les dalles sans les casser et mettez-les de côté pour un autre usage. À cet emplacement, préférez des plantes persistantes, qui restent décoratives toute l'année.

Comme le montre ce plan, il est possible d'introduire des plantes aromatiques dans un jardin ornemental sans qu'il perde son attrait esthétique. À l'origine, ce jardin était orné d'un bassin circulaire peu profond, qui a été remplacé par une roue d'herbes aromatiques, prouvant la facilité de modifier un plan existant afin de répondre à une exigence particulière. Même dans une

RÉALISATION

PLANTER DES HERBES AROMATIQUES SUR UNE TERRASSE

1 Aidez-vous d'un outil robuste et tranchant, tel un burin, et d'un marteau pour enlever les dalles. Cela sera assez facile si elles sont posées sur du sable ou scellées avec du mortier. Mais si les joints sont bétonnés, mieux vaut dans ce cas renoncer à enlever les dalles.

2 Sous la dalle, la terre se sera tassée et appauvrie. Commencez par la briser à l'aide d'une fourche, puis apportez une grosse quantité de bon substrat ou de compost de jardin bien décomposé. Mélangez le tout.

3 Pour donner de la verticalité, plantez un grand arbuste aromatique au milieu. Ici, on a opté pour un laurier-sauce *(Laurus nobilis)*, mais on aurait pu aussi bien choisir un romarin *(Rosmarinus officinalis)*.

4 Au pied de l'arbuste, plantez les herbes aromatiques que vous préférez ou utilisez le plus en cuisine. Ici, on a retenu de jeunes plants d'origan doré, très décoratif par leur feuillage persistant.

Conception et réalisation

LA SYMÉTRIE AVANT TOUT

Dans ce jardin consacré aux plantes aromatiques, la géométrie et la symétrie ont été privilégiées. Quatre carrés d'herbes aromatiques sont séparés par un sentier dallé en croix avec, placés de façon symétrique, un cadran solaire et un bassin pour oiseaux. Les plantes aromatiques ont été choisies avant tout pour leur aspect esthétique.

CONCEPTION

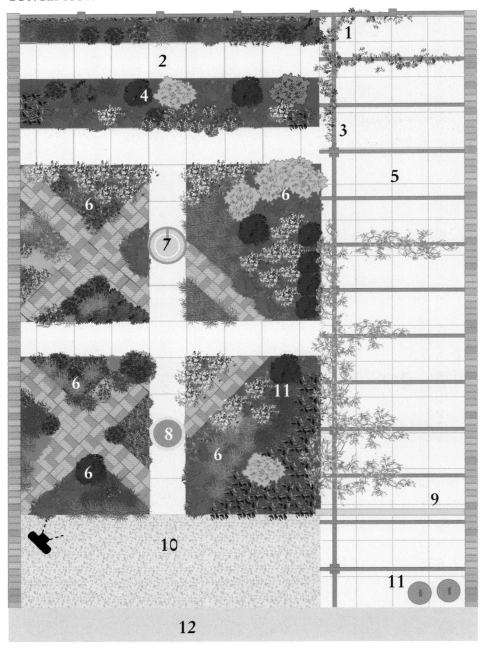

Pour rester attrayant toute l'année, le jardin d'herbes aromatiques peut être agrémenté de points de mire, comme un cadran solaire ou un bassin à oiseaux. Dans cet espace géométrique, les allées délimitent les massifs et constituent aussi la principale structure du jardin durant les mois d'hiver. Le matériau doit donc être séduisant et bien posé.

Les allées dans les carrés sont revêtues de briques, qui contrastent nettement avec les dalles des autres allées et de celle sous la pergola.

LA NATURE DU SOL
Que vous optiez pour des plantes d'ornement, des légumes ou des herbes, vous devez connaître la nature du sol de votre jardin. Vous saurez ainsi quelles sont les plantes les plus adaptées et comment améliorer la terre.

Il existe des tests pour analyser le pH et connaître ainsi le degré d'acidité ou d'alcalinité du sol. Celui présenté page suivante concerne la teneur en azote, mais tous ces tests s'emploient pareillement.

RÉALISATION

ANALYSER VOTRE TERRE

1 Prélevez un échantillon de terre à 5-8 cm sous la surface. Prenez ainsi plusieurs échantillons dans le jardin et analysez-les séparément ou bien mélangez-les pour une seule analyse.

2 Mélangez un volume de terre avec cinq volumes d'eau dans un bocal. Secouez vigoureusement, puis laissez se déposer les particules de terre, durant une demi-heure à une journée, selon la nature de la terre.

3 À l'aide de la pipette, prélevez un peu de solution en surface (les deux ou trois premiers centimètres) pour l'analyser.

4 Transférez délicatement cette solution dans l'alvéole du test à l'aide de la pipette.

5 Sélectionnez la capsule d'une couleur correspondant à un élément nutritif bien précis. Versez la poudre qu'elle contient dans la solution. Fermez le couvercle et secouez vigoureusement.

6 Au bout de quelques minutes, comparez la couleur du liquide avec celle du nuancier. Vous déterminerez ainsi la teneur en tel ou tel élément nutritif et saurez s'il y a des modifications à effectuer.

Conception et réalisation

UN POTAGER GÉOMÉTRIQUE DÉCORATIF

Dans un potager géométrique aux motifs aussi décoratifs, un simple chou devient ornemental, et le massif réservé aux fleurs coupées s'y intègre parfaitement. Ce style de potager s'avère certes moins pratique à l'usage qu'un terrain rectangulaire où les légumes sont alignés sur de longues rangées, mais il est nettement plus attrayant.

CONCEPTION

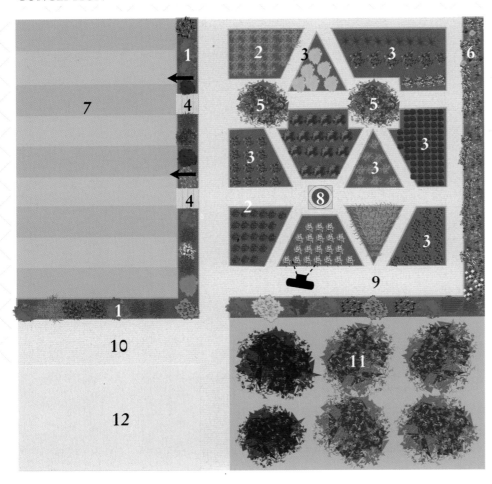

DES PETITS CARRÉS DE LÉGUMES
Il y a de nombreux avantages à cultiver les légumes dans des petits carrés. Ainsi, on ne risque pas de piétiner la terre, donc de la tasser. Le seul labour nécessaire consiste à supprimer les racines de mauvaises herbes et à enfouir en même temps une grande quantité de matières organiques, comme du fumier décomposé ou du compost de jardin. On ajoute ensuite en surface un paillis de matières organiques qui seront enfouies dans le sol par les vers de terre et autres petits insectes. Pour améliorer la fertilité et la structure du sol, ainsi que la production de légumes, il suffit d'épandre régulièrement beaucoup de matières organiques.

Pour ce potager proche de la maison, on a choisi de faire un patchwork de petites parcelles de légumes, afin qu'il décore joliment le jardin, en plus de son intérêt culinaire.

En partant d'un terrain vierge, on aurait pu concevoir un plan symétrique, beaucoup plus classique, mais ici, la présence de deux poiriers a imposé une autre approche. Les différents carrés sont assemblés sans aucune symétrie mais apportent un charme peu commun par l'échiquier original qu'ils composent.

RÉALISATION

■ **CI-DESSUS**
N'hésitez pas à concevoir des carrés de légumes encore plus grands. S'ils sont entourés d'une allée, comme ici, vous pourrez facilement les entretenir, en dépit de leur superficie plus importante.

■ **CI-DESSUS**
Modifiez un potager traditionnel en divisant l'espace en bandes d'1,20 m de large, consacrées à des rangs de légumes et séparées d'allées étroites, d'où vous pourrez travailler et accéder facilement aux plantes.

Certains n'emploient que des engrais et des fumiers organiques qui leur donnent des récoltes importantes sans recourir à des engrais chimiques.

Sur un terrain normal, procédez à ce type de culture en divisant l'espace en bandes d'1,20 m de large, consacrées à des rangs de légumes et séparées d'allées étroites, d'où vous travaillerez sans tasser la terre des zones cultivées.

■ **CI-CONTRE**
Joignez l'utile à l'agréable en créant un potager fleuri. Les pois de senteur qui grimpent sur un support en forme de tipi, au milieu de chaque carré, sont destinés à embellir la maison.

Conception et réalisation

CRÉER UN JARDIN D'HERBES AROMATIQUES

Les plantes aromatiques comptent parmi les plus séduisantes des végétaux du potager, ce qui explique leur succès dans les jardins. Si vous disposez d'un grand espace, mieux vaut concevoir dans un lieu clos à part un jardin aromatique comme celui-ci. Ce sera un emplacement idéal pour s'asseoir et se reposer. Si vous consacrez de nombreux massifs à un seul type de plante, vous pourrez en récolter en quantité sans nuire à l'effet décoratif.

CONCEPTION

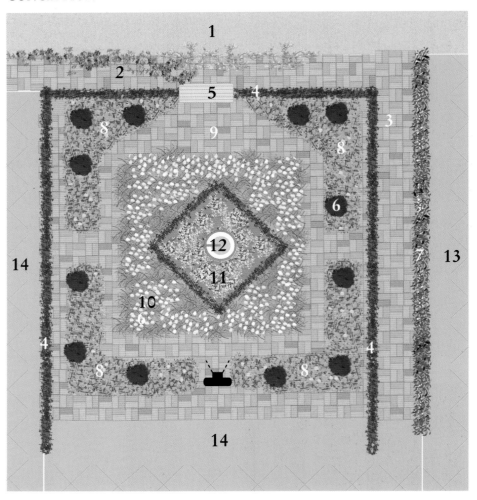

LÉGENDES DU PLAN

1 Garage
2 Grimpantes contre le mur du garage
3 Allée
4 Haie de buis nain (*Buxus sempervirens* 'Suffruticosa')
5 Banc
6 Buis taillé (*Buxus sempervirens*)
7 Haie d'ifs
8 Thym
9 Terrasse en briques
10 Ciboulette
11 Origan doré
12 Cadran solaire
13 Vers le verger
14 Vers la maison

∨ suite du jardin

🕯 lieu de la prise de vue

Un jardin comme celui-ci doit être avant tout considéré comme une pièce décorative. Au lieu de cultiver différentes plantes aromatiques pour parfumer votre cuisine, mieux vaut limiter leur nombre et retenir uniquement les plus décoratives.

Le jardin d'herbes aromatiques est agencé de façon symétrique autour d'un cadran solaire attrayant. La bordure de buis donne de l'unité à l'ensemble, notamment pour un grand jardin.

DES PLANTES AROMATIQUES EN JARDINIÈRE

Même si vous avez un grand massif d'herbes aromatiques, une petite caisse remplie d'un assortiment de ce type de plantes sera précieuse auprès de la porte de la cuisine.

Si vous n'avez pas du tout de place pour créer un jardin d'herbes à part, vous pouvez tout à fait adoptez ce type de plantation en jardinière.

RÉALISATION

UN MINI-JARDIN DANS UNE CAISSE DE VIN

1 Supprimez toutes les agrafes d'une ancienne caisse de vin et rabotez au papier de verre les bords rugueux avant d'appliquer deux couches de vernis pour l'extérieur, sur les deux faces. Laissez bien sécher le vernis entre les deux applications.

2 Au fond de la caisse, disposez des tessons ou un matériau tout aussi drainant, puis placez les godets à l'intérieur pour trouver la meilleure disposition. Remplissez la caisse d'un substrat léger, riche en sable grossier, avant de commencer à planter.

3 Si besoin est, démêlez le chignon à la base de chaque motte pour favoriser un bon enracinement. Après la plantation, épandez un engrais à action lente en surface. Arrosez bien, puis recouvrez la surface d'écorce finement broyée comme paillis.

4 Installez la caisse à proximité de la cuisine, et n'oubliez pas de l'arroser régulièrement. Ne cueillez pas trop de feuilles à la fois pour ne pas gâcher l'aspect décoratif de l'ensemble.

Sélection de plantes

LES PLANTES POUR LE POTAGER

En ce qui concerne les plantes comestibles, cultivez celles que vous aimez plutôt que celles qui paraissent les plus belles. Privilégiez avant tout le goût et la saveur. Nous conseillons ici les plantes susceptibles d'offrir un bon rendement dans un petit espace et moyennant peu d'efforts, ainsi que celles qui, intéressantes, gagnent à être mieux connues. Pour les plantes aromatiques, nous recommandons celles qui sont aussi décoratives que culinaires ; si la place manque au potager, vous pourrez les cultiver dans un massif d'arbustes et de fleurs, ou bien dans des jardinières, des pots, sur la terrasse ou entre les dalles d'une allée.

DE BONNES SALADES

Pour composer des salades rafraîchissantes, les laitues, chicorées et tomates sont indispensables au potager. Si vous aimez l'originalité, essayez une laitue rouge ou une tomate jaune par exemple. Renouvelez souvent les semis de laitue, en semant peu de graines à chaque fois.

En climat froid, cultivez les tomates sous verre de préférence ; elles sont toutefois plus faciles à cultiver à l'extérieur, surtout si vous choisissez une variété buissonnante pour laquelle la suppression des pousses latérales est inutile.

Dans de bonnes conditions, les radis produisent en trois semaines : pour les réussir,

La poirée à cardes rouges est si décorative qu'elle mérite une place dans un massif de fleurs et parmi des annuelles.

La chicorée change agréablement de la laitue. Elle offre un meilleur goût si on la blanchit quelques jours avant la récolte. Contrairement à la laitue, elle supporte le gel. Il s'agit ici de la variété 'Green Curled'.

pratiquez des semis clairs et répétés, et récoltez-les régulièrement car ils se dégradent rapidement.

Semez aussi du maïs sucré pour en ajouter dans vos salades de fin d'été.

La laitue 'Lolla Rossa' constitue une pomme lâche, mais on peut ne prélever que quelques feuilles si l'on ne souhaite pas récolter toute la pomme. Les feuilles frisées et croquantes colorent et parfument les salades d'été.

Le pâtisson, légume étonnant et très décoratif, est voisin des courges et courgettes.

DES LÉGUMES RARES OU INTÉRESSANTS

Dans votre potager, évitez de cultiver des légumes ordinaires que vous trouvez facilement dans votre supermarché. Profitez-en au contraire pour innover en essayant des variétés originales et savoureuses. Redécouvrez des légumes anciens comme le crosne, le topinambour ou le panais. Égayez votre potager de deux légumes ornementaux, la poirée à cardes rouges ou la rhubarbe. À la place de la courgette, essayez donc le pâtisson aux curieux fruits blancs côtelés.

DES PLANTES AROMATIQUES DÉCORATIVES

Parmi les plantes aromatiques, le romarin, la sauge et le laurier-

La sauge est un arbuste tapissant, idéal en bordure d'un massif. La sauge officinale (*Salvia officinalis*) est verte, mais il existe plusieurs variétés panachées d'or, de rose ou de pourpre, toutes très ornementales.

Les ciboulettes et cives comptent parmi les plantes aromatiques les plus séduisantes, avec leur feuillage fin et leurs belles fleurs roses tout l'été. N'hésitez pas à les planter en bordure d'un massif.

sauce figurent souvent dans les massifs. Mais, l'origan, la ciboulette et la cive, la mélisse dorée et la bourrache y ont également une place. Le thym s'impose en rocaille. À part la bourrache, toutes ces plantes se plaisent aussi en pots.

DE BONS FRUITS

Même si votre jardin est petit, plantez un arbre fruitier que vous mènerez en cordon, palmette ou espalier ; choisissez un pommier ou un poirier, dont vous conserverez les fruits des mois durant dans un local frais ou un fruitier.

Si vous raffolez des petits fruits, comme les groseilles ou les fraises, optez pour une variété savoureuse et protégez-la bien des oiseaux. Ainsi, préférez une variété de

fraisier mûrissant des petits fruits qui ont bien plus de goût et de parfum que les grosses fraises.

'Walz', un pommier à port érigé, obtenu récemment en Grande-Bretagne, est encore introuvable dans notre pays. Cette variété est idéale dans un petit jardin ; elle fructifie abondamment sur des rameaux courts, à proximité du tronc, et ne développe pas de grosses branches latérales.

Les poiriers peuvent être maintenus assez petits. Ici, 'Beurré Hardy', conduit en palmette palissée, prend peu de place.

AMÉNAGER ET

DÉCORER SON JARDIN

■ **CI-DESSUS**
Deux ruches derrière un pommier dans un coin du jardin
suffisent à créer un charmant effet décoratif.

■ **PAGE DE GAUCHE**
Cette urne élégante s'harmonise parfaitement
à ces massifs traditionnels regorgeant d'annuelles colorées.

INTRODUCTION

·····································

Vous rêvez d'un jardin aussi agréable à vivre que votre maison…
Mais vous n'êtes pas un jardinier averti, et le maniement de la bêche
et de la binette ne vous enthousiasme pas : il est temps d'aborder
le jardin sous un angle nouveau. Si nous prenons tous plaisir à décorer
notre maison pour lui donner un cachet personnel, nous avons tendance
à croire que la beauté du jardin nécessite de solides connaissances
techniques qui ne s'acquièrent qu'au prix d'un dur labeur. Généralement,
nous ne disposons ni du temps ni des compétences requises
pour la réalisation, dans les règles de l'art, d'un jardin traditionnel ;
c'est pourquoi nous nous décourageons et nous contentons d'un carré
de pelouse et de quelques plantes vivaces. Pourtant, l'aménagement
du jardin n'implique pas forcément de gros travaux.
Voici de nombreuses idées, très simples à réaliser, qui vous permettront
de créer un jardin de caractère, un espace extérieur bien à vous,
dans lequel vous pourrez vous relaxer tout en jouissant de ses charmes.

■ **CI-DESSUS**
Un jardin bien conçu vous apportera beaucoup de satisfaction.

■ **PAGE DE GAUCHE**
Une entrée à demi dissimulée, donnant sur un coin secret,
est empreinte d'un délicieux air de mystère.

INTRODUCTION

Si vous avez de l'inspiration et du talent pour décorer votre intérieur, n'hésitez pas à les utiliser à l'extérieur. Un coup de peinture donne parfois au jardin autant d'éclat qu'à la maison. Outre le classique tapis de gazon, vous pouvez recouvrir le sol de dalles, de carrelage, de pavés ronds, de bois ou de briques. Aménagez votre espace extérieur comme vous agenceriez votre intérieur, avec du mobilier, des sculptures, des objets décoratifs, des éclairages et des pots peints.

Au fil des pages de cet ouvrage, vous trouverez de nombreuses idées qui vous permettront de concevoir votre jardin de façon différente et d'en tirer le meilleur parti, même si vos connaissances en matière de jardinage sont très limitées.

Ne soyez pas rebuté par la taille de votre jardin, exigu ou si vaste que son entretien vous semblerait insurmontable. Bien décoré et conçu avec un coin repas ou une aire de jeux, le plus petit des jardins peut devenir un lieu de vie agréable pour toute la famille. Si, au contraire, il est grand, commencez par aménager la partie où vous viendrez vous détendre, en attendant d'avoir le temps et les moyens de vous consacrer au reste de l'espace.

■ **CI-DESSUS**
Des marches anciennes gagnent à être ornées de pots et de plantes persistantes.

■ **CI-DESSOUS**
Ces arbres ont été palissés en une voûte ombragée, appréciable les jours de chaleur.

Quelle que soit sa taille, le jardin devrait comporter un lieu confortable et accueillant où vous asseoir, manger et vous relaxer. Profiter de l'extérieur n'est pas exclusivement réservé aux mois d'été : si tout est aménagé, dès les premiers beaux jours du printemps, vous pourrez déjeuner dehors.

TOUT CONCEVOIR

La plupart des idées proposées ici peuvent facilement s'appliquer à un jardin déjà aménagé. Mais si vous partez d'un espace « vierge », les opérations seront sans doute plus complexes et plus longues.

Avec un peu de savoir-faire, vous vous rendrez vite compte qu'il n'est pas plus difficile de décorer un jardin qu'une maison ; cependant certaines contraintes propres au jardin sont à prendre en considération.

Tout d'abord, chaque terrain possède sa végétation, dont la croissance plus ou moins lente ne manquera pas d'influencer et de modifier peu à peu l'espace.

Autre élément : les surfaces. Dans la maison, les sols sont généralement plans alors qu'à l'extérieur, ils le sont rarement. Et peut-être aimerez-vous créer une dénivellation, une simple marche ou un relief, qui modifie sensiblement la perception que vous aurez de l'espace.

Les dénivelés, tout comme les murets ou les treillages, permettent de diviser le jardin en plusieurs parties. Si vous ne souhaitez pas entreprendre vous-même ces travaux, vous pouvez faire appel à un paysagiste, mais dans tous les cas, il est important que vous réfléchissiez d'abord à certains points.

Commencez par dresser une liste de vos besoins et de vos désirs.

Où aimeriez-vous placer la terrasse ? Dans la majorité des cas, elle se situe à proximité de la maison ;

■ CI-DESSUS
Ces plantes aux couleurs chatoyantes – roses et violets soutenus – égayent l'allée de briques aux tons rosés.

mais rien ne vous empêche de l'aménager dans un coin ensoleillé du jardin ou, encore mieux, d'en avoir deux, si l'espace vous le permet. Souhaitez-vous créer une pièce d'eau ? Une aire de jeux ? Y a-t-il suffisamment de place pour jouer au ballon ? Un bac à sable, une maison miniature ou un portique pour les enfants : les dimensions du jardin conviendraient-elles ? Quel emplacement consacrerez-vous aux plantations ? Privilégierez-vous les aires de détente ou le jardinage ? Voulez-vous une pelouse ou un sol pavé, notamment si vous disposez d'une superficie réduite, ou encore la combinaison des deux ? Où rangerez-vous la tondeuse, les outils, les pots… et le compost ?

Que vous décidiez de réaliser vous-même les travaux ou que vous en laissiez le soin à un ou plusieurs professionnel(s), une étape préliminaire est essentielle : avant de procéder à l'aménagement du jardin, vous devez impérativement définir ses structures et ses buts.

LES INSTALLATIONS DE BASE

Les structures fixes reflètent les goûts de ses occupants et personnalisent la maison.

Une cabane de jardin, une tonnelle, un arceau, une pergola, un treillage ou de simples étagères sur lesquelles vous rangerez le matériel ou disposerez des pots de fleurs changeront immédiatement l'aspect de votre jardin. Ces projets vous paraissent ambitieux ? Les magasins de bricolage vendent aujourd'hui des cabanes en kit et toute une gamme de panneaux de treillage à monter rapidement, que vous pourrez ensuite décorer avec des panneaux de triply (lamelles de pin disposées en trois couches croisées), de la peinture ou du vernis.

LA DÉCORATION

Pour avoir tout au long de l'année de la couleur dans le jardin, ne vous préoccupez plus des périodes de floraison : il existe en effet, depuis quelque temps, un grand choix de peintures et de colorants d'extérieur inaltérables.

S'il nous fallait, autrefois, nous contenter du vert sapin et de quelques teintes de marron, la gamme de peintures proposées aujourd'hui dans le commerce est vaste : ainsi, vous pourrez recouvrir barrières, treillages et cabanes de nuances turquoise, rose, bleu ou lilas. Afin de mettre en valeur ces couleurs, plantez des végétaux dont les tons s'accorderont. Les peintures fraîches donnent au jardin un aspect soigné et présentent l'avantage de l'égayer pendant l'hiver.

UN CADRE DE VERDURE

Une fois la décoration bien définie, sélectionnez les plantations selon vos propres critères.

Vous n'êtes pas expert en jardinage et vous ne tenez pas à passer des heures à soigner les plantes ? Optez alors pour des arbres et des arbustes à feuilles persistantes, des plantes grimpantes ou des vivaces. Ces végétaux, qui demandent peu d'entretien, sont aujourd'hui très prisés. Pour qu'ils passent l'hiver sans dommage, il faut les arroser abondamment durant la première année. Des persistants, disposés en toile de fond, mettront en valeur des végétaux aux coloris vifs, de culture facile, tels des fuchsias, des véroniques, des pyracanthas, des hortensias, des weigelias et des rosiers-buissons.

Pour habiller vos clôtures, choisissez des plantes grimpantes résistantes comme les rosiers, le chèvrefeuille, le jasmin ou les clématites.

Certaines plantes, qui refleurissent chaque année, comme l'alchémille, l'euphorbe ou les géraniums, sont également faciles à cultiver. Dans le doute, achetez des plantes que l'on trouve couramment dans les jardineries : il s'agit souvent des variétés les plus demandées, nécessitant peu de soins.

Vérifiez la période de floraison, afin de vous assurer qu'elles n'ont pas été exposées en magasin durant la seule semaine où elles sont fleuries. Renseignez-vous également sur la hauteur et le volume qu'elles atteindront une fois à maturité. Ces informations figurent, en principe, sur les étiquettes.

Si vous souhaitez un jardin très coloré, achetez des plantes saisonnières à repiquer. Décorez-en la terrasse, disposez-les à des points stratégiques du jardin ou au milieu de vos plates-bandes : en automne et en hiver, elles les égayeront.

■ CI-CONTRE
Une haie basse, parsemée de fleurs et surmontée d'une arche donne à cette allée un indéniable cachet.

■ CI-CONTRE
Disposez un ou deux sièges dans un coin ensoleillé du jardin, ajoutez des pots garnis de fleurs aux couleurs éclatantes : instantanément, vous obtiendrez une agréable pièce de plein air.

durs (pierre, béton...), intégrés à une structure comme une pergola, ou investir dans du mobilier d'extérieur, que vous n'aurez pas à sortir et rentrer chaque jour.

Les meubles de jardin doivent avant tout être confortables ; dans le cas contraire, garnissez-les de coussins ou de jetés.

STIMULER LES SENS

Afin d'apporter toute la sérénité possible à un endroit de détente, stimulez vos cinq sens.

Pour l'œil, inspirez-vous des idées proposées au fil de cet ouvrage. Pour le nez, sélectionnez des plantes odorantes – chèvrefeuille, variétés anciennes de roses, jasmin d'été ou plants de tabac – et n'hésitez pas à planter des herbes aromatiques comme la marjolaine, la sauge ou le romarin, ainsi que des fraises ou d'autres fruits d'été cultivés en pots.

Pour l'oreille, un carillon éolien, une fontaine ou un jet d'eau dispenseront une douce musique.

Enfin, un feuillage duveteux, comme celui de la nigelle de Damas, éveillera vos sensations tactiles.

EN RÉSUMÉ

Votre jardin est avant tout un lieu de détente : aménagez-le selon vos goûts, en harmonie avec votre mode de vie. Décorez-le, comme la maison, en choisissant des peintures, teintures, fleurs et arbres de vos couleurs préférées ; meublez-le confortablement, soignez les détails et introduisez sons et parfums. Enfin, asseyez-vous et prenez le temps de l'apprécier.

Choisissez des plantes jeunes, déjà colorées, et mettez-les en pots avec de l'engrais, ce qui assurera une floraison éclatante. Pour qu'elles restent fleuries longtemps, humidifiez-les et enlevez régulièrement les fleurs fanées.

Les pots et les bacs, très variés, ont l'avantage de pouvoir aisément être déplacés : disposez-les au premier plan lorsque les plantes sont épanouies, puis dans un endroit plus discret du jardin quand elles sont défleuries.

LES ACCESSOIRES DÉCORATIFS

Votre intérieur est probablement agrémenté de peintures, d'éclairages, d'objets décoratifs, de bouquets et de plantes. Vous pouvez en faire autant pour l'extérieur.

La mosaïque, un matériau hautement résistant aux intempéries, permet de composer des tableaux, des sculptures ou d'orner des meubles.

Un épouvantail, des pots empilés, un assemblage d'arrosoirs et de vieux outils ou, plus classiques, une fontaine ou des décorations murales transformeront votre extérieur.

Une mangeoire, une vasque, un abri pour les oiseaux, des pots peints ou un carillon éolien embelliront votre domaine.

N'hésitez pas à exploiter ces suggestions afin de donner du cachet et de l'originalité à votre jardin, tout en essayant de garder une certaine cohérence d'ensemble, notamment dans les coloris.

LES MEUBLES DE JARDIN

Dans l'agencement général du jardin, les meubles constituent la touche finale. Il est cependant possible de l'envisager en premier lieu, s'ils ont un rôle déterminant dans l'espace.

Si vous n'avez ni l'argent ni le temps de transformer complètement et en une seule fois votre jardin, tachez d'aménager néanmoins un coin confortable, propice à la relaxation, où vous isoler pour lire ou inviter des amis à partager un repas.

Vous pouvez opter pour un ensemble de meubles fixes en matériaux

Concevoir
le jardin comme
un lieu de vie

La première étape de la décoration du jardin consiste à définir un projet.
Prenez le temps de réfléchir à ce que vous souhaitez faire de l'espace,
sachant qu'un petit terrain mérite autant d'attention qu'une vaste surface.

Déterminez ce qui est important pour vous : une multitude de fleurs
aux couleurs éclatantes, un havre calme et ombragé propice à
la méditation, une aire de jeux pour des enfants débordant d'énergie ?
Quelle que soit la finalité de votre jardin, trois éléments essentiels
doivent être pris en compte : l'intimité, l'atmosphère et la végétation.
En plaçant ici un objet décoratif, là une plante odorante, vous parviendrez
aisément à créer une ambiance correspondant à votre goût : voici
quelques idées qui vous aideront à faire de votre jardin un refuge qui,
toute l'année, vous séduira par ses couleurs, ses textures et ses senteurs.

■ **CI-DESSUS**
Quel que soit le style d'un jardin, il est avant tout un lieu de détente.

■ **PAGE DE GAUCHE**
Les oiseaux ne seront peut-être pas en mesure d'apprécier la grâce de cette vasque
mais, chaque jour, ils viendront s'abreuver et se baigner dans votre jardin.

IDÉES ET SUGGESTIONS

Les jardins les plus reposants et les plus séduisants sont bien souvent le résultat d'un projet minutieusement étudié. Afin d'en établir les grandes lignes où s'intégreront les éléments décoratifs, déterminez comment utiliser au mieux l'espace, selon vos possibilités et l'atmosphère que vous désirez créer. Vous vous apercevrez, quand votre jardin aura pris forme, que cette réflexion préliminaire n'était pas vaine.

Pour commencer, demandez-vous ce que vous attendez de votre jardin. Sans doute souhaitez-vous disposer d'un coin où vous asseoir et manger. Si vous avez des enfants, vous leur réserverez une aire de jeux. Il vous faudra encore ranger vos outils, pots et matériel de jardinage.

Tout cela est possible, même dans un jardin minuscule. Il suffit de 2 m² pour aménager un coin combinant le repos et le repas. Un bac à sable de 1 m² ravira les enfants et, dans un espace à peine plus grand, vous pourrez même leur installer une petite maison.

Une décoration raffinée n'est pas nécessaire pour des espaces utilitaires, comme le potager, qui sont voués à une activité intense. Cependant ils peuvent trouver leur place dans l'harmonie du jardin, s'ils sont aménagés soigneusement et agrémentés de touches de couleurs.

Définissez les zones qui correspondront le mieux à chaque activité, de la même manière que vous élaboreriez le plan de votre cuisine dans laquelle vous réserveriez un espace pour les repas, un autre pour la préparation... Même si vous n'avez pas les moyens d'entreprendre, dans un proche avenir, des travaux de dallage ou d'aménagement paysager, cette étape est capitale. Imaginez qu'il y ait un parterre de fleurs à l'endroit où, justement, vous souhaitiez installer des sièges, ou que vous deviez chaque jour sortir et ranger ces derniers, ce qui deviendrait vite une corvée. Des modifications minimes – comme mettre du gazon à la place d'un massif de fleurs – suffisent à délimiter des aires de détente.

Une fois les principaux endroits attribués, déterminez les zones dans lesquelles vous planterez la végétation. Le cadre général est à présent défini : vous allez pouvoir transformer votre jardin en une pièce de plein air agréable à vivre, dont vous profiterez presque tout au long de l'année et pas seulement les quelques mois d'été.

■ CI-CONTRE
Diviser l'espace crée une illusion de profondeur. Ici, les buis taillés en globe ouvrent une perspective sur la tonnelle au fond du jardin.

■ **CI-DESSUS**
Exposé sur des étagères en treillage
métallique, le matériel de jardinage
devient décoratif.

■ **CI-DESSOUS**
Des haies basses judicieusement
disposées forment des séparations
visuelles, délimitant plusieurs espaces
à l'intérieur d'un même jardin.

PRÉSERVER L'INTIMITÉ

Vous apprécierez davantage votre jardin s'il est abrité et intime. Si votre espace n'est pas clos, ces conditions sont parfois difficiles à satisfaire, surtout en milieu urbain. Cependant, vous pouvez envisager plusieurs solutions : rehausser des murs et palissades au moyen de treillages que vous habillerez de plantes grimpantes, planter des conifères à croissance rapide, tels les thuyas. Assurez-vous toutefois de la hauteur qu'ils atteindront : s'ils protègent des regards indiscrets, ils peuvent aussi faire obstacle aux rayons du soleil.

Il est important que le coin réservé à la détente soit préservé du voisinage. Même si vous habitez en pleine campagne et que votre jardin est immense, vous l'apprécierez beaucoup plus s'il est protégé, au moins d'un côté, par un écran : le mur d'enceinte du jardin, une haie ou un treillage procureront un sentiment de tranquillité.

À L'ABRI DES REGARDS

Si vos voisins ont vue sur votre jardin, peut-être souhaiterez-vous le protéger. Une pergola sur laquelle viendront progressivement s'entrelacer vigne et plantes grimpantes assurera parfaitement cette fonction. Faisant office de toit, elle filtrera la lumière naturelle, tout en conservant la fraîcheur.

PLANTES FAISANT ÉCRAN

Buxus sempervirens (buis)
Carpinus betulus (charme)
Chamaecyparis lawsoniana 'Green Hedger' (cyprès de Lawson)
Crataegus monogyna (aubépine)
Eleagnus × ebbingii (chalef)
Escallonia 'Iveyi'
Fagus sylvatica (hêtre)
Fargesia nitida
Griselinia littoralis
Ilex aquifolium (houx)
Ligustrum ovalifolium (troène)
Osmanthus delavayi
Prunus cerasifera (prunier pourpre)
Prunus laurocerasus (laurier-cerise)
Pyracantha 'Mohave' (buisson-ardent)
Taxus baccata (if)
Thuya orientalis (thuya)
Ulmus parvifolia
Viburnum rhytidophyllum (viorne)

■ **PAGE DE DROITE**
Grâce à un élégant mobilier en ferronnerie style 1900 et des bouquets odorants de verveine et de chèvrefeuille, ce recoin monté en briques dégage un charme très romantique.

■ **CI-CONTRE**
L'intimité d'un espace clos donne au jardin un aspect chaleureux. Ici, une composition d'arbres, d'arbustes et de plantes en pots délimite le patio, à côté de la pelouse.

■ **CI-CONTRE**
Il est possible d'aménager des coins
secrets dans les espaces les plus réduits.
Sur trois mètres seulement, cette allée
serpente à travers la végétation.

■ **PAGE DE DROITE**
Ce massif composé d'arbres et
de plantes de différentes hauteurs
abrite une partie du jardin
des regards extérieurs.

■ **CI-DESSOUS**
Même dans un grand jardin à l'abri
des regards, on appréciera un endroit
abrité et retiré. Ici, un paravent
rustique fait de branchages délimite
une « pièce » de plein air.

CRÉER UNE AMBIANCE

Une fois le plan du jardin établi, une ambiance pourra s'en dégager si vous cherchez à stimuler la vue, l'ouïe, le toucher, le goût et l'odorat. La nature nous apporte de nombreuses sensations, faciles à exploiter. Les idées de décoration que nous vous proposons dans ce chapitre vous aideront à mettre en valeur votre jardin en éveillant chacun de vos cinq sens.

UN JARDIN SENSUEL

Outre l'attrait visuel qu'offrent les plantes, un jardin dans lequel tous les sens sont sollicités n'en aura que plus de charme. Mêlez aux chants des oiseaux et aux bourdonnements des insectes la mélodie d'un carillon éolien ou la musique évocatrice de l'eau qui coule. La nature se chargera de diffuser d'agréables senteurs, subtiles comme le parfum des roses, du chèvrefeuille et du jasmin, ou bien aromatiques, comme celles de la lavande et des herbes. Le jardin procure également des plaisirs tactiles : impossible, en effet, de s'y promener sans que les plantes ne vous frôlent ou ne vous donnent envie de tendre la main pour les effleurer. Si celles-ci ont une texture particulière, la sensation n'en sera que plus plaisante : incluez au sein des plantations des végétaux aux feuilles charnues, brillantes ou soyeuses. Ainsi, lorsque vous mangerez dans le jardin, tous les plaisirs des sens seront réunis.

L'INTIMITÉ À L'EXTÉRIEUR

Au jardin, intimité et romantisme vont souvent de pair. Les cours, balcons et jardins sur le toit, espaces clos à ciel ouvert, procurent généralement cette impression d'intimité. Dans des plus grands espaces, il sera nécessaire de dresser des cloisons, qui permettront de créer des recoins plus intimes. L'entreprise est plus simple qu'il n'y paraît et l'effet est toujours réussi, même dans les petits jardins. Une porte dans un mur ou bien une palissade inventent un espace caché. Un élément de séparation peut diviser le jardin en zones distinctes, ou encore ménager un coin repas.

Ces procédés procurent aussi une illusion d'espace. Une séparation implique qu'il y a quelque chose à voir derrière et crée une perspective qui définit une forme, une structure. Aussi discret soit-il, un écran laisse imaginer qu'il dissimule un coin secret et romantique.

■ **PAGE DE GAUCHE**
Au printemps, les fleurs se répandent jusqu'au sol au travers de cette arche élégante qui donne l'impression que l'on passe d'une partie du jardin à une autre.

■ **CI-DESSUS**
Ces mosaïques de carrelage multicolores apportent lumière et relief à ce coin ombragé du jardin.

■ **CI-DESSUS**
Une table fraîche, avec des produits
de saison, pour un dîner en plein air.

■ **CI-DESSUS**
Des fleurs séchées qui apportent
une note de couleur.

■ **CI-CONTRE**
Impossible, le long de ce sentier,
de ne pas caresser ces exubérants
massifs de lavande.

■ **CI-CONTRE**
Sur un mur de briques, une mosaïque
moderne représentant un soleil. Le style
mexicain lui donne du cachet.

■ **CI-DESSOUS**
De minces filets d'eau s'écoulent
de cette feuille de nénuphar en fonte.
Une fontaine installée sur un mur
demande peu de place et son doux
clapotis enchante.

■ CI-CONTRE

Une toute petite cour peut se
transformer en un jardin de rêve.
Les pétales de fleurs du cerisier forment
au sol un superbe tapis. Une table basse
devant le banc et une statuette à l'abri
d'une niche complètent le décor.

LES DÉNIVELÉS

Dans la maison, on préfère généralement des sols plans – notamment en raison du mobilier qui occupe une place importante. Mais rien n'y oblige à l'extérieur. Dedans, par la variété de leurs dimensions, les meubles produisent des différences de niveaux. Dehors, même si le jardin est meublé, la superficie au sol, plus étendue, peut paraître monotone. À moins que votre jardin ne se réduise aux dimensions d'une pièce intérieure, ou que vous n'ayez opté pour un classique agencement à la française, il est souvent intéressant de concevoir des dénivelés.

Surélever un coin du jardin de la hauteur d'une simple marche suffit à créer un effet de dénivelé. Si vous ne souhaitez pas entreprendre ce genre de travaux, ayez recours à d'autres méthodes : disposer des pots de fleurs variés sur une petite estrade, placer une plante sur un socle pour donner une impression de hauteur, construire une cabane, ou encore planter des végétaux de tailles différentes.

■ **PAGE DE DROITE**
Cette jolie table en fer forgé de la seconde moitié du XIXe siècle, porte une composition de fleurs blanches au milieu d'une dominante de vert.

■ **CI-DESSUS**
Les grimpantes à fleurs, telles les clématites, ne sont pas réservées aux murs et barrières. En poussant sur un obélisque, elles introduisent de la couleur en hauteur.

■ **CI-CONTRE**
Même le plus petit patio peut se prêter à des dénivelés. Ici, des parterres surélevés ont été construits en briques peintes en blanc, qui se marient avec le sol du jardin.

PLANIFIER LES PLANTATIONS

Si les plates-bandes fleuries sont colorées en été, elles ne présentent guère d'intérêt en hiver. Par contre, on profitera en toutes saisons des variétés à feuilles persistantes qui contribueront au rythme du jardin. Utilisez-les pour créer des différences de niveaux, des écrans, des sculptures ou comme toile de fond où se détacheront fleurs et plantes saisonnières.

La disposition des arbustes permet de réaliser toutes sortes d'agencements. Plus hauts à l'arrière des massifs, ils diminueront progressivement de taille en se rapprochant du centre et du premier plan. On peut opter pour d'autres configurations : des petites plantes au feuillage aéré, alignées en rangs, qui font office d'écran ; un arbre solitaire, ou taillé selon une forme précise, qui joue le rôle d'une sculpture vivante.

Dans cette structure de base, vous introduirez des plantations s'épanouissant à divers moments de l'année : arbres fruitiers qui fleuriront au début du printemps, rosiers éclatants en été, clématites à floraison tardive et superbes baies rouges produites à l'automne par le pyracantha, et en hiver par le houx. Vous pourrez compléter cet ensemble par une série de bulbes à éclosion automnale, comme le colchique, le *Schizostylis* et le cyclamen.

LE CHOIX DES POTS

Les pots et bacs permettent d'utiliser très librement la couleur, notamment en déplaçant les plantes ou en remplaçant les variétés en fonction de leur période de floraison. Les bulbes mis en pot en automne fleurissent au printemps. Quand les fleurs commencent à se flétrir, reléguez les pots dans un coin reculé du jardin : les feuilles se gorgeront de lumière et la floraison n'en sera que plus éclatante l'année suivante.

Les couleurs ont plus d'impact si vous les accordez – bleu et rose ou orange et jaune, par exemple – et que vous appliquez ce principe aux plantations et à la décoration des barrières, cabane, meubles ou pots.

Il ne vous reste plus maintenant qu'à meubler confortablement le jardin et à l'orner d'objets décoratifs. Vous disposerez bientôt d'une agréable pièce de plein air propice à votre détente et à vos loisirs.

■ **CI-DESSUS, À GAUCHE**
Un spécimen unique, comme ici ce
rosier, et une vieille brouette décorent
agréablement le jardin.

■ **CI-DESSUS, À DROITE**
Un chèvrefeuille couvert de fleurs
forme dans le jardin un écran coloré
et parfumé, attirant les papillons.

■ **CI-CONTRE**
On peut facilement déplacer les plantes
en pots, les regrouper dans un coin
du jardin, ou les disposer afin de créer
une composition, comme celle-ci
avec ses ravissantes fleurs de saison.

■ **PAGE DE GAUCHE**
Disposez les plantes de jardin comme
des plantes d'appartement. Ici, un
alignement de fleurs printanières décore
joliment le rebord d'une fenêtre.

■ À GAUCHE
Une arche de feuilles persistantes,
en laissant entrevoir un arrière-plan,
crée une illusion d'espace. Elle donne
ainsi au jardin perspective, structure
et profondeur.

■ À DROITE
Ces somptueuses roses 'Marigold'
qui s'entrelacent autour des piliers
de briques constituent l'attrait
majeur du jardin.

■ CI-DESSUS
Après sa splendide floraison au printemps, ce petit pommier se pare d'une
magnifique clématite blanche 'Marie Boisselot' qui s'enchevêtre parmi ses branches.

DÉCORER LES MURS ET LES SOLS

·····························

Les murs et les sols constituent la structure de base du jardin.
Pierre, brique, bois, gravier ou gazon donneront le ton de
la décoration d'ensemble. Ces éléments vous semblent immuables ?
Pourtant, avec un peu d'imagination et d'ingéniosité,
il y a toujours moyen d'en tirer le meilleur parti.

Pour créer un impact visuel, mélangez les textures – une bordure à motif
tressé de style victorien à côté d'une pelouse vert émeraude, par exemple –
ou bien variez les niveaux. En jouant sur les motifs d'un pavage,
vous obtiendrez un sol décoratif et en plantant une pelouse de camomille,
un parfum bien plus subtil que celui de l'herbe se dégagera.

Quant aux murs, n'hésitez pas à les habiller de la même façon que ceux
d'une maison, avec des étagères ou des peintures qui attireront l'œil.

■ **CI-DESSUS**
Un vieil escalier de pierre en toile de fond dans une débauche de couleurs estivales.

■ **PAGE DE GAUCHE**
Cette allée guide le regard vers le lointain, en l'occurrence vers un accueillant siège de jardin.

LES SOLS : UNE PRIORITÉ

À l'extérieur, plus qu'à l'intérieur, le sol a une grande importance pour l'ensemble ; il est impératif de lui accorder la priorité. Si la superficie est limitée, il sera préférable d'avoir un sol dur. Les vastes pelouses conviennent aux grands espaces, mais si l'on dispose de peu de place, une combinaison de surfaces dures et souples s'avérera judicieuse et plus esthétique.

Dans le jardin, il vous faudra définir les espaces à couvrir en dur, notamment les allées et patios, et répartir les zones de végétation. Un revêtement de sol uniforme peut convenir à une pièce intérieure tandis qu'au jardin, même s'il ne s'agit que d'un petit patio, il paraîtra terne et monotone. La diversité des textures et les différences de niveaux sont plus intéressantes.

Si vous pouvez entreprendre de gros travaux, choisissez de traiter le sol, structure de base la plus importante du jardin, avec soin. Sur de tristes dalles de béton, des fleurs, des pots et divers accessoires, même les plus décoratifs, perdront de leur attrait, alors qu'un revêtement bien choisi mettra aussitôt en valeur la surface qu'il occupe. En outre, si vous souhaitez ultérieurement transformer votre jardin, vous n'aurez pas besoin de restructurer le terrain : il vous suffira alors de changer les plantes

 CI-DESSOUS
Ce petit patio pavé comporte des plantes et des pots de hauteurs variées.

et les pots et, si nécessaire, les murs ou les barrières d'enceinte.

S'il n'est pas toujours possible de procéder à des modifications de cette envergure, diverses astuces permettent néanmoins d'améliorer un sol dépourvu de charme. Vous pouvez, par exemple, supprimer quelques dalles sur les bords ou au centre des surfaces pavées pour y planter des végétaux, ou bien user de quelques artifices de décoration.

■ CI-CONTRE
Les carreaux de terre du sol et les briques des murs de soutènement, vestiges d'une ancienne serre, forment un charmant décor pour ce jardin d'herbes aromatiques. Vous obtiendrez un effet similaire avec des carreaux modernes spécialement conçus pour l'extérieur, posés en diagonale et selon une alternance de couleurs.

■ **CI-CONTRE**
Un moelleux tapis de
pelouse verte se déroule le
long de cette allée ombragée.

■ **CI-DESSOUS**
Un parterre de graviers
permet un accès facile
aux plantations. L'aspect
géométrique imite la régularité
des jardins à la française.

■ **CI-CONTRE**
Une tapisserie
de fleurs mauves
et violettes,
en bordure d'une
allée dont les
briques forment
un dessin à
chevrons, évoque
un doux tapis
posé sur un
parquet. On se
gardera bien de
déloger mousses,
plantes alpines
et autres espèces
naines qui ont
élu domicile
sur le perron en
pierres d'York.

LE CHOIX DES SURFACES

Si le revêtement de sol couvre une grande partie du jardin, il a, de ce fait, un grand rôle visuel. Tentez d'en varier les matières, selon les usages attribués aux différents endroits du jardin. Son choix dépend, en outre, de votre budget, des matériaux que l'on trouve dans votre région et de son entretien : vous devrez donc chercher le compromis entre le fonctionnel et l'esthétique.

Le choix d'un revêtement de sol s'avère parfois difficile. À l'extérieur, l'utilisation de la pierre naturelle est idéale, surtout s'il s'agit d'une pierre locale, car elle s'harmonise avec l'environnement. Les pavés en terre cuite sont également un matériau intéressant, parfait pour les allées et patios. Du gravier, des galets, des ardoises ou de la céramique, judicieusement utilisés, sont aussi très décoratifs.

Si ces matériaux ne sont pas à la portée de votre bourse, il existe aujourd'hui une large variété de dalles de béton et de pavés de couleur. Certains présentent des variations de tons subtiles et une forme irrégulière qui leur donnent un aspect ancien ou naturel.

Le bois, sous diverses formes – des traverses de chemin de fer ou un plancher extérieur, par exemple –, constitue également un revêtement pratique et décoratif.

Parmi les revêtements traditionnels, la pelouse semble s'imposer, mais pensez à substituer au gazon de la camomille, du thym ou d'autres plantes, tout en sachant qu'il faudra éviter de marcher dessus.

Après le choix des matériaux, il s'agit de décider de la forme qui conviendra le mieux à votre jardin.

La pierre se vend en plaques rectangulaires ou carrées, ainsi qu'en pavés ronds ou de formes irrégulières. Le béton peut prendre toutes les formes possibles et imaginables.

La forme du matériau et la façon dont vous le poserez influenceront l'ensemble du jardin. Pavé de petits éléments, un espace exigu paraît parfois plus grand. Des briques disposées dans le sens de la largeur adoucissent une allée tandis que, dans la longueur, elles la dynamisent. Un motif à chevrons aura le raffinement du pavement à l'ancienne.

Afin d'éviter la monotonie, utilisez des blocs de différentes tailles d'un même matériau et, pour créer une illusion d'espace, choisissez une disposition en diagonale.

Dans tous les cas, préférez un matériau adapté à l'environnement. Sous un feuillage en surplomb, un ponton en bois se couvrira rapidement de mousses glissantes. Si les enfants jouent quotidiennement sur la terrasse, des dalles planes seront plus adaptées que des briques anciennes de caractère.

■ **PAGE DE DROITE**
Dans les régions humides, les grandes pelouses forment de magnifiques tapis naturels vert émeraude. Ici, une allée de gazon serpentant parmi une végétation luxuriante dégage une impression de quiétude.

■ **CI-CONTRE**
Une succession de petits pavés délimite nettement l'allée tout en attirant l'œil vers les massifs de plantes.

JEUX DE MARCHES

Les différences de niveaux apportent un réel attrait au jardin. Une seule marche suffit à donner l'impression que l'on passe d'un lieu à un autre et confère à l'ensemble une profondeur visuelle. Cependant, les escaliers de plus de deux marches demandent beaucoup d'espace et risquent de surcharger un petit jardin. En effet, chaque marche doit avoir au moins 30 cm de profondeur et être suffisamment large pour que l'escalier soit praticable, même par mauvais temps.

Profitez avantageusement de marches qui descendent de votre maison au jardin en les décorant : une plante sur chaque marche et une composition fleurie sur la dernière seront du meilleur effet.

■ CI-DESSUS
Les marches menant à cette cour sont décorées d'exubérantes plantes fleuries qui adoucissent les lignes sévères de la rampe d'escalier.

■ CI-DESSUS
Des pensées miniatures – un plant par pot – ornent ces marches de pierre érodées par le temps.

■ CI-CONTRE
Plantes et pots ont trouvé leur place sur les quelques marches qui mènent à la porte d'entrée. À la saison des fêtes, un épicéa bleu, taillé et orné de pommes de pin, complète cette composition de végétaux persistants.

CI-CONTRE
Jeux de matériaux et différences de
niveaux donnent du cachet aux espaces
extérieurs. Ici, dans une cour au sol
composé de pavés ronds, les marches
en bois légèrement patinées par le
temps constituent un élément décoratif.

■ **CI-DESSOUS**
Les contremarches de cet escalier
simple en pierre sont mises en valeur
par une mosaïque à motif floral.

LES BORDURES

La manière dont les allées et patios sont bordés joue beaucoup sur l'unité du jardin. De nombreux pavages, qu'ils soient carrés ou ronds, sont vendus avec des bordures assorties.

Laissez libre cours à votre imagination : disposez les pavés dans le sens inverse de ceux qui constituent le chemin, mettez-les sur la tranche pour former une arête ou posez des briques en diagonale afin d'obtenir une bordure en zigzag. Vous trouverez dans le commerce des bordures toutes prêtes, en pierre, brique, béton ou métal. Mais vous pouvez aussi les fabriquer à partir d'objets de récupération, comme des coquillages ou des bouteilles en verre retournées. Une haie miniature de buis ou de lavande sera adaptée, mais nécessitera d'être taillée.

■ **CI-DESSUS**
Les bordures torsadées connaissent un regain de popularité. Les plus classiques conviennent mieux pour les jardins des maisons anciennes. On trouve néanmoins aujourd'hui de nombreuses variantes contemporaines du motif d'origine.

■ **CI-DESSUS**
Ces dalles anciennes en terre couleur anthracite, alignées les unes à côté des autres, composeraient une bordure soignée pour une allée ou une terrasse dans un jardin citadin classique.

■ **CI-CONTRE**
Ces coquilles Saint-Jacques, dans les tons de corail, sont coordonnées aux dalles en terre cuite. Les bordures, qui ne doivent pas forcément être dans des matériaux très résistants, offrent de multiples options de décoration.

CRÉER DES MOTIFS

Depuis bien longtemps, les motifs des sols extérieurs sont travaillés. Les Romains habillaient leurs cours de mosaïques complexes, mais c'est dans les pays islamiques que cet art a atteint son apogée. Au Moyen-Orient et en Inde, les allées étaient autrefois des agencements géométriques de carreaux de céramique.

Les bâtiments anglais ou italiens de la seconde moitié du XIXᵉ siècle offrent encore de beaux exemples de sols à motifs extrêmement travaillés et décoratifs : l'accès aux maisons se fait souvent par des allées couvertes de mosaïques de carreaux carrés, rectangulaires et triangulaires, aux couleurs contrastées – blanc et noir ou bien crème, chocolat et terre cuite, disposés avec symétrie et régularité.

Il est possible de réaliser des mosaïques avec des galets dont les couleurs naturelles et les formes lisses et arrondies se prêtent à la création de panneaux, voire au revêtement intégral des sols. Les formes géométriques simples, classiques, peuvent être d'un très bel effet.

■ **CI-DESSUS**
De vieux enjoliveurs de machines agricoles confèrent à ce chemin couvert de gravier des reliefs intéressants.

■ **CI-DESSUS**
Des gros galets plats ramassés sur la plage, ont été posés, sur la tranche, dans du mortier : ils composent un relief original. Au printemps, ils sont entourés d'une bordure bleu azur de myosotis.

■ **CI-DESSUS**
Ces carreaux étaient destinés à la benne. Ils ont été récupérés pour réaliser une charmante mosaïque au sein d'un parterre de fleurs.

■ **CI-DESSUS**
De vieilles plaques d'égout, qui paraissent a priori dépourvues d'intérêt, forment une composition géométrique au rendu plaisant.

LES PLANTES COUVRE-SOL

Laissez croître entre les pavés mousses, petites plantes et lichens.
Un minimum de désherbage est cependant indispensable,
car le vent sème aussi bien les graines de ravissantes pensées
que de végétaux moins désirables, tel le chardon.

Depuis des siècles, les plantes sont utilisées pour dessiner des motifs au sol. Dans la seconde moitié du XVIe siècle et au XVIIe siècle, les jardins labyrinthiques et les parterres baroques étaient très à la mode. Dans le cas du labyrinthe, la trame se compose de haies disposées en lignes droites, courbes ou d'après un agencement géométrique. Selon la tradition, on fait pousser, dans chaque section du labyrinthe, différentes espèces de plantes. Quant aux parterres, ils sont parfois réalisés à très grande échelle ; ils peuvent comporter des arbres taillés architecturalement, des pelouses et des plantations organisées avec une grande rigueur. À votre niveau, il est possible de cultiver des mini-jardins ou de retirer une dalle dans le gazon pour y faire pousser des plantes naines. Pour égayer de grandes dalles de béton, plantez, par exemple, une pelouse miniature d'herbes aromatiques qui dégagera tout son arôme lorsque vous l'effleurerez : de la camomille (variété 'Treneague', non fleurie) ou du thym, ou encore de la lavande ou de la sauge. Les fleurs naines, comme l'alysse, les violettes, les pensées et les plantes alpines, répandront sur le sol tout l'éclat de leurs couleurs subtiles.

■ CI-DESSUS
Un tapis d'alchémilles surgissant
au travers des fissures du sol donne
à ce coin du jardin un charme estival.

■ CI-DESSUS
Un jardin alpestre aménagé sur une vieille meule lui donne un certain charme.

■ CI-DESSUS
Ce soleil de céramique en relief est
un motif original. Des plantes naines
dans les tons de vert, notamment
le *Soleirolia soleirolii* (helxine),
le composent et le mettent en valeur.

ROUE D'HERBES

Si vous possédez une vieille roue de charrette, pourquoi ne pas la peindre et l'utiliser comme support de massif ? Si vous n'avez pas de roue vous pouvez néanmoins réaliser un massif sur le même principe, avec des briques. Adaptez la dimension de la roue à la taille du jardin. Les briques sont pratiques pour constituer les « rayons », mais vous pouvez les remplacer par des bordures naines en hysope ou en thym. Placez un joli pot en terre cuite au centre (le moyeu de la roue), où vous planterez des herbes ou un romarin celui-ci se développant rapidement, taillez-le régulièrement ou remplacez-le tous les deux ou trois ans.

1 Faites un cercle de 1,50 à 1,80 m de diamètre, à l'aide d'une ficelle fixée à un piquet. Pour plus de facilité, remplacez le bâtonnet au bout de la ficelle par une bouteille remplie de sable sec afin de délimiter le périmètre. Creusez la terre sur une profondeur de 15 cm environ.

2 Posez les briques sur le pourtour, debout sur le petit côté et en biais. Si vous les placez à 45° vous obtiendrez un effet de zigzag, les briques droites étant plus classiques. Enfoncez-les simplement dans la terre en tassant bien ou fixez-les avec du ciment.

3 Posez des rangées de briques en croix, comme ci-dessus. Si le diamètre ne permet pas de laisser le centre libre, placez un ornement ou un pot au milieu ; dans le cas contraire, plantez directement dans le sol.

4 Remplissez les espaces entre les rayons avec du bon terreau de jardin ou à rempotage.

5 Plantez chaque section, de préférence avec des végétaux de même développement : cultivez, par exemple, différentes sortes de thym.

6 Pour donner un aspect soigné à l'ensemble, recouvrez le terreau de fins gravillons.

UN TAPIS DE GALETS

Avec des galets, des pots de fleurs cassés et des couvercles de pots anciens en porcelaine, réalisez une décoration originale pour une terrasse ou un patio dallé. Choisissez un motif simple, facile à réaliser : au fur et à mesure de l'avancement du travail, si vous vous sentez sûr de vous, vous pourrez le peaufiner.

LA PRÉPARATION

Ce décor sera posé sur une base d'environ 10 cm d'épaisseur, à 5 cm au-dessous du niveau du reste du pavage. Déblayez un rectangle aux dimensions choisies jusqu'à 15 cm de profondeur. Mélangez en proportions égales le gravier et le ciment. Avec un arrosoir, versez de l'eau en filet afin d'obtenir un mélange sec et friable. Comblez-en le rectangle jusqu'à 5 cm au-dessous du niveau du pavage. Aplanissez et laissez sécher. Rassemblez les matériaux qui serviront à composer le dessin et rangez-les par tailles sur la base sèche avant de commencer. À l'aide d'une pince à rogner, découpez les fonds de six pots en terre cuite, puis cassez les parois en morceaux. Choisissez des galets et des morceaux d'ardoise suffisamment épais pour pouvoir les enfoncer d'au moins 2,5 cm sous la surface du décor.

■ **PAGE DE DROITE**
Les subtiles variations de couleurs des pierres naturelles, de l'ardoise et de la terre cuite s'harmonisent parfaitement dans ce motif décoratif.

L'ENTRETIEN

Protégez le tapis de galets pendant trois jours en le couvrant d'une planche surélevée par des briques, puis d'une bâche en plastique. Évitez de marcher dessus pendant au moins un mois, afin de laisser le mortier sécher complètement.

OUTILS ET MATÉRIAUX

Bêche

Gravier fin, en quantité suffisante pour combler la zone sur une profondeur de 10 cm

Ciment

Arrosoir

Assortiment de galets, morceaux d'ardoise, pots en terre cuite, couvercles en porcelaine

Pince à rogner

Sable fin

Colorant pour mortier

Racloir

Marteau

Brosse douce

Planche pour recouvrir le motif

4 briques

Feuille de plastique

1 Préparez la base de mortier en mélangeant des quantités égales de sable fin et de ciment. Ajoutez le colorant et mélangez bien. Composez le motif sur mortier sec, afin de pouvoir éventuellement le modifier. Les travaux doivent toutefois être terminés dans la journée car, au contact de l'humidité de l'air, le mortier commence à prendre.

2 Versez le mélange sec sur le fond plat et, avec un racloir, aplanissez-le de façon qu'il soit de niveau avec le reste du pavage. Puis enlevez une petite quantité de mortier au centre afin qu'il ne déborde pas pendant que vous travaillez. Vous pourrez le rajouter ultérieurement, si nécessaire, quand le dessin commencera à prendre forme.

3 Composez le motif de la bordure en disposant les galets, les morceaux d'ardoise et de pots. En procédant de l'extérieur vers l'intérieur, enfoncez délicatement les pièces au marteau.

4 Avec la brosse, enduisez les zones terminées de mortier ; comblez bien tous les interstices. Continuez à former la bordure en allant vers le centre, puis enfoncez délicatement au marteau galets, morceaux d'ardoise et de pots. Placez les couvercles en porcelaine aux quatre coins de la bordure, afin de l'égayer d'un éclat de couleur.

5 Composez le motif central avec les fonds de pots, des galets et des morceaux d'ardoise. Assurez-vous que la base de mortier est bien plane. Avec la pince à rogner, coupez les morceaux de pots aux dimensions, puis enfoncez-les délicatement au marteau. Lorsque le dessin est terminé, passez la brosse sur le mortier, autour des décorations, et arrosez. Le mortier durcira en absorbant l'humidité.

UN CERCLE DE GALETS MINIATURE

Une mosaïque très simple, confectionnée avec des morceaux d'ardoise, de vieux pots de fleurs et quelques galets, pour décorer n'importe quel coin du jardin.

OUTILS ET MATÉRIAUX

Bêche

16 briques

1 sac de 5 kg de sable et ciment mélangés

Truelle à mortier

Morceaux d'ardoise

Morceaux de terre cuite

Galets

1 Aplanissez une zone circulaire. Disposez les briques en soleil autour d'un cercle central. Les briques ne doivent pas dépasser de la zone que vous avez aplanie.

2 Ajoutez de l'eau dans le mélange de sable et ciment jusqu'à obtention d'une consistance friable. Avec la truelle, étalez et aplanissez le ciment sur toute la surface du cercle.

3 Avant que le ciment ne prenne, enfoncez rapidement des morceaux d'ardoise, sur la tranche, tout autour du cercle.

4 À l'intérieur, confectionnez un cercle avec les morceaux de terre cuite, puis un cercle d'ardoises. Réalisez enfin une roue en galets et morceaux de terre cuite.

■ **CI-CONTRE**
Un élément décoratif à intégrer au sein d'une surface pavée, de gravier ou d'un massif d'herbes.

■ **PAGE DE DROITE**
Le cercle se composera d'au moins trois matériaux différents pour mettre le motif en valeur par un contraste de couleurs.

DES DALLES DE MOSAÏQUE

Ces grandes mosaïques de galets sont très solides. Confectionnez-en un nombre suffisant pour paver une partie d'une allée ou d'un patio. Chaque dalle carrée mesure 36 cm de côté. Au-delà, le travail devient plus délicat et la dalle risque facilement de se casser.

■ PAGE DE DROITE
Choisissez les galets en fonction de leur couleur et de leur forme afin de créer des dalles esthétiques, aux motifs réguliers. Vous pouvez en réaliser de plus petites à insérer dans un sol ou un mur.

OUTILS ET MATÉRIAUX

Assortiment de galets

Grande feuille de papier

Marteau

Clous

4 tasseaux de bois de 38 cm × 5 cm × 2,5 cm

Feuille de plastique

Gants en caoutchouc

Ciment

Grand seau

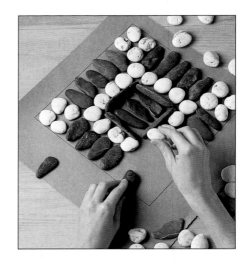

1 Réalisez d'abord la composition sur une feuille de papier de mêmes dimensions que la dalle. Fabriquez un cadre carré en assemblant les tasseaux avec des clous.

2 Couvrez le plan de travail avec le plastique et posez le cadre au centre. Enfilez les gants en caoutchouc, préparez le ciment dans le seau et remplissez-en le cadre.

3 Pressez fermement le ciment à la main, en insistant dans les angles. Aplanissez la surface. Le ciment doit arriver juste en dessous des bords supérieurs du cadre.

4 Enfoncez fermement chaque galet à sa place. Laissez sécher plusieurs jours afin que le ciment prenne.

5 Ôtez la dalle du cadre en frappant énergiquement les bords du cadre sur une surface dure. Confectionnez de même autant de dalles que vous le désirez.

LES PLANCHERS

Un plancher en bois est facile à poser et à entretenir. En outre, peintures et colorants permettent de lui donner différents aspects. Pour obtenir d'intéressantes variations de texture, on peut le combiner avec d'autres matériaux, comme des pavés ou du gravier.

Les planchers en bois sont souvent associés aux climats chauds et secs et créent dans les jardins une atmosphère chaleureuse. Néanmoins, rien ne vous empêche d'en installer un dans une région froide et humide, à condition d'utiliser du bois traité.

Sur les terrains plats ou légèrement inclinés, il est assez simple de

■ **CI-DESSUS**
Blanchir le bois avec un produit décolorant ou un badigeon pâle fait ressortir son grain naturel et lui donne un bel aspect vieilli, comme s'il avait été exposé des années durant au soleil et à l'air marin.

■ **CI-CONTRE**
Un plancher de bois entouré d'une balustrade métallique convient parfaitement pour ce patio surélevé, en bord de mer, qui rappelle le pont d'un navire. Disposées en diagonale, les lattes donnent l'illusion d'une surface plus vaste qu'elle ne l'est en réalité.

poser un plancher. Il faut d'abord couler une chape de ciment. Posez ensuite des rangées de briques dans le sens que vous souhaitez donner au plancher. Espacez-les d'environ 40 cm et collez avec du mortier. Couvrez les briques d'une couche de plastique isolant, puis fixez des solives de bois perpendiculairement aux briques. Vissez enfin les lattes de plancher sur les solives, perpendiculairement à celles-ci. Espacez suffisamment les lattes pour permettre à l'eau de s'écouler et au bois de travailler.

Les scieries vendent des petits caillebotis prêts à poser sur la terre ou sur du gravier compacté, qui permettent de réaliser une allée ou un patio. Sur une surface étendue, créez un motif de damier en les alternant.

Des traverses de chemin de fer, simplement posées sur du gravier compacté, font un revêtement de sol très stable. Elles serviront aussi à fabriquer des murets, un massif surélevé, ou à border allées et marches.

LES MURS : LE CADRE DU JARDIN

Sur le plan visuel, ce sont les murs du jardin – ainsi que les plantes et accessoires décoratifs qui les habillent – que les visiteurs aperçoivent en premier lieu. Jouez avec des couleurs, des textures et des ornements divers pour faire vivre ces murs.

Les murs et les clôtures sont avant tout fonctionnels. Ils définissent les frontières du jardin, empêchant les enfants et les animaux domestiques de sortir, les intrus d'entrer. Mais, dans la mesure où ils constituent la principale structure verticale du jardin, ils remplissent également une fonction esthétique. Selon les cas, on préférera les mettre en valeur ou les dissimuler.

En général, le jardin n'est pas conçu de la même manière selon qu'il se trouve devant ou derrière la maison. Les barrières des jardins de façade sont souvent basses et ne masquent pas la vue. Tout en formant une ligne de démarcation, elles conservent un caractère ouvert et accueillant. À l'arrière au contraire, les murs ou les palissades sont plus imposants afin d'isoler le jardin des terrains avoisinants ; détournez cette contrainte en intégrant au maximum dans le décor les structures de base montrées ici.

■ CI-DESSOUS
Une arche de roses entrelacées et des arbustes forment des murs naturels le long de ce chemin.

■ CI-DESSOUS
Les haies d'arbres à croissance lente taillées donnent aux jardins un style classique et sophistiqué.

■ **CI-DESSUS**
Les haies et arbustes peuvent être
taillés pour former des arches qui
décoreront agréablement une allée.

■ **CI-CONTRE**
Des digitales pourpres et des plantes
au feuillage retombant habillent
ce vieux mur de briques irrégulier.

■ **CI-DESSOUS**
Un chèvrefeuille met en valeur
ce mur en ruine.

LES MURS D'ENCEINTE

Parmi les beaux murs de jardin, citons les murs de briques, qui évoquent certaines demeures campagnardes d'autrefois. D'une belle texture friable, ils semblent être là depuis toujours. Du fait qu'ils emmagasinent et reflètent la chaleur, ils favorisent parfois un microclimat dans le jardin. Dans tous les cas, mieux vaut bâtir les murs extérieurs avec un matériau local : pierre, granit ou brique. Si vous envisagez de construire ou de restaurer une enceinte, recherchez des matériaux régionaux qui s'intégreront parfaitement à l'environnement.

■ PAGE DE DROITE
Au printemps, ce mur s'orne de glycine ; en été, des roses jaunes prennent la relève.

■ CI-DESSOUS
Ces rustiques piquets de bois entrecroisés disciplinent des rosiers exubérants.

LES MURS DE VÉGÉTATION

Alternatives aux matériaux durs, les plantes peuvent faire office de murs. Des haies classiques de buis et de troènes constituent des cloisons de séparation d'un vert profond tout au long de l'année.

Que ce soit dans des petits jardins citadins ou dans des vastes propriétés rurales, les haies peuvent être taillées. La forme que vous leur donnerez dépendra toutefois de la dimension du jardin et de l'environnement dans lequel il se trouve : si des paons sophistiqués produisent un superbe effet à la campagne, en ville, une sphère ou un obélisque seront sans doute plus appropriés.

Les grands conifères, comme les thuyas, forment de hautes haies verdoyantes, idéales pour préserver l'intimité des jardins en ville. Il en existe qui peuvent atteindre jusqu'à 15 mètres de hauteur ; préférez donc des variétés de taille plus modeste, comme le *Thuya* 'Luteanana', qui ne dépasse pas 1,80 mètre, ou le 'Rheingold', d'une hauteur maximale de 3 à 3,50 mètres.

Le treillage habillé de plantes grimpantes est une autre cloison naturelle : en s'épanouissant, rosiers, chèvrefeuille, jasmin, clématites ou

différentes variétés de vigne vierge produisent de fabuleux rideaux de fleurs. Peints, les treillages apportent de la couleur tout au long de l'année. Si vous n'êtes pas un expert en jardinage, choisissez une solution de facilité : achetez tous les deux ou trois mois une nouvelle plante grimpante déjà en fleurs. Chaque plante refleurira l'année suivante à la même saison et vous serez ainsi assuré d'avoir constamment de la couleur dans le jardin.

Si vous désirez une séparation plus aérée, associez les murets et les haies basses. Ici encore, optez pour le buis ou les troènes qui s'y prêtent bien, ou plantez une haie fleurie de lavande ou de fuchsia, par exemple, deux variétés qui embaumeront le jardin.

LE BOIS ET LE MÉTAL

Les barrières de bois, un grand classique, demandent peu d'entretien. La clôture de piquets est traditionnellement peinte en blanc, mais rien ne vous empêche de lui donner des teintes coordonnées à celles de vos plantes. À la campagne, préférez des piquets en bois rustiques, notamment si vous souhaitez les intégrer à un magnifique paysage. Alignez-les verticalement ou bien entrecroisez-les pour obtenir un treillage ajouré.

Les clôtures de métal résistent bien aux intempéries. Des grilles ornementales ouvragées conviennent quasiment à tous les types de jardin. Cependant, en ville, une grille sobre sera plus adaptée pour un jardin de façade.

■ CI-DESSOUS
Si des grilles de métal habillent élégamment un jardin citadin, elles s'adaptent parfaitement aux terrains à végétation luxuriante à la campagne. Tout en délimitant l'espace, elles laissent néanmoins passer le regard.

■ CI-CONTRE
Ce rideau de roses constitue une
délicieuse séparation. Sur un treillage
ou un support adapté, les roses ne
tardent pas à former un écran dense,
qui préservera votre intimité aussi bien
qu'une haie touffue.

■ CI-DESSOUS
Si un haut mur de briques est dissuasif
pour les intrus, il est souvent dépourvu
d'intérêt esthétique. Pour pallier
cet inconvénient, habillez-le de plantes
grimpantes tels rosiers et clématites.

■ **CI-DESSUS**
Ce rosier blanc grimpant qui retombe du toit d'une remise sert préserve naturellement l'intimité du jardin. Les plantes qui fleurissent abondamment sont toujours magnifiques, surtout lorsqu'elles servent à mettre en valeur une structure déjà existante.

LES CLÔTURES

Les clôtures, qu'elles soient en bois ou d'un autre matériau, constituent une option idéale quand l'intimité n'est pas une priorité. Dans le cas d'un jardin de façade, une clôture marque clairement les limites tout en lui conservant un caractère ouvert et accueillant.

Les barrières faites de lattes de bois qui se croisent sont les plus courantes. Généralement assez bon marché, elles sont de montage facile et rapide. On trouve dans le commerce des panneaux en bois traité, à clouer ou à visser sur des poteaux ; ces derniers doivent être préalablement fixés dans des supports métalliques enfoncés dans le sol. Il existe un autre type de clôture, tout aussi solide et utilisé de longue date : composé de jeunes branches de saule entrelacées, son écorce brute présente une texture plaisante. Vous pouvez l'agrémenter de plantes grimpantes. Enfin, les clôtures en plastique se vendent en panneaux de différentes largeurs et hauteurs, à monter de la même manière que les barrières en bois classiques.

■ CI-DESSOUS
Les barrières de lattes, toutes simples, marquent clairement la frontière du jardin. Selon vos goûts, conservez l'aspect brut du bois ou peignez-les en accord avec les couleurs du jardin.

■ **CI-DESSUS**
La barrière de bois peinte en blanc : un classique indémodable, toujours plaisant.
L'alignement précis et régulier des piquets de bois donne un charme certain à tous les types de jardin.

LES PORTES ET PORTAILS

■ **PAGE DE DROITE**
Cette porte de bois et de métal, patinée par le temps, s'inscrit parfaitement dans le décor du jardin.

■ **CI-DESSOUS**
Ce panier, suspendu près de la porte d'une remise, déborde de fleurs et attire l'œil du visiteur qui traverse le jardin.

Selon l'endroit où ils se trouvent, portes et portails de jardin remplissent différentes fonctions pratiques et esthétiques. Le portail comme les clôtures d'un jardin de façade sont généralement ajourés et peu élevés, permettant d'accueillir agréablement les visiteurs. Au contraire, les portes situées sur les côtés du jardin menant à l'arrière de la maison ont pour but d'arrêter les intrus et sont souvent plus solides.

Les accès sont un élément à part entière dans l'agencement du jardin. Une porte rompt la monotonie d'un mur ou d'une clôture ou bien, suggérant qu'elle ouvre sur un autre espace, invite à la franchir.

Même si la porte ne mène nulle part, elle crée l'illusion que le jardin renferme un coin retiré et secret. Un imposant portail à l'entrée du jardin privilégie l'intimité, tout en dissuadant les visiteurs indésirables.

■ **CI-DESSUS**
Cet imposant portail de métal partage le jardin en deux parties. L'espace, ainsi aménagé, donne une impression de mystère que n'aura pas une vaste étendue ininterrompue.

■ **CI-DESSUS**
Cette porte en lattes de bois est décorée d'une simple couronne confectionnée avec des brindilles ramassées dans le jardin.

LES TREILLAGES

Le treillage constitue un élément de décoration très polyvalent. Il peut faire office de mur, servant de support à des plantes grimpantes, ou d'écran de séparation créant une perspective dans le jardin; il peut également être monté au-dessus d'un mur pour isoler le jardin, ou décorer des murs et palissades peu esthétiques.

■ **CI-DESSOUS**
Le cadre de ce très beau treillage métallique indien a été peint en vert-de-gris. Des urnes bleu pâle, plantées de saxifrage, complètent le décor.

Il existe des treillages tout faits en bois ou en plastique. Cependant, des matériaux de récupération tels que des vieilles portes, des cadres de fenêtre, des panneaux de métal ou un assortiment de branchages peuvent aussi bien faire l'affaire. Avant même d'être revêtus de plantes grimpantes, ils seront décoratifs.

Si vous achetez des treillages ordinaires, un coup de peinture suffira néanmoins à les personnaliser.

■ **CI-DESSUS**
Un vieux portail en fer forgé constitue un treillage raffiné pour un rosier grimpant miniature.

■ **CI-CONTRE**
Ce treillage peint, à jours carrés, fait
office d'écran de séparation dans lequel
roses et clématites viennent s'entrelacer.
Ce type de treillage conviendrait
parfaitement pour une clôture.

■ **CI-DESSOUS**
Ce treillage, composé de panneaux de
branchages, sert de support à un rosier
grimpant. Une étoile faite de brindilles
et une lanterne en métal le décorent.

AJOUTER DES NOTES DE COULEUR

À l'intérieur de la maison, vous n'envisageriez pas de laisser
à nu des murs de plâtre. À l'extérieur, beaucoup de gens
hésitent cependant à faire usage de la couleur et, de peur de
commettre des fautes de goût, ils se limitent aux tons naturels
de la pierre, de la brique et du bois. Pourtant, la couleur
crée une atmosphère et permet de mettre en valeur la palette
des plantations, contribuant ainsi à la beauté des jardins.

Vous pouvez peindre les murs de la
maison, ceux des bâtiments extérieurs, garage ou hangar, ainsi que
les murs d'enceinte du jardin.

Si vos clôtures et treillages ne
sont pas constitués du même bois,

ou bien si certains éléments sont
abîmés, une couche de peinture
étanche (spécial bois) gommera
ces disparités : toutes les structures
auront alors un aspect fini et le jardin y gagnera en unité.

De même, si vous venez de monter un treillage, il vous faudra patienter au moins un an avant de le voir
se couvrir de verdure : en attendant,
un coup de peinture lui donnera
un air pimpant.

■ CI-DESSOUS
Deux couleurs pastel différencient
ces deux propriétés. Dans le second
jardin, le rose correspond exactement
à la nuance du rosier grimpant cultivé
le long de la clôture.

La couleur peut mettre en valeur une partie du jardin. Faites la liste des éléments à peindre et assortissez les tons, ou bien choisissez une palette de coloris qui soulignera les tonalités des plantations.

La peinture permet d'avoir de la couleur toute l'année dans le jardin, une note de gaieté particulièrement appréciable en hiver, lorsque la plupart des plantes sont au repos. L'hiver est la saison idéale pour remettre à neuf les barrières et les portails. Contrairement à la décoration d'intérieur, cette activité ne demande pas de préparation importante. À l'extérieur, il n'est pas nécessaire de reboucher les trous ou de poncer les aspérités. Pour nettoyer le bois, il suffit de bien le frotter à l'eau chaude et de le laisser sécher complètement avant de peindre. Les murs devront toutefois être lavés, séchés et enduits d'un apprêt avant d'être peints.

■ CI-DESSOUS, À GAUCHE
La couleur transforme tous les objets du jardin. Qu'il s'agisse d'un changement temporaire ou définitif, elle est toujours la bienvenue. Ici, il a suffi d'un après-midi pour égayer cette remise, en peignant tout simplement les poubelles dans de vives teintes de vert.

■ CI-DESSOUS, À DROITE
Les carreaux de céramique apportent à ce rebord de fenêtre de vibrants éclats de couleur, rehaussés en été par une rangée de pélargoniums rouges.

PEINDRE LES MURS

Peindre un beau mur de pierres ou de briques est peu souhaitable ; par contre, raviver des supports sales et ternes, égayer une clôture ou personnaliser des matériaux modernes peut tout à fait s'envisager. En un clin d'œil, une couche de peinture illuminera le plus sombre des jardins et à la morne saison, et vous serez ravi d'avoir de la couleur à l'extérieur.

Les murs et les clôtures ne doivent pas forcément avoir un revêtement uni. Un mur peut être peint d'une certaine couleur et habillé d'un treillage d'une teinte contrastée ; il peut également se composer de rayures ou de grands aplats de couleurs audacieuses, rehaussés de motifs dessinés au pochoir.

Et lorsque vous serez lassé d'un décor, ou si celui-ci n'est plus en harmonie avec les plantations, il suffira tout simplement d'un nouveau coup de pinceau.

■ **PAGE DE DROITE**
De larges bandes aux couleurs chaudes des Caraïbes donnent vie à une porte et à un mur blancs. Un ruban adhésif permet de tracer des lignes bien droites. Une fois la peinture sèche, on dessine les feuilles au pochoir.

■ **CI-DESSOUS, À GAUCHE**
Trois peintures de teintes différentes illuminent ce coin du jardin. Cet audacieux mariage de couleurs est souligné par une composition murale de plantes aux tonalités éclatantes et des coussins provençaux. Le décor évoque les régions méditerranéennes.

■ **CI-DESSOUS, À DROITE**
Les murs uniformément blancs ont parfois autant de charme dans les régions tempérées que sous les climats plus chauds. Le bleu vif de la porte contraste joliment avec la façade blanche et met la lanterne en valeur.

QUELQUES IDÉES

Si vous souhaitez peindre le mur du jardin ou la façade de la maison donnant sur le jardin, faites preuve d'imagination. Ne jouez pas seulement sur les couleurs mais aussi sur les techniques.

En superposant des couleurs, vous pourrez donner une impression de profondeur. Essayez les effets en trompe l'œil imitant le marbre, la pierre, l'ardoise ou la mousse. Ornez les murs en peignant, à l'aide d'un pochoir ou d'une pomme de terre, des formes géométriques ou des motifs simples.

N'oubliez pas que ces décors seront vus de loin et à l'extérieur : n'hésitez pas à exagérer leurs proportions, même si les effets de peinture sont moins subtils.

■ **PAGE DE DROITE, À GAUCHE**
L'aspect texturé de ce mur a été obtenu en passant à la truelle une sous-couche isolante achetée dans un magasin de bricolage. Profondeur et tons chauds résultent de l'usage d'un badigeon en deux teintes de jaune.

■ **PAGE DE DROITE, À DROITE**
Pour donner à des portes ou à des volets neufs un aspect vieilli, appliquez de la cire entre deux couches de peinture de teintes différentes. Ici, du jaune pastel sous du bleu vif.

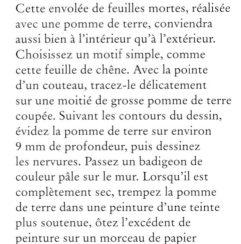

■ **CI-DESSUS**
Le damier, utilisé traditionnellement dans de nombreuses cultures, est un superbe motif indémodable. Celui-ci, réalisé en brun-roux et crème, s'inspire de la tradition africaine. Le même motif en bleu et blanc évoquerait la Provence. Les lignes ne doivent pas forcément être géométriques. Ici, ce sont les irrégularités qui font le charme du dessin. Si vous vous sentez sûr de vous, peignez à main levée. Avec un pinceau fin, tracez le contour de chaque carré, puis peignez l'intérieur. Si vous préférez un décor plus régulier, découpez un grand pochoir carré et appliquez-le sur le mur, en procédant de la sorte sur toute la surface désirée. Sinon, limitez-vous aux encadrements de portes, de fenêtres et aux plinthes.

■ **CI-DESSUS**
Cette envolée de feuilles mortes, réalisée avec une pomme de terre, conviendra aussi bien à l'intérieur qu'à l'extérieur. Choisissez un motif simple, comme cette feuille de chêne. Avec la pointe d'un couteau, tracez-le délicatement sur une moitié de grosse pomme de terre coupée. Suivant les contours du dessin, évidez la pomme de terre sur environ 9 mm de profondeur, puis dessinez les nervures. Passez un badigeon de couleur pâle sur le mur. Lorsqu'il est complètement sec, trempez la pomme de terre dans une peinture d'une teinte plus soutenue, ôtez l'excédent de peinture sur un morceau de papier journal, puis appliquez-la sur le mur.

■ **CI-DESSUS**
Les marbrures sont toujours du meilleur effet sur un mur extérieur. De plus, la technique est plus facilement réalisable sur une peinture à l'huile, idéale pour l'extérieur. Travaillez sur une surface lisse. Dessinez les veinures sur une base de peinture encore humide, puis adoucissez les arêtes avec du white-spirit.

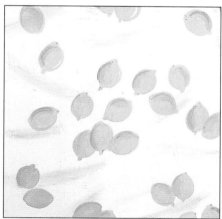

■ **CI-DESSUS**
Facilement réalisables, les citrons
évoquent le climat ensoleillé de la
Méditerranée. Dessinez-les au pochoir
ou à main levée. Disposez-les au hasard,
comme ici, ou bien créez un trompe-
l'œil représentant une pile d'assiettes
ornée de citrons.

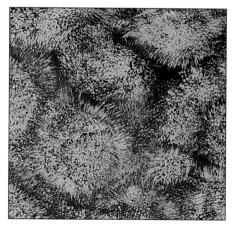

■ **CI-DESSUS**
Le pointillé donne l'impression de
la patine du temps. Réalisez-le tout en
nuances de vert pour donner à un mur
un peu triste l'aspect de la mousse.
Appliquez d'abord au rouleau un badigeon
vert moyen ou vert foncé ; passez une
couche de vert pâle, puis, de la pointe
d'un pinceau, ajoutez des pointillés ocre.

■ **CI-DESSUS**
Les motifs animaliers naïfs se retrouvent
dans de nombreuses cultures
traditionnelles. Ce lézard, inspiré
de l'art africain, ressemble aux dessins
réalisés par les Indiens d'Amérique.
Sur un coin de mur ensoleillé, il aura
un cachet très original.

LES STRUCTURES PERMANENTES

....

Les structures permanentes que vous choisirez pour votre jardin en détermineront en grande partie le style. Une pièce d'eau ou une fontaine favorisent une ambiance sereine, tandis qu'une maison miniature aux couleurs vives, ou un bateau de pirate taillé dans un tronc d'arbre, font du jardin le paradis des enfants, un univers où vivre mille et une aventures.

Il existe une vaste gamme de structures de jardin. Arches, tonnelles et pergolas, en bois, métal ou d'un autre matériau, constituent de superbes écrans de séparation. Habillez-les de plantes grimpantes pour adoucir leurs lignes. Avec un peu d'ingéniosité, les peintures et teintures à bois vous permettront de tirer le meilleur parti d'un abri de jardin peu esthétique. Le secret de la réussite : considérer tout élément qui semble immuable sous un angle nouveau et l'intégrer au jardin comme une architecture décorative.

■ **CI-DESSUS**
Les outils de jardinage ont un charme incontestable.

■ **PAGE DE GAUCHE**
Une association de pots, composés de persistants,
est une jolie façon de décorer les marches.

LES ARCHES ET ÉCRANS DE SÉPARATION

Même dans le plus petit des jardins, il est possible d'introduire une arche, une tonnelle, une pergola ou un treillage, tout en conservant une place pour une petite remise ou une maison miniature pour les enfants. Ces éléments verticaux, à la forte présence visuelle, constituent l'ossature de l'espace extérieur.

La disposition des pergolas et des constructions de jardin contribue à l'architecture verticale de l'espace. Des arches de rosiers, des allées couvertes et des treillages formeront des écrans de séparation. En divisant le jardin, ils créent une perspective et définissent de nouveaux espaces.

Même dans les petits jardins, l'espace entrevu derrière un quelconque élément de séparation donne l'illusion d'une étendue beaucoup plus vaste.

Une arche à l'entrée d'un jardin est toujours du meilleur effet : elle dégage une atmosphère dont le visiteur profite dès ses premiers pas dans l'endroit qu'il découvre.

LES TREILLAGES

Le treillage, en bois ou en plastique, est le moyen le plus simple d'isoler une partie du jardin, pour délimiter le coin repas ou séparer le potager, par exemple.

Les treillages, vendus en panneaux de formes et dimensions variées, sont totalement modulables. Outre les panneaux basiques rectangulaires, il en existe une grande variété – en ogive, concaves ou convexes, avec ouvertures – qui vous permettront de laisser libre cours à votre créativité.

Pour la note décorative finale, vous trouverez toutes sortes d'épis de faîtage, en forme de globe, de gland, d'ananas ou d'obélisque.

LES ARCHES

Pour obtenir une perspective sans masquer totalement la vue, une arche de rosiers est idéale. Achetez une arche en métal ou fabriquez-en une toute simple, en bois, avec des montants de pergola. Vous pouvez aussi planter de jeunes arbres de chaque côté d'une allée et les tuteurer afin qu'ils se développent en arche.

Dans tous les cas, prévoyez une largeur suffisante pour que l'on puisse passer dessous lorsque les plantes auront atteint leur maturité. Évitez les variétés épineuses, dont les tiges risqueront de vous accrocher. Le rosier 'Zéphirine Drouhin', sans épines, convient parfaitement pour cet usage.

■ CI-CONTRE
Des montants rustiques, fixés horizontalement sur des piliers de bois, forment un support idéal pour ce rosier grimpant 'Felicia'. En hiver, lorsque les roses ne sont pas écloses, ce treillage fait office d'écran de séparation.

GRIMPANTES POUR ARCHES

Akebia quinata
Campsis radicans
   (jasmin de Virginie)
Clematis (clématite)
Humulus (houblon)
Lonicera (chèvrefeuille)
Rosa (rosier)
Vigna caracalla (pois)
Vitis (vigne)

■ **CI-CONTRE**
Aménagez un magnifique passage voûté
en faisant pousser une plante grimpante
sur des arches de métal. Ici, un léger
rideau de feuilles laisse passer les rayons
du soleil. En fin d'après-midi, c'est
un véritable plaisir de se promener
sous cette arcade baignée de lumière.

■ **CI-CONTRE**
Surplombant
le mur du jardin,
ce rosier en pleine
maturité et d'une
grande élégance,
isole le coin
repos du jardin
des voisins.

LES PERGOLAS, TONNELLES ET ALLÉES

Une arche peut aussi bien servir d'écran que marquer le début d'un passage. Si vous disposez d'un espace suffisant, aménagez un tunnel de verdure au travers duquel filtrera la lumière naturelle et dans lequel la promenade sera empreinte d'une sérénité quasi monacale. Dans un petit jardin, une arche de taille plus modeste, en suggérant qu'elle mène quelque part, revêtira un caractère plus romantique.

LES ALLÉES COUVERTES

Une allée couverte peut simplement prolonger une arche – une option idéale pour un petit jardin – ou occuper une partie du jardin. Des montants de bois ou de métal formant une série d'arches constitueront son ossature.

L'intérêt de parcourir l'allée sera renforcé si l'on place un point de mire à son extrémité. Dans les jardins classiques, l'allée mène à une porte, à un portail ou à une statue. L'idée peut néanmoins s'adapter à un projet plus modeste : choisissez par exemple une plante particulière ou une belle poterie ; cet élément sera ainsi mis en évidence et attirera immanquablement le regard du promeneur.

LES PERGOLAS

Petite construction généralement attenante à la maison, la pergola

s'intègre à tous les types de jardin, petits ou grands. Transition entre l'intérieur et l'extérieur, elle constitue une « pièce » de plein air couverte, naturelle et attrayante. Elle pourra faire office de salle à manger d'été, à l'abri des regards indiscrets.

LES TONNELLES

Dans un espace minimum, une tonnelle donne au jardin un caractère architectural. Aménagée contre un mur, elle offre, même dans le plus petit des jardins, un coin ombragé propice à la relaxation, la lecture ou la discussion.

Une tonnelle peut se composer tout simplement de plantes grimpantes, cultivées le long d'un mur de façon à former une arche au-dessus d'un banc. Il n'est cependant pas difficile de fabriquer une structure plus élaborée.

■ **CI-DESSUS**
Cette allée couverte d'une arche métallique en forme de pagode est empreinte d'un charme oriental. Des poteries grecques anciennes, posées sur un lit d'euphorbe et d'hellébore aux teintes acides, sont un magnifique point de mire.

■ **CI-DESSUS**
Un passage surplombé de cascades de cytise, d'un jaune d'or flamboyant.

■ **CI-CONTRE**
Ce superbe figuier *(Ficus carica)* au feuillage retombant, ces rosiers, ces clématites et autres plantes grimpantes s'élevant sur le mur de la maison forment un décor intime pour ce coin repos. Même s'il n'y a pas de structure de support, la végétation remplit toutes les fonctions d'une tonnelle.

■ **PAGE DE GAUCHE**
Encadrée de verdure et ombragée par un toit de chèvrefeuille, cette délicieuse tonnelle est adossée contre un superbe mur de briques et de silex. Le banc et la table rustiques, en bois patiné par le temps, restent dehors tout au long de l'année, renforçant l'impression qu'il s'agit d'un endroit où il fait bon vivre.

UNE TONNELLE EN TREILLAGE

La tonnelle, l'un des moyens les plus faciles d'introduire au sein du jardin, même petit, une structure architecturale, se monte aussi aisément qu'une clôture. Elle se compose de panneaux de treillage, peints avec un colorant extérieur, d'une nuance vive également employée pour le banc. On a ainsi aménagé une charmante retraite, ombragée et originale.

1 Assemblez les panneaux de treillage sans les fixer afin de vous assurer que la construction vous plaira. Deux panneaux de 180 × 60 cm forment les côtés, le troisième, le toit. Les deux panneaux étroits et le panneau concave constituent le devant de la tonnelle. Le panneau de 180 × 90 cm compose la partie arrière horizontale. Sciez les montants de bois à la longueur désirée : ils doivent mesurer 180 cm, plus la partie encastrée dans le sabot des piquets métalliques qui les maintiendront en place.

OUTILS ET MATÉRIAUX

Panneaux de treillage à claire-voie (jours en losanges) des dimensions suivantes :

3 panneaux de 180 × 60 cm

2 panneaux de 180 × 30 cm

1 panneau concave de 180 × 46 cm

1 panneau de 180 × 90 cm

6 montants de bois de 7,5 × 7,5 cm et de 210 cm de longueur

Scie

6 piquets métalliques de 7,5 × 7,5 cm et de 75 cm de longueur

Maillet

10 clous galvanisés de 5 cm

Marteau

Perceuse électrique avec forêt n° 8 et embout tournevis

40 vis en acier galvanisé de 3 cm

1 bidon de 2,5 l de teinture à bois extérieure

Pinceau

2 Commencez par le panneau arrière. Placez les montants à 1,80 m d'écart. Marquez leur emplacement puis, avec le maillet, enfoncez un piquet métallique de chaque côté. Insérez les montants dans les sabots des piquets. Avec des clous galvanisés, fixez provisoirement le haut du treillage sur le haut des montants. Avec le forêt n° 8, percez les trous de logement des vis à intervalles réguliers de chaque côté du treillage, puis vissez le panneau sur les montants.

3 De la même manière, positionnez les montants extérieurs de devant et fixez les panneaux latéraux. Procédez de façon similaire avec les montants intérieurs de devant et les panneaux de la face avant. Fixez le panneau concave à l'intérieur des panneaux de devant. Enfin, installez le toit en le vissant sur les montants. Passez la tonnelle à la teinture à bois extérieure et laissez sécher.

■ PAGE DE DROITE
Au-dessus d'un banc de jardin, cette tonnelle est pittoresque avant même d'être recouverte de plantes grimpantes. En attendant, pour adoucir ses lignes et atténuer l'aspect du neuf, décorez-la de paniers suspendus et de plantes en pots.

LES CONSTRUCTIONS DE JARDIN

Une construction, quel que soit son style, contribue au décor du jardin. Cabane à outils, pavillon d'été ou maison miniature pour enfants en font presque toujours partie. Si de telles structures existent déjà, il sera généralement préférable de les laisser là où elles sont, mais vous pourrez toujours les rénover.

Un coup de peinture métamorphosera une cabane de jardin : des rayures pâles lui donneront un air de cabine de plage. Avec un toit d'ardoises, elle paraîtra plus soignée. Bien décorée, une maison d'enfants aura le charme d'une chaumière de conte de fée. Toute construction peut intégrer des grimpantes : chèvrefeuille et clématites retombant, ou paniers de fleurs suspendus à l'avant-toit.

Les jardins du XVIIIᵉ siècle sont célèbres pour leurs « folies », extravagances architecturales inspirées de tous les styles. Pourquoi ne pas introduire au jardin une touche de fantaisie : une petite construction gothique, une pagode ou un temple ? Il existe dans le commerce des folies prêtes à monter, mais pensez à chiner pour trouver de ravissantes portes et fenêtres à leur ajouter.

■ **CI-DESSUS**
Une folie de jardin actuelle, que l'on remarque au premier coup d'œil : un montage de pièces anciennes, de piliers et de montants fait avec beaucoup d'imagination et rehaussé d'un habile coup de pinceau.

■ **CI-CONTRE**
Une ancienne cabane de jardin a été transformée en abri charmant. Pour tirer le meilleur parti de cette structure déjà existante, il a suffi d'enlever les portes et d'y installer un banc.

■ **PAGE DE DROITE**
Ce ravissant pavillon est réalisé simplement avec une structure métallique dans laquelle viennent s'enchevêtrer des plantes grimpantes. Le banc a été monté autour du pilier de bois central la soutenant.

DÉCORER UN ABRI DE JARDIN

Vous pouvez transformer la plus triste des remises en une construction originale. Initialement, celle-ci avait était réalisée en béton et en ciment. Un coup de peinture et des moulures en plâtre lui ont donné le charme d'une petite villa méditerranéenne.

OUTILS ET MATÉRIAUX

Crayon

Carton bristol

Ciseaux

Panneau de fibres de bois médium (MDF) de 1 cm d'épaisseur

Scie sauteuse ou scie à chantourner

Apprêt acrylique pour bois

Pinceaux

Peinture vinylique bleu foncé

Badigeon blanc de texture fine

Glacis acrylique de veinage faux bois

Peintures acryliques bleu clair, rouge, orange et jaune

Chiffons doux

Clous

Marteau

Brosse dure

Petite spatule

Colle à carrelage extérieure

Assortiment de petits motifs ornementaux en plâtre

Chatterton

Pointes à tête d'homme

Tenaille

Éponge naturelle

Vernis extérieur polyuréthane mat

1 Dessinez sur un bristol un toit de style mauresque. Découpez ce gabarit et posez-le sur le panneau de MDF, puis tracez ses contours. Découpez le motif à la scie sauteuse ou à chantourner.

2 Enduisez la porte de la remise et le panneau de MDF d'apprêt acrylique, puis laissez sécher 1 à 2 heures. Passez une couche de peinture bleu foncé et laissez sécher 2 à 3 heures.

3 Préparez un vernis en mélangeant le badigeon et le glacis faux bois ; ajoutez un peu d'eau pour obtenir une consistance de crème épaisse puis teintez le vernis avec de la peinture acrylique bleu clair. Vernissez la porte et le panneau en passant le pinceau dans le sens du grain.

4 Avec un chiffon doux, essuyez rapidement le vernis pour faire ressortir la couleur et laissez sécher. Clouez le panneau de MDF en haut de la porte ; enfin peignez les têtes de clous avec le vernis bleu pâle.

5 Avec une brosse dure, décapez le mur de la remise. Avec la spatule, étalez au dos de chaque motif de la colle à carrelage extérieure et fixez-les sur le mur. Utilisez du chatterton et des pointes à tête d'homme que vous enfoncerez légèrement dans le mur, sous les motifs, pour les maintenir en place jusqu'au lendemain, le temps que la colle sèche.

6 Le lendemain, décollez le chatterton et ôtez les pointes avec la tenaille. Enduisez le mur d'une couche de badigeon. Laissez sécher 4 à 6 heures.

7 Teintez trois pots de glacis faux bois avec les peintures acryliques – un en rouge, un en orange, un en jaune – et diluez pour obtenir une consistance onctueuse. Avec une éponge humide, tamponnez les couleurs sur le mur et essuyez l'excès de peinture avec un chiffon.

■ **CI-DESSUS**
Avec de chaudes couleurs méditerranéennes et un assortiment de moulures en plâtre, on a redonné vie aux murs ternes de cette vieille remise de jardin.

8 Avec un pinceau, ajoutez des pointillés de couleur pour accentuer l'effet. Laissez sécher la peinture pendant au moins 4 heures, puis vernissez le mur.

DÉCORER LES MURS

Après avoir choisi la couleur des murs du jardin, vous pourrez y apposer votre touche personnelle : pots, appliques, statuettes ou tout autre objet à condition qu'il résiste aux intempéries – cages à oiseaux, mangeoires, coquillages, lanternes, couronnes d'osier ou de fil de fer. Vous pourrez également fixer des étagères sur un mur et y disposer des pots, bouteilles et paniers, ou encore des ustensiles émaillés ou galvanisés.

■ **CI-CONTRE**

De jour comme de nuit, une lanterne
constitue une charmante décoration
pour un mur de jardin. Celle-ci est ornée
d'une simple guirlande de branchages.
À l'occasion d'une réception, un soir
d'été, on l'a agrémentée d'un pot
en terre cuite avec une bougie dont
la lueur apporte la touche finale.

■ **PAGE DE GAUCHE**

Sur le mur d'une ferme, cette
composition d'ustensiles galvanisés,
aux douces teintes métalliques
se fond harmonieusement au jardin.

■ **CI-DESSOUS**

Les textures et couleurs élémentaires
des coquillages se marient bien avec
les plantes. Ici, une collection de
coquillages décore un renfoncement
dans le mur du jardin.

LES JEUX POUR ENFANTS

Si vous avez des enfants, une grande partie du jardin leur sera consacrée. Ils ont en effet besoin d'une aire de jeux bien à eux. Si votre espace n'est pas suffisamment grand pour qu'ils puissent y courir ou y jouer au ballon, installez-leur une structure : une petite maison dans laquelle ils se réfugieront par tous les temps, un portique avec des agrès, ou une simple balançoire. Si l'aménagement de cette structure est défini, elle occupera peu de place.

Si vous avez la chance de posséder dans votre jardin un arbre qui s'y prête, vous pourrez y construire une cabane qui n'empiétera pas sur votre espace. Il est impératif que sa plate-forme soit solide, bien répartie sur de nombreuses branches, et entourée d'une barrière. Une tente accrochée dans les branches supérieures fera office de toit, à moins que vous ne préfériez bâtir de vrais murs, un véritable toit et ajouter divers éléments qui personnaliseront la cabane.

Vous pouvez aussi suspendre une balançoire à une branche suffisamment robuste, d'un diamètre d'au moins 15 cm. Étalez des copeaux d'écorce au pied de l'arbre : ce revêtement naturel et résistant est idéal pour y atterrir en toute sécurité.

PRIORITÉ À LA SÉCURITÉ

Que vous achetiez des équipements de jeu ou que vous les fabriquiez vous-même, ils doivent être résistants, robustes et stables. Le bois doit être bien poncé, les clous et les vis bien enfoncés. Les jeux achetés tout faits doivent être conformes aux normes de sécurité en vigueur. Après l'achat, vérifiez que tout est en bon état et entretenez régulièrement le matériel.

■ CI-DESSUS
Ces marches qui montent à une plate-forme construite autour d'un arbre mènent à un toboggan. Une idée à adapter pour construire une cabane dans un arbre.

■ CI-CONTRE
Bien décorée, une maison miniature embellit le jardin. Vos jeunes enfants y vivront toutes sortes d'aventures ; quand ils seront plus grands, ce lieu leur servira de repaire. En outre, vous pourrez y ranger tous les jouets encombrants.

■ **CI-CONTRE**

Une mignonne petite maison sur pilotis, toute de guingois, avec sa véranda et sa cheminée, à laquelle on accède par quelques marches. On la dirait tout droit sortie d'un conte de fée.

■ **CI-DESSOUS**

Cette structure de jeux, construite avec des montants de bois rustiques, se fond parfaitement dans le jardin. Si elle est bien conçue, vous pourrez y ajouter des éléments au fur et à mesure que vos enfants grandiront et qu'ils développeront leur agilité.

■ **CI-DESSUS**

Une maison bien construite amusera vos enfants pendant au moins cinq ou six ans. En général, ils aiment bien avoir leur petit coin de jardin à cultiver : aménagez la cabane tout près. Lorsque les enfants la délaisseront, vous pourrez la transformer en abri de rangement.

■ **CI-DESSUS**

Si votre jardin est spacieux, vous pouvez compléter la structure de jeux par une balançoire, un toboggan, une échelle de corde et un abri couvert qui fera office de cabane et de poste d'observation.

■ **CI-CONTRE**

Dans un jardin de taille moyenne, une structure de jeux risque d'occuper trop d'espace : il faut donc la choisir pour les divertissements qu'elle offre aux enfants, mais aussi pour son esthétique. Ce cadre de bois bien conçu est en accord avec le style du jardin.

■ **PAGE DE DROITE**

Dans n'importe quel jardin, la présence d'un grand arbre robuste est un atout. Si vous avez des enfants, il vous sera d'une grande utilité : vous pourrez y fixer divers jeux. Une balançoire toute simple sera vite montée et vos enfants s'y amuseront pendant des heures.

■ **CI-DESSUS**

Dans la gamme des jeux pour enfants, le bac à sable est facile à aménager et à convertir par la suite. Il est néanmoins important de protéger le sable des intempéries et des chats. Cette couverture en lattes de bois remplit ce rôle de façon décorative.

■ **CI-DESSUS**

Facile à monter, une plate-forme dans un arbre fera le bonheur des enfants. Choisissez l'arbre qui convient et construisez-la avec des chutes de bois solides. L'accès se fera par une échelle de corde que les enfants pourront enrouler une fois en haut.

UNE MAISON POUR ENFANTS SUR MESURE

Fabriquez vous-même une jolie petite maison qui ajoutera du cachet au jardin et que vos enfants adoreront. Facilitez-vous la tâche en achetant une cabane toute faite que vous personnaliserez à votre goût. Le bois, en général traité (à vérifier avant l'achat), fournit une excellente base pour la décoration.

Celle-ci a été agrémentée d'un toit en ardoises avec une faîtière en tuiles, de volets et de rives décoratives. Deux couches de peinture et la transformation est totale. Si vous ne souhaitez pas entreprendre de tels travaux, peignez simplement la maison avec des couleurs vives.

LA POSE DES ARDOISES

Calculez le nombre d'ardoises que comprendra chaque rangée. Si vous n'obtenez pas un nombre juste, placez autant d'ardoises entières qu'en contient la rangée du bas. Pour compléter chaque côté, vous devez avoir deux morceaux d'ardoise de dimension égale : avec un marteau de couvreur, piquetez une ligne sur une ardoise dans le sens de la largeur, puis cassez-la nettement à l'aide d'une règle métallique. Fixez toutes les ardoises en les clouant dans les trous prépercés de la couverture bitumée. La rangée suivante doit être posée de la même façon, en décalant les ardoises d'une moitié de largeur. Procédez de même jusqu'en haut du toit.

LA POSE DES VOLETS

Si les volets sont plus larges que les ouvertures, agrandissez les ouvertures aux dimensions requises à la scie sauteuse. Fixez chaque volet au moyen de deux charnières, puis placez les aimants de fermeture.

■ CI-CONTRE

Une fois que vous avez transformé une simple cabane en bois en une maison de conte de fées pour vos enfants, meublez-la de façon à ce qu'ils se sentent chez eux.

LA DÉCORATION

Peignez la maison à la peinture à la glycéro et laissez sécher pendant au moins 4 heures, de préférence jusqu'au lendemain s'il fait beau. Passez enfin une couche de vernis polyuréthane.

LA POSE DE LA FAÎTIÈRE

Préparez le mélange sable-ciment en suivant les instructions du fabricant. Remplissez les extrémités de chaque tuile de ce mélange et étalez-en sur toute la longueur de l'arête du toit. Fixez solidement les tuiles en place et laissez sécher.

LA POSE DES RIVES DÉCORATIVES

Coupez la rive en deux morceaux de la longueur requise, taillez les extrémités en biseau afin qu'elles s'adaptent à l'angle central du toit. Peignez les rives à la peinture à la glycéro, puis clouez-les dans des trous pilotes prépercés sur le bord avant du toit.

■ **CI-CONTRE**
D'un point de vue esthétique,
les cabanes en bois brut sont parfois
difficiles à intégrer dans le jardin.
Peignez-les et décorez-les dans un
style en accord avec celui du jardin.

OUTILS ET MATÉRIAUX

Cabane en bois

Ardoises de toiture ou bardeaux
en nombre suffisant pour
couvrir le toit, plus la moitié
de ce nombre

Cutter

Règle de précision en métal

2 clous de 19 mm par ardoise

Marteau de couvreur

2 paires de volets à claire-voie
aux dimensions des fenêtres

Scie à métaux

8 charnières non ferreuses

4 aimants de porte

Peinture à la glycéro

Pinceau

Petites tuiles faîtières en nombre
suffisant pour couvrir l'arête
du toit

Mélange tout prêt sable-ciment

Truelle

Rive décorative prédécoupée
dans du MDF (panneau de fibres
de bois médium)

Scie

Perceuse électrique

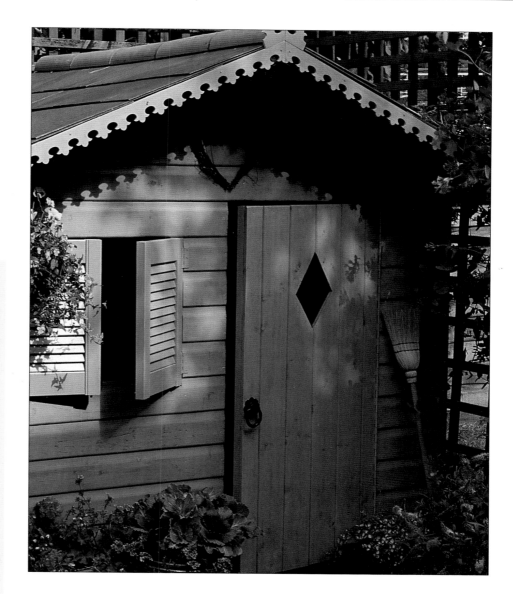

■ **CI-DESSUS**
Une fois les ardoises et les volets
installés, la maison a été peinte
à la peinture spécial bois extérieur.

■ **CI-DESSUS**
Des aimants permettent de maintenir
les volets en position fermée.

DES COMPOSITIONS MURALES

Tout comme on le fait dans la maison, pourquoi ne pas habiller les murs du jardin de compositions ? Celles-ci, bien sûr, devront résister aux intempéries. Compositions de carreaux en céramique, mosaïques, vieux panneaux publicitaires émaillés et panneaux de bois peints seront parfaits pour l'extérieur.

■ **CI-CONTRE**
Caché derrière un rideau de lierre, cet étrange visage, fait d'une mosaïque de céramique, nous sourit.

■ **CI-DESSOUS**
Une plaque de carreaux de céramique fait écho aux tons d'un banc peint, placé sous une avalanche de glycine.

UNE MOSAÏQUE MURALE

Une mosaïque de jardin peut paraître inattendue. Cette princesse semble nous interroger du regard. Elle a d'abord été réalisée à plat sur une planche avant d'être transférée sur le mur, dans un décor de verdure. Des petits carreaux de verre aux couleurs lumineuses, résistants aux intempéries, ont été solidement fixés sur la planche avec de la colle.

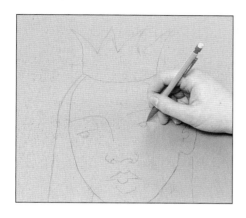

1 Tracez le dessin sur du papier kraft et posez-le sur la planche. Décalquez-le et découpez ce gabarit qui vous servira à transférer la mosaïque sur le mur.

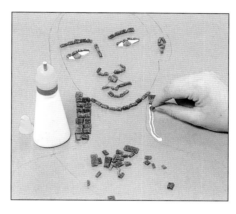

2 Avec la pince à rogner, divisez en huit les carreaux destinés à dessiner les grandes lignes du motif, puis collez-les à l'envers sur le papier. Réalisez les traits du visage (les yeux, la bouche, etc.) avec des couleurs contrastées.

■ **CI-DESSOUS**
Superbe mosaïque de verre scintillant sur un mur du jardin. Les fragments de miroir reflètent la lumière et attirent le regard.

OUTILS ET MATÉRIAUX

Crayon

Papier kraft

Planche

Papier à décalquer

Ciseaux

Carreaux de verre vitrifiés pour mosaïque, dont des carreaux roses

Pince à rogner

Colle blanche

Miroir

Colle pour carrelage extérieur

Joint pour carrelage extérieur

Spatule de vitrier

Éponge

Papier de verre

Chiffon doux

3 Coupez les carreaux roses en quatre et collez-les à l'envers à l'intérieur des grandes lignes du dessin. Cassez le miroir en petits morceaux et répartissez-les sur la robe et la couronne. Taillez les carreaux pour la robe et la couronne en quatre et collez-les entre les morceaux de miroir. Une fois la mosaïque sèche, transportez-la jusqu'au mur. À l'aide du gabarit, tracez le dessin sur le mur et enduisez sa surface de colle pour carrelage. Retournez la mosaïque sur le mur et laissez sécher 2 heures. Humidifiez le papier puis décollez-le. Laissez sécher jusqu'au lendemain. Comblez les interstices de joint, en nettoyant l'excès et laissez sécher. Polissez délicatement au papier de verre et au chiffon doux.

UN PANNEAU DE MOSAÏQUE

Ce panneau de mosaïque se compose de fragments de céramique. Au sein de la composition, les motifs découpés dans ce matériau attirent l'œil ; pour accentuer l'effet, certains sont en relief. Le panneau, réalisé à plat sur une base de contreplaqué, se détache sur le mur en trois dimensions. On le suspend par un crochet, comme un tableau.

OUTILS ET MATÉRIAUX

Crayon

Contreplaqué de 2 cm d'épaisseur

Scie sauteuse

Papier de verre

Colle à bois vinylique

Pinceaux

Apprêt pour bois

Sous-couche

Peinture laquée

Attache murale

Perceuse et forêt à rainurer

Vis de 2 cm

Tournevis

Règle, équerre et compas (facultatif)

Assortiment de vieilles céramiques

Pince à rogner

Colle à carrelage

Joint en poudre pour carrelage

Teinture pour ciment

Gants en caoutchouc

Spatule de vitrier

Brosse à ongles

Chiffon doux

1 Dessinez le motif sur le contreplaqué, puis découpez-le à la scie sauteuse et poncez les chants. Passez de la colle à bois diluée sur la face avant et les chants du panneau. Enduisez le dos du panneau d'apprêt, de sous-couche puis de peinture laquée – laissez sécher entre chaque couche.

2 Au dos du panneau, marquez l'emplacement de l'attache murale. Percez le bas de la zone en forme de serrure, sur une largeur suffisante pour y introduire la tête d'une vis. Vissez l'attache murale en position.

3 Tracez le dessin sur la face vitrifiée du panneau. Une règle, une équerre et un compas pourront vous être utiles pour les motifs géométriques.

4 Sélectionnez les motifs de céramique pour le dessin. Avec la pince à rogner, coupez les céramiques en petits carrés. Sur les bordures du panneau, fixez des morceaux à bords lisses avec de la colle à carrelage. Pour les grandes lignes du dessin, utilisez des petits tessons réguliers.

■ **CI-DESSUS**
Cette mosaïque en relief est constituée de morceaux de céramique de différents motifs, qui créent une composition colorée et originale.

5 Réalisez des petites surfaces de mosaïque en relief en posant les tessons sur une quantité de colle plus importante. Comblez les espaces entre les grandes lignes. Laissez sécher environ 24 heures.

6 Mélangez le joint de carrelage avec de l'eau et teintez-le avec de la teinture à ciment. Enfilez les gants en caoutchouc, et, à la spatule, étalez le joint sur toute la surface de la mosaïque. Insistez avec les doigts dans les interstices. Laissez sécher quelques minutes puis, avec une brosse à ongles dure, ôtez l'excès de joint. Laissez sécher 24 heures, puis polissez la mosaïque avec un chiffon doux.

UN MASQUE MURAL EN FAUSSE PIERRE

Qui croirait que ce masque mural de style médiéval est en plastique couleur terre cuite ? Pour un prix très raisonnable, vous en trouverez un semblable dans une jardinerie. Le plastique, de texture légèrement poreuse, constitue une base idéale pour une peinture en trompe-l'œil. Une fois le masque fixé au mur, personne ne se doutera qu'il n'est pas en pierre véritable.

■ PAGE DE DROITE
Les plantes qui encadrent le masque renforcent l'illusion : on croirait que cet ornement est sur le mur depuis toujours.

1 Poncez le masque au papier de verre et enduisez-le d'apprêt acrylique. Laissez sécher 1 à 2 heures. Passez une couche de peinture vinylique couleur pierre et laissez sécher 2 heures.

2 Teintez un peu de glacis avec de la peinture terre d'ombre naturelle, diluez légèrement à l'eau, puis tamponnez-le à l'éponge sur le masque. Laissez sécher 1 à 2 heures.

OUTILS ET MATÉRIAUX

Masque mural en plastique

Papier de verre à grain moyen

Apprêt acrylique

Pinceaux

Peinture vinylique couleur pierre

Glacis acrylique de veinage faux bois

Peintures acryliques terre d'ombre naturelle, blanc, ocre jaune, et terre d'ombre brûlée

Éponge naturelle

Vernis extérieur polyuréthane mat

4 Teintez de la peinture blanche avec de la terre d'ombre brûlée et diluez le mélange à l'eau. Trempez un gros pinceau dans la peinture et mouchetez-en le masque. Laissez-le sécher, puis vernissez-le.

3 Teintez une pointe de peinture acrylique blanche avec de l'ocre jaune, ajoutez-y un peu de glacis puis, à l'éponge, enduisez-en le masque. Laissez sécher 1 à 2 heures.

LES PIÈCES D'EAU

De tous les ornements du jardin, les pièces d'eau sont sans doute les plus séduisants. La mélodie de l'eau qui coule, jaillit ou clapote a un effet relaxant, tandis que sa surface miroitante et scintillante apporte au jardin une dimension nouvelle. Nul besoin d'un plan d'eau démesuré : même dans un petit jardin, vous pouvez installer une fontaine ou une vasque.

De la fontaine miniature, dont le jet retombe en clapotis sur les galets, à la mare naturaliste des jardins de curés, l'eau peut être mise en scène de mille et une manières : dans des bassins ronds, rectangulaires, en T, ou par un simple tuyau d'arrosage qui aspergera un monticule de galets.

Quel que soit votre choix, il faut prévoir un mouvement perpétuel, afin que l'eau ne stagne pas. Pour cela, il vous faudra installer une petite pompe près du point d'eau. Certaines sont submersibles et peuvent être placées au fond des bassins ; d'autres sont dissimulées derrière un masque mural. Bien sûr, la présence d'une source d'électricité à proximité de la pompe s'avère essentielle ; cet élément est à prévoir avant de procéder aux aménagements paysagers et au dallage (n'oubliez pas que toute installation électrique doit obligatoirement être faite par un électricien qualifié).

Hormis ce détail, l'aménagement d'une pièce d'eau est à la portée de tout bricoleur et d'autant plus facile si vous achetez un bassin préformé en fibres de verre, qui existe en de nombreux modèles. Vous pouvez aussi recourir à un revêtement aisément dissimulable, en caoutchouc souple ou en plastique. Une fois le bassin ou le revêtement en place, recouvrez ses bords de cailloux, de galets ou de plantes judicieusement choisies.

De préférence, évitez d'aménager une pièce d'eau sous les arbres. À l'automne, les feuilles tomberont dans l'eau et, en pourrissant, la contamineront.

■ CI-CONTRE
Dans un petit jardin citadin, ce bassin aux lignes géométriques, orné de sculptures orientales, attire l'attention.

Si vous avez des enfants en bas âge, optez pour des pièces d'eau peu profondes (par exemple une fontaine sur galets) : en effet, un bébé qui commence à marcher peut se noyer dans quelques centimètres d'eau. Si, ultérieurement, vous souhaitez un bassin plus conséquent, remplissez-le de galets arrosés par le jet d'une fontaine. Quand vos enfants auront grandi, vous pourrez retirer les galets.

■ **CI-DESSUS**
Ce bassin miniature, couvert de nénuphars, est fait dans un gros pot en terre vernissée que l'on peut mettre au centre d'une plate-bande.

■ **CI-DESSUS**
Cette fontaine fait partie intégrante de l'architecture du jardin. Elle est aménagée sous une voûte de briques et de silex qui lui donne un relief particulier.

■ **CI-DESSUS**
Aménagé en un endroit stratégique du jardin, un bassin, petit ou grand, apporte un attrait indéniable.

■ **CI-CONTRE**
Cette ravissante pièce d'eau, agrémentée d'une fontaine et d'un chérubin, s'inspire de décors généralement réalisés à plus grande échelle.

LA FONTAINE DE COQUILLAGES

Les coquillages sont des éléments décoratifs tout à fait adaptés à une pièce d'eau. Ici, l'eau coule d'une coquille d'escargot dans une série de coquilles Saint-Jacques, pour finir dans un pot en terre. Elle est pompée et revient par un trou percé à l'arrière de la coquille d'escargot. Une bordure de coquillages et des plantes complètent le décor de la fontaine.

■ **PAGE DE DROITE**
Placez cette petite fontaine dans un coin ombragé du jardin. Le doux clapotis de l'eau vous bercera lorsque vous viendrez vous y reposer et vous abriter d'un soleil de plomb.

OUTILS ET MATÉRIAUX

Chiffon humide

Baquet en métal galvanisé

Peinture antirouille

Pinceau

5 coquilles Saint-Jacques

Vieille tuile faîtière cassée ou similaire

Feutre indélébile

Perceuse

5 chevilles

Scie à métaux

Lime

5 vis en laiton

Tournevis

Grosse coquille d'escargot

Lime ronde

Petite pompe

Fil de fer fin

Pince coupante

Revêtement pour bassin en caoutchouc souple

Pot en céramique vernissée

Éponge

Cailloux

Ciseaux

Assortiment de coquillages

Plantes en pots

Gravier fin

Boulon en métal

Petit pot mural

1 Afin d'éliminer toute impureté ou trace de graisse, frottez le baquet en métal galvanisé avec un chiffon humide, puis peignez-le à la peinture antirouille et laissez sécher.

2 Disposez les Saint-Jacques dans la tuile faîtière, la plus grosse à la base, et marquez leur emplacement. Percez chaque marque, ainsi qu'un trou supplémentaire près du trou supérieur. Insérez une cheville dans chaque trou, sauf le dernier.

3 À la scie à métaux, coupez les Saint-Jacques en biais pour pouvoir les fixer dans la tuile. Limez les bords si nécessaire.

4 Percez un trou à la base de chaque coquille et vissez-les dans la tuile, en les disposant par ordre de grandeur.

5 Percez un trou à l'arrière de la grosse coquille d'escargot – sans la transpercer de part en part. Avec la lime ronde, agrandissez le trou et insérez-y le tuyau de la pompe.

6 Fixez la coquille d'escargot au sommet de la tuile à l'aide du fil de fer. Faites une boucle sous la première coquille Saint-Jacques et entortillez les extrémités du fil de fer.

7 Tapissez le baquet en métal du revêtement en caoutchouc. Placez-y le pot en céramique et la fontaine derrière. Cachez la pompe au dos de la tuile et entourez-la d'éponge pour la maintenir en place. Remplissez le baquet de cailloux.

8 Coupez les bords de caoutchouc qui dépassent, puis disposez plantes et coquillages autour du baquet. Parsemez les coquillages de gravier fin. Avec le boulon, fixez un petit pot mural dans le trou supplémentaire percé en haut de la tuile. Celui-ci contiendra une plante à feuillage retombant.

LE RANGEMENT DÉCORATIF

Les jardiniers accumulent tout une quantité de matériel : outils, pots, jardinières, compost, raphia, ficelle, graines, paniers, etc., pour ne citer que les moins encombrants. Solution classique, la remise permet de ranger outils et équipements. Toutefois, si vous êtes limité en place, aménagez une mini-cabane à outils, nichée dans un coin du jardin – certaines ne dépassent pas les 30 centimètres de profondeur. Peinte et décorée avec goût, une cabane de jardin peut devenir un élément ornemental et architectural.

Exposer le matériel peut être une option de rangement décoratif. Joliment disposés sur des étagères, de simples pots deviennent esthétiques et s'inscrivent dans le décor – une solution idéale pour des jardins et patios très petits. Au lieu d'acheter des rayonnages tout faits, fabriquez-les vous-même, avec, par exemple, des lattes de bois que vous peindrez avec une peinture extérieure de qualité. Quant aux étagères en métal, anciennes ou neuves, la peinture en bombe pour carrosserie ou la peinture spéciale pour métaux, que l'on peut directement pulvériser sur la rouille, permettent de changer totalement leur aspect.

Fixez solidement tout rayonnage, de préférence à un mur du jardin plutôt qu'à un mur de la maison, car vous risqueriez d'être confronté à des problèmes d'humidité. Exposez sur ces rayonnages les outils ou jeunes plants qui, alignés dans des pots en terre cuite, feront un arrangement réussi.

Les accessoires peu esthétiques, mais indispensables, tels que les poubelles et réservoirs à carburant, gagneront à être dissimulés. Peignez-les d'une couleur qui se fondra dans le paysage, ou bien cachez-les derrière des plantes hautes, au feuillage abondant, ou des treillages. Si votre espace est limité, un treillage recouvert de grimpantes tiendra moins de place que de gros arbustes.

De vieux pots empilés sur des étagères
en métal ont un certain charme.

■ **CI-DESSUS**
En cherchant à embellir ce vieil abri
de jardin, le jardinier a, par la même
occasion, remédié à un problème
pratique : tout en égayant le mur,
ses outils de jardinage sont toujours
à portée de main.

■ **CI-DESSUS**
Les étagères peuvent être exploitées
à des fins purement décoratives. Ici,
quelques galets sélectionnés avec soin,
exposés sur une étagère peinte en bleu,
montée sur encorbellements, constituent
l'un des détails ornementaux du jardin.

■ **CI-DESSUS**
On entasse souvent dans les abris
de jardin toutes sortes d'ustensiles
et accessoires. Ces compositions
hétéroclites, loin d'être inesthétiques,
ont au contraire un charme rustique.

LES MEUBLES
DE JARDIN

....

Afin de profiter pleinement de votre jardin, il est important
de le meubler confortablement : choisissez des éléments qui
vous donneront envie de sortir de la maison, de prendre le temps
de lézarder au soleil ou de faire une sieste à l'ombre.

Il existe une vaste gamme de meubles de jardin. Premier point, optez
pour un mobilier soit que vous laisserez à l'extérieur toute l'année soit
que vous rangerez à la mauvaise saison. On trouve des meubles de jardin
légers, bon marché, mais qui manquent souvent de charme : un coup
de peinture, des coussins et des jetés les égayeront. Les meubles en bois
ou en fonte, s'ils sont chers, représentent un investissement à long terme.

Le mobilier de jardin peut être à la fois fonctionnel et décoratif.
Un hamac suspendu entre deux arbres, une tente abritant
quelques chaises donneront un certain cachet au jardin
et vous offriront d'agréables moments de détente et de plaisir.

■ CI-DESSUS
Ce banc ancien est joliment décoré de jeunes végétaux prêts à être plantés.

■ PAGE DE GAUCHE
Des meubles de jardin en fer forgé et un parasol suffisent à créer un coin-repas.

LE CHOIX DES MEUBLES DE JARDIN

Des chaises pliantes, en métal ou en bois et toile, qui se rangent facilement et que l'on sort à volonté, à la « salle à manger » complète, il existe une infinie variété de meubles de jardin. Ne surchargez pas votre espace extérieur en sièges ; en revanche, quelques structures fixes, comme un banc en bois abrité sous une tonnelle ou une table et des chaises métalliques installées dans le patio, en feront un lieu plein de chaleur et de vie. Ces éléments joueront en outre un rôle architectural important.

Lorsque le soleil printanier fera sa première percée, sans doute serez-vous tenté de prendre le café au jardin. Plutôt que de fouiller la remise pour trouver une chaise, vous apprécierez la présence d'un banc en bois qui reste toute l'année dehors. De plus, vous serez content de vous reposer quelques instants lors d'une rude séance de bêchage hivernal.

Si vous souhaitez laisser des meubles dehors en toutes saisons, choisissez-les imputrescibles, en bois ou en métal peint par exemple. Le bois nécessite d'être enduit d'un produit de protection ; pour garder son efficacité, ce traitement doit être renouvelé au moins une fois par an. Le mobilier en plastique, quant à lui, demande peu d'entretien, hormis un nettoyage fréquent, mais sa durée de vie est limitée ; à la longue, il se fragilise et se casse facilement. Les meubles en osier ou en rotin sont confortables et esthétiques. Malheureusement, ils s'abîment très vite sous les intempéries et demandent, lorsque l'on ne s'en sert pas, d'être rangés à l'abri.

■ **CI-CONTRE**
Cette pièce unique, mi-chaise, mi-sculpture, est faite de bois flotté et de piquets de clôture. Elle s'inscrit parfaitement dans un cadre extérieur.

■ **CI-CONTRE**
Les sièges
en osier sont
confortables,
surtout s'ils
sont garnis de
coussins. Ils
s'intègrent à tout
style de jardin.
Après un été
passé dehors, ils
auront pris une
subtile patine
naturelle, mais
si vous préférez
les couleurs vives,
peignez-les.

■ **CI-DESSOUS**
Restaurées, ces chaises en lattes
de bois seront idéales pour un dîner
en plein air avec des amis.

■ **CI-CONTRE**
Les meubles
en métal sont
robustes et
nécessitent
peu d'entretien.
On peut les
laisser dehors
toute l'année.

LES SIÈGES

Les sièges sont des éléments avant tout fonctionnels :
on s'y assoit et on s'y repose. Ils contribuent également
à définir le style du jardin. Certains, comme le traditionnel
banc de pierre que l'on ne déplace plus une fois installé,
font alors partie intégrante du jardin.

Dans la mesure du possible, choisissez des structures permanentes en harmonie avec le reste du jardin. Si la majorité du mobilier reste encore onéreux, vous pouvez obtenir de bons résultats avec des sièges de récupération : un vieux banc de bois se patinera avec le temps d'un doux gris teinté de vert et semblera être là depuis toujours.

Un banc isolé évoque la sérénité, probablement parce qu'il n'incite pas à la conversation, mais plutôt à la méditation. À l'inverse, la causeuse, en forme de S, permet à ses occupants de se faire face et porte bien son nom. Une table entourée de chaises favorise les échanges lors d'un déjeuner en famille, de la visite d'un ami ou d'une soirée conviviale.

En été, rien de plus agréable que de se prélasser dans une confortable chaise longue ou dans un fauteuil de metteur en scène. Quant au transat de plage, il invite à la rêverie. À l'origine, ces sièges, conçus pour les longs voyages en paquebot, étaient constitués de lattes de bois. Dans leur version actuelle, ils se déclinent en bois, en métal ou en plastique et sont souvent garnis de coussins bien rembourrés. Le hamac est également propice à la sieste : son doux balancement entre deux arbres vous entraînera rapidement vers le sommeil.

■ **CI-CONTRE**
Le mobilier contribue à l'esthétique
du jardin. Un vieux banc réformé
fera un excellent support pour toutes
sortes d'objets décoratifs.

■ **CI-DESSOUS**
Les meubles en fonte ouvragés ont
autant de succès qu'au siècle dernier.
Ils sont malheureusement assez chers :
c'est pourquoi on les voit plus dans les
jardins publics que chez les particuliers.

■ **CI-CONTRE**
Ce fauteuil en osier a été rajeuni,
il y a quelques années, avec de la
peinture pour carrosserie de deux
nuances de bleu. Si celle-ci commence
à s'écailler, le fauteuil conserve
néanmoins un certain charme champêtre.

LA CHAISE DE CORDE ET DE BOIS FLOTTÉ

Donnez du cachet à une chaise ordinaire en l'habillant de corde et en dissimulant les raccords disgracieux avec des morceaux de bois flotté ramassés sur la plage. Ici, deux morceaux de bois apportent au dossier une ligne originale. Parfois, il suffit d'un rien pour fabriquer ou rénover du mobilier. La corde, matériau résistant et bon marché, a une texture que l'on a envie de toucher. Vous trouverez toutes sortes d'autres matériaux décoratifs – écorces, branchages, coquillages – au cours de vos balades en forêt ou sur la plage.

1 Confectionnez des petits écheveaux de corde. Collez solidement l'extrémité d'un écheveau en haut de la chaise. Vous devrez procéder ainsi chaque fois que vous entamerez un nouvel écheveau.

2 Afin que la corde tienne bien, appliquez une fine ligne de colle sur le dossier de la chaise. Partez d'un côté et entourez la corde autour de la chaise, en serrant bien.

OUTILS ET MATÉRIAUX

Pelote de corde de jute

Ciseaux

Pistolet à colle

Chaise

Morceaux de bois flotté

3 Sur la barre centrale du dossier, réalisez deux motifs décoratifs en croix. Fixez-les avec de la colle.

4 Collez les bois flottés en haut du dossier et attachez-les avec de la corde. Finissez par un nœud sous le bois.

■ **CI-CONTRE**
Inspirez-vous des matériaux du quotidien pour rajeunir de vieux meubles.

LE FAUTEUIL DE METTEUR EN SCÈNE PATINÉ

Voici une technique pour transformer en un tournemain du mobilier neuf en mobilier vieilli, pour donner au bois une patine qui se marie parfaitement à un cadre extérieur. Les meubles d'aspect ancien, usagé, sont souvent plus esthétiques que des meubles flambant neufs et immaculés.

OUTILS ET MATÉRIAUX

Fauteuil de metteur en scène

Brosse en chiendent

Seau

Eau savonneuse

Chiffon

Papier-cache adhésif

Bougie

Peinture vinylique bleu clair et blanche

Pinceaux

Papier de verre

Vernis acrylique mat

1 Enlevez la toile du fauteuil et brossez le bois à l'eau savonneuse. Essuyez avec un chiffon sec. Laissez sécher.

2 Couvrez toutes les fixations métalliques de papier-cache adhésif. Frottez le bois avec la bougie, en insistant sur les endroits qui devraient être normalement usés, tels les bords et les angles. Diluez la peinture vinylique bleu clair dans 1/3 d'eau, puis peignez le cadre du fauteuil. Laissez sécher.

■ CI-DESSOUS
Bon marché, les fauteuils de metteur en scène sont faciles à transporter et à ranger. Cette technique simple vous permettra de donner au vôtre un aspect vieilli décoratif.

3 Poncez la peinture au papier de verre pour faire apparaître le bois, puis frottez avec la bougie. Diluez la peinture vinylique blanche dans 1/3 d'eau, puis peignez le cadre du fauteuil. Laissez sécher.

4 Frottez au papier de verre pour faire apparaître le bois et la peinture bleue. Vernissez, laissez sécher et remettez la toile.

LA CHAISE EN MOSAÏQUE

Cette vieille chaise, dénichée en piteux état chez un brocanteur, a été transformée de façon tout à fait originale. La réalisation de cette grande mosaïque nécessite une grande quantité de morceaux de céramique. Si vous ne parvenez pas à vous procurer suffisamment de pièces du même motif, utilisez des couleurs et des dessins légèrement différents pour chaque partie de la chaise.

■ **PAGE DE DROITE**
Dans le jardin, cette chaise couverte de mosaïque, vraiment originale, ne manquera pas d'attirer le regard.

OUTILS ET MATÉRIAUX

Chaise

Contreplaqué de 2 cm d'épaisseur

Décapant

Papier de verre à gros grain

Pinceau

Colle à bois vinylique

Colle à bois

Spatule de vitrier

Crayon ou craie

Assortiment de vieilles céramiques (grande quantité)

Pince à rogner

Joint en poudre pour carrelage

Gants en caoutchouc

Brosse à ongles

Chiffon doux

1 Si la chaise a une assise rembourrée, remplacez-la par du contreplaqué de même dimension. Décapez le bois, puis poncez-le au papier de verre à gros grain. Enduisez toute la surface de colle vinylique diluée.

2 Une fois l'ossature de la chaise sèche, collez l'assise avec de la colle à bois et comblez les interstices avec du joint de carrelage préparé.

3 Tracez un dessin ou des motifs sur toutes les surfaces larges et planes de la chaise. Préférez des formes simples, telles que cette fleur, dont les contours seront plus faciles à suivre.

4 Sélectionnez des céramiques dont les couleurs et les motifs sont appropriés à votre dessin. Avec la pince à rogner, coupez-les en morceaux à la taille et aux formes requises.

5 Étalez la colle à carrelage sur les surfaces de votre dessin et collez les morceaux de céramique en appuyant fermement.

6 Procédez au fur et à mesure, par petites zones, pour recouvrir ainsi toute la surface de la chaise. Changez de motif pour chaque partie. Sur les bords de la chaise, utilisez des éclats de céramique étroits. Laissez sécher au moins 24 heures.

7 Avec le couteau à mastiquer, enduisez la mosaïque de joint de carrelage. Enfilez les gants en caoutchouc et étalez le joint sur les surfaces planes. Ôtez l'excès aussitôt. Laissez sécher.

8 Lorsque le joint est complètement sec, retirez le surplus de ciment au papier de verre ou avec une brosse à ongles dure. Polissez la céramique avec un chiffon doux.

UN COUP DE PEINTURE

Votre jardin sera plus harmonieux si les meubles sont
en accord avec l'environnement. Peindre de vieux meubles
permet en outre de faire des économies : fouinez dans
les brocantes à la recherche de bonnes affaires ou bien
réutilisez au jardin le mobilier d'intérieur que vous désirez
remplacer. Avant leur restauration, ces sièges étaient
dans un triste état : la peinture de la chaise à lattes s'écaillait
et le vernis de la tyrolienne avait perdu tout son éclat.

■ **PAGE DE DROITE**
Honneur aux couleurs vives des
Caraïbes avec ce rose et ce mandarine
pour un jardin plein de vie.

■ **CI-DESSOUS**
Mariage délicat du taupe et du blanc
pour cette chaise à l'allure italienne,
la touche appropriée dans un jardin
où dominent les tons naturels du bois.

■ **CI-DESSUS**
La teinte lumineuse de cette chaise de style tyrolien s'accorde
parfaitement avec le mur peint de la cabane à l'arrière-plan,
les plantes aux feuilles gris argenté et les fleurs d'un joli rose vif.

LA PATINE ET L'EFFET VIEILLI

Les antiquaires spécialisés dans le mobilier de jardin ancien pratiquent parfois des tarifs prohibitifs. Les chaises pliantes, comme on en voyait autrefois dans les jardins publics, sont aujourd'hui très recherchées et certains sont prêts à beaucoup dépenser pour leur peinture passée et leur bois patiné. Une solution bien moins onéreuse consiste à acheter des chaises pliantes neuves, en bois dur, que vous vieillirez vous-même en un clin d'œil. Quatre chaises neuves vous reviendront au même prix qu'une seule chaise ancienne. Il suffit de les poncer, de les frotter avec une bougie, de les peindre et de les poncer à nouveau. Laissez-les ensuite dans le jardin : la nature se chargera de les patiner un peu plus. Au bout de quelques mois, vous aurez ainsi vos propres antiquités.

OUTILS ET MATÉRIAUX

Chaise de jardin pliante en bois

Papier de verre à grain moyen

Bougie

Peinture vinylique blanche

Pinceau

Paille de fer

1 Avec le papier de verre, poncez la chaise afin que la peinture adhère bien au bois. Passez la bougie de façon irrégulière sur sa surface, en insistant bien sur les bords et dans les coins.

2 Passez plusieurs couches de peinture vinylique blanche, en donnant des coups de pinceau irréguliers. Laissez sécher.

3 Une fois la chaise sèche, frottez-la à la paille de fer pour enlever la peinture des zones couvertes de cire et faire apparaître le bois. Dépoussiérez la chaise avec un chiffon humide et laissez sécher.

■ PAGE DE DROITE
Cette ravissante chaise en bois, à l'aspect vieilli et usé, semble être dans le jardin depuis des années.

LES TABLES DE JARDIN

C'est autour de la table que se concentre la vie dans le jardin. Tant que le temps le permet, la table de jardin remplace celle de la salle à manger, le plan de travail de la cuisine, voire votre bureau. Sitôt installée, toutes les occasions seront bonnes pour l'utiliser : le petit déjeuner, un repas léger, le goûter des enfants ou un souper en tête à tête. À la belle saison, lorsque les soirées sont longues, rien n'est plus agréable et relaxant que de manger dehors.

Choisissez une table de bonnes dimensions, solide, stable et dans un matériau résistant à une exposition extérieure plus ou moins permanente. Délimitez si vous le souhaitez une « salle à manger » à ciel ouvert, au moyen d'un écran de treillage, d'un parterre de fleurs, d'une tonnelle ou d'une rangée de bacs garnis de plantes. Une pergola vous donnera de l'ombre et un sentiment d'intimité.

■ CI-DESSUS
Sur un simple plateau de table, peignez un décor de coquillages puis badigeonnez-le pour lui donner un aspect vieilli. Vernissez la surface pour la protéger.

■ CI-CONTRE
Cette mosaïque irrégulière, aux lignes audacieuses et aux contrastes soutenus, a été réalisée sur un plateau de table en bois rond, vissé sur un piétement métallique.

■ **CI-CONTRE**
Les mosaïques constituent un
revêtement résistant et introduisent
dans le jardin de belles notes de couleur.

■ **CI-DESSOUS**
Les années et les intempéries
ont beau les dégrader, les meubles
de jardin en fer forgé gardent
néanmoins un charme certain.

LA TABLE DE JARDIN EN BOIS

Cette table rustique convient parfaitement au jardin : le bois, déjà patiné, prendra au fil des ans un aspect encore plus séduisant. Vous pouvez la laisser dehors en toutes saisons, en y passant simplement de temps à autre une couche de protection incolore. Le plateau mesure ici 75 × 75 cm, mais vous pouvez, bien sûr, adapter cette table aux dimensions de votre choix.

■ **PAGE DE DROITE**
Par tous les temps, cette table rustique mettra de la vie au jardin. Placez-la près d'un banc ou d'une chaise ou servez-vous en comme desserte.

OUTILS ET MATÉRIAUX

5 planches patinées de 75 × 15 cm

Mètre ruban

Scie

Tasseau patiné de 5 × 1 cm, de 1 m de long

Perceuse électrique

Tournevis

Vis de 4 cm

4 piquets en bois et plusieurs gros bâtons

Marteau

Clous de 7,5 cm et 4 cm

Crayon

Corde

1 Pour le plateau de la table, posez les planches côte à côte. Découpez le tasseau en deux pièces de 50 cm de long. Percez des trous puis vissez-les en travers des planches, à environ 7,5 cm de chaque bord.

2 Sciez les quatre piquets afin d'obtenir quatre pieds de 90 cm de haut. Coupez quatre bâtons de 43 cm de long.

3 Clouez l'un des bâtons à un quart de la longueur de chaque paire de pieds, afin de constituer deux cadres latéraux.

4 Posez le plateau à l'envers. Centrez les cadres latéraux sur les tasseaux et tracez le contour de chaque pied.

5 Percez un trou pilote au centre de chaque cercle.

6 Posez le plateau sur un cadre latéral et clouez les pieds. Procédez de la même manière pour l'autre cadre latéral.

7 Coupez un gros bâton de 62 cm de long. Maintenez-le en place et clouez-le à l'arrière de la table, entre les deux panneaux latéraux.

8 Coupez deux bâtons de 90 cm de long et clouez-les en diagonale, une extrémité à un pied de devant, l'autre au pied de derrière opposé. À leur intersection, attachez les deux bâtons avec de la corde.

LA TABLE DE JARDIN EN MOSAÏQUE

Ce plateau de table est confectionné avec des morceaux de pots en céramique et de carrelage. Son attrait réside dans la coordination des couleurs, la simplicité et la clarté de son dessin. Bien que cette table supporte bien l'humidité, mieux vaut la rentrer en hiver, afin de prolonger sa durée de vie.

■ **PAGE DE DROITE**
Montez ce plateau de table en mosaïque sur des pieds en métal ou en bois ou vissez-le sur une vieille table ronde.

OUTILS ET MATÉRIAUX

Contreplaqué de 2,5 cm d'épaisseur

Ficelle

Punaise

Crayon

Scie sauteuse

Traitement protecteur pour bois

Pinceau

Pince à rogner

Assortiment d'éclats de céramique (grande quantité)

Colle à carrelage

Joint à carrelage

Colorant pour joint

Gants en caoutchouc

Brosse à vaisselle

Chiffon

LA PRÉPARATION

Pour tracer le plateau rond, attachez un morceau de ficelle de 60 cm à une punaise que vous enfoncerez au centre du contreplaqué. Attachez un crayon à l'autre extrémité. Tracez le cercle, puis découpez-le à la scie sauteuse.

1 Dessinez le décor sur le contreplaqué. Ajustez la longueur de la ficelle pour tracer des cercles concentriques.

2 Enduisez la table de traitement pour bois et laissez sécher.

3 Avec la pince à rogner, coupez les morceaux de céramique aux dimensions requises et disposez-les sur le plateau. Servez-vous des motifs de la céramique pour concevoir ceux du dessin.

4 Une fois le dessin achevé, procédez section par section : étalez de la colle sur chaque morceau de céramique, puis fixez-le en position.

5 Teintez le joint de carrelage. Enfilez les gants en caoutchouc et, avec les doigts, faites pénétrer le joint entre les pièces de la mosaïque. Terminez en passant la brosse à vaisselle sur toute la surface. Essuyez tout excès de joint.

LA CONSOLE DE JARDIN

Cette console, conçue pour l'intérieur, a été traitée avec une peinture d'extérieur. Vous disposerez ainsi au jardin d'une desserte supplémentaire où poser boissons ou plats lorsque vous recevrez vos amis.

OUTILS ET MATÉRIAUX

Console

Papier de verre à grain moyen

Apprêt acrylique blanc pour bois

Pinceaux fin et moyen

Badigeon

Peintures acryliques de couleurs terre cuite et rose

Badigeon de texture fine

Glacis acrylique de veinage faux bois

Chiffon

Crayon

Bristol

Cutter

Pochon

Vernis polyuréthane

Pinceau à vernis

1 Poncez soigneusement toutes les surfaces de la console. Enduisez-la d'apprêt blanc et laissez sécher. Teintez un peu de badigeon avec de la peinture acrylique terre cuite et passez une couche de base sur la table. Laissez sécher 4 à 6 heures.

2 Teintez un peu de badigeon de peinture acrylique rose, ajoutez le glacis faux bois et diluez avec de l'eau jusqu'à obtention d'une crème épaisse. Peignez la console, puis essuyez-la avec un chiffon dans le sens du grain. Laissez sécher.

3 Sur un morceau de bristol, dessinez une feuille et découpez-la. À l'aide de ce pochoir, avec de la peinture terre cuite, peignez une feuille à chaque angle de la console. Laissez sécher puis vernissez.

■ **CI-CONTRE**
Ce placard, réalisé avec des pièces de bois flotté assemblées, a tout le charme et la simplicité du style naturel.

■ **PAGE DE DROITE**
Lorsque vous n'utilisez pas la console, amusez-vous à y exposer des objets, comme vous le feriez dans la maison.

LES AUVENTS ET PARASOLS

À l'extérieur, il est parfois nécessaire de s'abriter du vent ou du soleil. Un brise-vent vous permettra de vous asseoir dehors même tôt au printemps ou tard en automne. Grâce au parasol, en plein été, vous pourrez déjeuner ou vous relaxer à l'ombre au plus chaud de la journée. Et si vous préférez les déjeuners au soleil, le parasol sera néanmoins indispensable pour protéger de la chaleur les aliments posés sur la table.

Si vous avez rejeté l'idée de bâtir une pergola au-dessus de votre patio, parce que celle-ci vous prive en hiver de la lumière du soleil, l'auvent de toile constitue une alternative plus souple.

Les jours de canicule, il vous procurera de l'ombre et abritera également les fenêtres de la maison, ce qui permettra de conserver un peu de fraîcheur à l'intérieur. En demi-saison, lorsque vous désirerez profiter du soleil, il suffira de l'enrouler contre le mur.

Mais si vous préférez suivre la course du soleil, un grand parasol, muni d'un pied lesté, se transportera facilement dans le jardin.

■ **CI-DESSUS**
Quatre chaises, une table et un parasol forment instantanément un coin repos décontracté et agréable, une tonnelle portable sous laquelle savourer les plaisirs du jardin.

■ **CI-CONTRE**
À l'abri d'une tente, les dernières tâches de l'été – équeuter les fruits par exemple – deviennent un agréable passe-temps. Cette tente de style 1900 est faite d'un cadre de métal léger, facile à monter, sur lequel on glisse ensuite la toile par le haut.

■ **PAGE DE GAUCHE**
Cet arbre mort a été aménagé en un coin repos abrité, savamment étudié. L'auvent a été construit avec les branches de l'arbre. Quant au pigeonnier, il attire les oiseaux, dont on apprécie les roucoulades lorsque l'on est assis sous l'abri.

PLANTER
LE DÉCOR EN POTS

....

Comme les vases de fleurs fraîches à l'intérieur, les plantes en pots apportent formes et couleurs au jardin et y adoucissent les lignes architecturales. Tout au long de l'année, elles s'épanouissent et introduisent des palettes de couleurs magnifiques selon les saisons.

Les compositions de plantes sont l'un des attraits majeurs du jardin. Plus que tout autre élément, les plantes – sans oublier les pots qui les abritent – en définissent le style. Pour donner du cachet à votre jardin, regroupez-les par couleur, associez différents pots au sein d'une composition miniature, sculptez des arbustes ou ajoutez des variétés inhabituelles, comme des fraises des bois ou des herbes aromatiques, à vos jardinières et paniers suspendus.

■ **CI-DESSUS**
Regroupez des plantes en une composition éclatante de couleurs.

■ **PAGE DE GAUCHE**
En matière d'agencement des plantes en pot, aucune règle ne s'impose :
n'hésitez pas à opter pour l'éclectisme et l'originalité.

DES PLANTATIONS DÉCORATIVES

Maintenant que les structures de base du jardin sont définies, laissez libre cours à vos envies. Dans la maison, quand les murs sont peints et les revêtements de sol posés, on choisit meubles, rideaux et tapis ; au jardin, ce sont les plantes qui assurent la majeure partie du décor. Sans elles, le jardin aurait un air sévère, peu engageant. Habillez-le d'un peu de végétation et il paraîtra aussitôt bien plus accueillant. Même si vous ne possédez aucune connaissance en matière de jardinage, vous ferez vite connaissance des plantes et elles deviendront une source de plaisir lorsque vous traverserez le jardin, quelle que soit la saison.

Assembler couleurs et textures pour composer de magnifiques plates-bandes est l'un des aspects les plus plaisants du jardinage, car il permet de laisser libre cours à sa créativité. Décorer le jardin de plantes ne se limite pas uniquement à la composition de parterres.

Telles des tentures, les plantes grimpantes habilleront les arches et adouciront les perspectives ; les murs du jardin ainsi que ceux de la maison s'orneront de paniers suspendus colorés. Masquez un sol nu et triste d'un tapis de plantes couvre-sol. Pensez à mettre en valeur arbres et arbustes déjà en place, en plantant à leurs côtés des variétés qui souligneront leurs formes. Enfin, bacs et pots permettent de disposer les plantes là où elles ne manqueront pas d'attirer le regard.

■ **PAGE DE DROITE**
Une tonnelle fleurie de roses, de digitales et de clématites encadre cette statue, tel un écrin.

■ **CI-DESSOUS**
Ce treillage sépare deux parties du jardin, dont l'une, en été, est dissimulée derrière le rideau de feuillage et de fleurs éclatantes d'un rosier grimpant.

■ **CI-DESSUS**
Ce chérubin, support original pour un lierre, ajoute une note de charme à la remise du jardin.

■ **CI-CONTRE**
Ces poteries grecques ont été utilisées ici pour leur intérêt sculptural. Des euphorbes d'un vert éclatant adoucissent leurs lignes et les mettent en valeur.

UN JARDIN DE COULEURS

Pour flatter l'œil, coordonnez les couleurs des plantes, des bacs et des pots à celles des éléments du jardin. Garnissez les pots de fleurs aux tons complémentaires et, une fois la floraison passée, remplacez-les par de nouvelles variétés de saison. N'hésitez pas à jouer sur les contrastes. Fraîcheur et gaieté seront ainsi au rendez-vous d'un bout à l'autre de l'année dans le jardin et, au fil des saisons, le décor se renouvellera.

■ **CI-DESSOUS**
La barrière a été peinte dans une douce teinte d'un vert gris-bleu sur laquelle se détachent d'autres nuances de vert. Les rayures du pot s'harmonisent avec les tons de vert et de rose des fleurs.

■ **CI-CONTRE**
Les nuances de bleu, vert et violet du chou d'ornement ressortent d'autant mieux dans ce seau en métal galvanisé, déposé contre une clôture en bois peinte en bleu-vert.

■ **CI-DESSUS**
Même les outils de jardinage les plus
vétustes peuvent contribuer à la
décoration. Ici, le bleu de la brouette
abritant de délicates pensées violettes
s'harmonise parfaitement avec
le mur bleu et les accessoires gris.

■ **CI-CONTRE**
Dans leurs pots de terre cuite, ce pavot
et ces pensées jaunes forment une
ravissante composition avec, en toile
de fond, un mur de briques ocre.

DES TOUCHES DE COULEUR

Tout comme vous égayez votre intérieur de bouquets
colorés, embellissez le jardin de plantes fleuries.
Une composition de plantes et de pots aux teintes
assorties sera du meilleur effet – il est très facile de peindre
des pots en terre dans des coloris en accord avec vos fleurs
préférées. Lorsque vous recevez, pensez à décorer
le jardin, en exposant sur une table divers pots garnis
de plantes en fleur : selon vos goûts, choisissez des
couleurs chaudes et contrastées, ou bien des nuances
plus fraîches de bleu, violet et blanc.

■ CI-DESSOUS
Pour une soirée d'été, introduisez
au jardin des bouquets éclatants de
couleurs. Ici, les tonalités chaudes
des pélargoniums, pensées, verveines
et zinnias jaunes rivalisent entre elles.
Les ustensiles de cuisine émaillés et
la « cafetière » en fil de fer abritant les
plants de fraisier apportent la touche
finale à cette composition originale.

■ **CI-DESSUS, À GAUCHE**
Sur un socle de pierre, des pots peints
en blanc et plantés de muguet constituent
une élégante décoration printanière.

■ **CI-DESSUS, À DROITE**
Des primevères plantées dans une urne
de pierre ancienne, aux côtés d'une
épine-vinette forment une composition
aux tons chauds et cuivrés.

■ **CI-CONTRE**
Le feuillage bleu-vert des œillets et
des oxalis se marie parfaitement avec
la patine vert-de-gris de ce vieux seau en
cuivre. Suspendez cet accessoire dans
le jardin ou près de la maison : cette idée
toute simple permet d'apporter de
la couleur en hauteur, notamment au
printemps, lorsque les plantes fleuries

LES JARDINS MINIATURES

Vous trouverez sans doute beaucoup de plaisir à agencer un jardin miniature. Il créera un effet de surprise dans un recoin, embellira un endroit délaissé ou sera confié aux enfants, qui adoreront s'occuper de leur propre espace cultivé.

Concevez de préférence le jardin miniature autour d'un thème : herbes aromatiques, pensées, mini-légumes ou lavande. Prévoyez ensuite un type de bac différent pour chaque variété de plante qui entrera dans la composition. Si ce sont les pots qui en constituent l'intérêt, sélectionnez arrosoirs, casseroles, marmites, ustensiles émaillés ou en terre cuite de formes et tailles diverses.

Dans un autre registre, vous pouvez reproduire un jardin conventionnel de style classique. Placez une statuette au centre de haies basses de buis taillés, entourées par de minuscules parterres de lavande naine par exemple.

■ CI-DESSOUS
Voici une idée originale de jardin miniature : cette collection de vieux arrosoirs en métal galvanisé patiné accueille hostas et pensées.

■ **CI-DESSUS**

Les parterres de thym existent depuis des siècles. L'attrait de cette herbe réside dans son irrésistible arôme et dans sa grande diversité : rondes ou effilées comme des aiguilles, ses feuilles peuvent prendre des formes multiples, une texture lisse ou cotonneuse, et leur couleur varier de l'argenté au plus sombre des verts. Pour une superbe composition, mélangez différentes variétés et plantez-les dans des petits pots qui les mettront bien en valeur.

■ **CI-DESSUS**

Au début du printemps, rassemblez de petites potées de muscaris qui constitueront un magnifique camaïeu de bleu.

■ **CI-CONTRE**

L'hosta, le lierre et la clématite (on laisse pousser cette dernière sans support afin que ses fleurs retombent en toute liberté) décorent ces grosses poteries en terre cuite. De vieilles plaques et des tuiles de bordure apportent à la composition la touche finale.

TIRER LE MEILLEUR PARTI DES PLANTES COMMUNES

Un beau jardin n'est pas forcément l'œuvre d'un expert en jardinage. Des plantes ordinaires peuvent devenir intéressantes si vous les travaillez de façon judicieuse. On trouve maintenant dans la plupart des jardineries des arbustes aux formes variées, auxquels vous apporterez votre note personnelle. Laissez libre cours à votre créativité en les plantant dans un pot original et en leur ajoutant un joli tapis de végétation.

L'art topiaire, ou taille ornementale, est de nouveau à la mode, mais ne se cantonne plus aux grands jardins conventionnels. On peut maintenir dans des proportions modestes buis et troènes cultivés en pots, ainsi que toute autre plante qui garde sa forme en se développant, ce qui n'exclut pas la taille en globe ou en cône.

■ CI-DESSUS
Un hortensia-tige en pot, semblable à un petit arbre, convient parfaitement pour un patio. Vous apprécierez ainsi sa floraison exubérante sans craindre qu'il envahisse le jardin.

■ CI-DESSUS
L'art topiaire à petite échelle peut être utilisé pour réaliser une composition, comme, ici, border une allée ou des parterres de fleurs, ou encore délimiter différentes parties du jardin.

■ **CI-DESSUS**
Ce rosier ne grimpe pas sur un mur
ou un treillage, mais sur un obélisque
tout simple. Ses tiges, qui poussent
en diagonale, contribuent grandement
à l'effet décoratif.

■ **CI-DESSUS**
Un piment en pot apportera au jardin
une note de fantaisie.

■ **CI-CONTRE**
Même dans un petit jardin, les arbres
fruitiers seront les bienvenus. Ici,
deux pommiers sauvages *ballerina*
encadrent un pommier ornemental.

LES PLANTES EN POTS

Pour tirer le meilleur parti des fleurs en toutes saisons, les pots et bacs restent les plus appropriés : du fait qu'on peut les regrouper et les superposer, ils permettent de réaliser des compositions de couleurs qui feront toujours un bel effet.

Pots et bacs conviennent à n'importe quel jardin : ils sont avant tout un élément de décoration et permettent d'agencer les plantes et les couleurs selon vos goûts. Un peu de couleur serait bienvenue en hauteur ? Ornez un mur d'un panier suspendu ou d'une vasque murale. Un parterre manque d'une note de couleur ? Ajoutez-lui une poterie garnie de fleurs éclatantes. Pour obtenir une superbe composition, disposez des petits pots le long d'un grand bac.

LES POTS EN TERRE

Rien ne vaut la simplicité des pots en terre : ceux-ci se fondent dans le paysage et se marient avec presque tous les types de plantes. Si vous devez les laisser dehors par temps froid, assurez-vous qu'ils résistent au gel ; sinon, en hiver, leurs bords risquent de s'effriter.

■ **PAGE DE DROITE**
Pour cette somptueuse décoration de fenêtre, on a fixé une jardinière devant le rebord et on en a posé une autre dessus. Pétunias et dianthus ont été choisis pour leurs teintes subtiles de rose et violet coordonnés, renforcées par les énormes globes lilas des alliums au premier plan.

■ **CI-DESSOUS**
Ces pensées blanches dans de vieux pots en terre patinés par le temps décorent avec sobriété le rebord d'une fenêtre.

Selon la région où ils sont fabriqués, les pots et bacs n'ont pas tous le même aspect.

Les pots typiques des pays du nord de l'Europe sont généralement d'une teinte très rouge, qui s'atténue cependant avec le temps, sous l'effet des sels minéraux qui apparaissent à leur surface. Vous pouvez accélérer ce processus en frottant les pots à la chaux. Ajoutez de l'eau dans la chaux et préparez une pâte épaisse que vous passerez sur le pot avec une vieille brosse. Quand l'eau se sera évaporée, la terre cuite sera couverte d'une pellicule blanche et veloutée. La chaux n'est en aucun cas nocive pour le jardin (on l'emploie parfois comme engrais) mais n'empêche pas le développement naturel des moisissures qui patineront le pot. Il est aussi possible de vieillir les pots en les frottant avec du yaourt, puis en les laissant dans un endroit humide et ombragé. On favorise ainsi le développement des moisissures, mais le procédé est un peu plus long.

Les pots des régions méditerranéennes, ensoleillées, sont très différents de ceux d'Europe du Nord.

Les amphores grecques, par exemple, que l'on utilisait autrefois pour stocker le grain ou l'huile, ont des formes élégantes et une couleur sable superbe. Certaines sont traitées pour résister au gel.

DES IDÉES ORIGINALES

Rien ne vous oblige à vous limiter aux pots de jardin. De nombreux récipients conviennent, à condition que leur base puisse être percée pour permettre l'écoulement de l'eau : de vieux fûts de bière coupés en deux, des pots en céramique, des tuyaux de cheminée, des seaux, des paniers rustiques (type cagettes à pommes de terre) ou des corbeilles de jardinier en bois. Avec un peu d'imagination, vous transformerez paniers à provisions, cages à oiseaux et lanternes en paniers suspendus ou de jolis bidons d'huile d'olive en jardinières originales.

■ **CI-DESSOUS**
Toutes sortes d'objets peuvent servir à suspendre les plantes en hauteur, ce qui sera apprécié au printemps et au début de l'été, quand les plantes sont encore petites. Ici, trois paniers sont disposés les uns au-dessus des autres.

■ **CI-DESSUS**
Des pots chinois en céramique à motif floral constituent de ravissants éléments décoratifs. Ici, les plantes fleuries, des pélargoniums et des pétunias, sont en parfaite harmonie avec leur contenant. Une statue chinoise complète le tableau.

■ **CI-CONTRE**
En dépit de leur simplicité, deux pots en terre plantés de vaporeuses fleurs blanches donnent à ce mur un intérêt ornemental.

■ CI-CONTRE
Ces plaques de
fonte ouvragées
dissimulent de
façon originale
d'ordinaires pots
en plastique qui
seront remplacés
au fil des saisons
et des périodes
de floraisons.

DES IDÉES DE JARDINIÈRES

Les jardinières donnent aux façades une luxuriance que vous pourrez admirer de l'intérieur, comme si le jardin pénétrait dans la maison. En été, garnissez-les d'exubérantes cascades de plantes à repiquer, mais ne les délaissez pas pour autant le reste de l'année. La véronique (*Hebe*) et le lierre, par exemple, conservent leur feuillage tout au long de l'hiver ; en les parsemant de pensées à floraison hivernale, vos jardinières resplendiront de couleur chaque fois que le temps sera plus clément. À l'automne, plantez des bulbes à floraison printanière et vous observerez, en temps voulu, les jeunes pousses sortir de terre, tels des messagers annonçant le début d'une nouvelle saison de jardinage.

Comme pour les pots et bacs, vous pouvez déplacer les jardinières lorsque leurs plantes se flétrissent et les remplacer par d'autres contenant des variétés en fleur. Choisissez des jardinières en bois qui se marient avec les plantes et, au fil des saisons, agrémentez-les d'un coup de peinture d'une teinte complémentaire à celles des fleurs.

■ CI-DESSOUS
Les douces formes des pétunias retombant en cascade s'harmonisent avec cette jardinière en bois décorée de motifs au pochoir. Le parfum des fleurs se répand agréablement dans la maison.

■ **CI-CONTRE**
Installée sur
le rebord de
la fenêtre de
la cuisine, une
jardinière d'herbes
aromatiques est à
la fois esthétique
et utilitaire. La
composition est
plantée dans un
vieux cageot aux
teintes délavées.
On y a inclus la
bourrache pour
l'intérêt décoratif
que présenteront
ses fleurs tardives
dans la saison.

■ **CI-CONTRE**
Ici, à portée
de main dans
un vieux panier
d'agriculteur posé
devant la fenêtre
de la cuisine :
sauge dorée,
camomille,
marjolaine et
fraises des bois.
Les boutons d'or
l'agrémentent
de points
de couleur.

LA JARDINIÈRE MARINE

La plupart des jardinières présentent des surfaces planes, qui les rendent plus faciles à décorer que les pots ronds. Ici, des coquilles de moules viennent orner une composition coordonnée de lavande et de pensées. Jouez la diversité en disposant certaines coquilles à l'endroit, et d'autres à l'envers, ou mélangez-les à d'autres coquillages.

OUTILS ET MATÉRIAUX

Coquilles de moules

Petite jardinière en terre cuite

Pistolet à colle

Morceaux de pots cassés ou galets

Terreau (compost)

Truelle

Billes d'argile

Granulés d'engrais

2 plants de lavande

1 plateau de pensées

Arrosoir

1 Disposez les coquillages sur les côtés de la jardinière. Lorsque vous serez satisfait de votre composition, fixez-les avec le pistolet à colle et laissez sécher.

2 Placez des morceaux de pots cassés ou des galets au fond de la jardinière, sur les trous de drainage.

3 Remplissez partiellement la jardinière de terreau, en le mélangeant au fur et à mesure avec des billes d'argile et des granulés d'engrais.

4 Plantez la lavande à l'arrière de la jardinière. Ajoutez du terreau afin de pouvoir planter les pensées à la bonne hauteur.

5 Complétez avec du terreau, en le tassant délicatement autour des plantes et arrosez abondamment.

■ **PAGE DE DROITE**
Les pétales délicats et les subtils dégradés de couleur des pensées se marient bien au gris nacré des coquilles de moules.

DES IDÉES DE PANIERS SUSPENDUS

Si vous souhaitez introduire de la couleur en hauteur dans le jardin pour créer une note verticale, adoucir les lignes sévères d'un mur ou d'une construction, la solution la plus simple consiste à suspendre des plantes. On trouve dans le commerce des paniers suspendus conçus pour que les fleurs débordent en cascades, de façon exubérante, de tous les côtés du panier.

Contrairement aux pots et bacs, l'intérieur des paniers suspendus doit être tapissé, afin d'éviter que la terre ne tombe lorsque vous l'arroserez. Fabriquez vous-même une doublure en découpant un morceau de plastique aux dimensions requises et insérez une couche de mousse, plus esthétique, entre celui-ci et le panier. Vous pouvez également vous procurer des coupelles en pâte à papier ou en natte de coco, spécialement prévues à cet effet : il en existe de toutes formes et dimensions, adaptables à tous types de paniers.

Quel que soit le contenant choisi, remplissez-le d'un terreau de bonne qualité. Des granulés d'engrais et des billes d'argile stimuleront le développement des plantes.

LES JARDINS SUSPENDUS

N'hésitez pas à choisir une alternative au panier suspendu classique : paniers à provisions, seaux, outils agricoles ou accessoires de cuisine – passoires, marmites et casseroles –, percés à la base de trous de drainage, deviendront des paniers suspendus originaux.

Si le récipient que vous avez choisi est de bonne taille et risque, une fois rempli de végétaux, d'être trop lourd pour que vous puissiez le suspendre, remplissez-le partiellement de morceaux de polystyrène expansé. Ce matériau, plus léger que le terreau, assurera en même temps un parfait drainage de l'eau.

■ **CI-DESSUS**
Interprétation étonnante du panier suspendu, une cage à oiseaux indienne, décor idéal pour des plantes en pots. Au début du printemps, accrochée dans un mûrier dont les bourgeons n'ont pas encore éclos, elle apporte une note de gaieté.

■ **CI-DESSUS**
Des vasques miniatures, disposées les unes au-dessus des autres, forment, dans cette minuscule cour, une ravissante colonne végétale.

■ **CI-DESSUS**
Les objets les plus incongrus peuvent servir de panier suspendu. Peu commune et décorative, cette jolie lanterne du Moyen-Orient en métal contient des pots en terre plantés de lierres panachés.

LE PANIER D'ÉTÉ

L'été est la meilleure saison pour profiter des paniers suspendus, notamment dans un petit jardin. Ils apporteront des couleurs sur les murs, dans les vérandas et les patios, ainsi que des parfums si vous choisissez les fleurs appropriées. Plantez-les en début d'année, une fois la menace des dernières gelées dissipée, afin de leur laisser le temps de s'étoffer.

OUTILS ET MATÉRIAUX

Panier suspendu muni de chaînes ou de cordes

Doublure en fibres de coco

Terreau

Truelle

Billes d'argile

Granulés d'engrais

6 lierres panachés

2 diascias

6 verveines

Arrosoir

1 Tapissez le panier de fibres de coco et remplissez-le partiellement de terreau ; en suivant les instructions du fabricant, garnissez au fur et à mesure de billes d'argile et de granulés d'engrais.

2 Sortez les plants de lierre de leurs godets, puis faites passer les tiges au travers des parois du panier. Placez les diascias de chaque côté du panier. Plantez les verveines.

■ **CI-DESSOUS**
Sur un fond de lierre panaché, verveine et diascias, aux couleurs fraîches, s'enchevêtrent en toute liberté et ne tarderont pas à dissimuler le panier.

3 Ajoutez du terreau autour de chaque plant et sur les côtés du panier, puis tassez-le afin que toutes les plantes y soient bien enfoncées. Arrosez abondamment et suspendez le panier.

DES IDÉES DE BACS

Vous pouvez transformer tout récipient présentant un intérêt esthétique en bac à plantes. Lorsque vous aurez découvert ce que l'on peut faire avec des boîtes en fer blanc, caisses en bois, paniers et jarres, vous aurez envie de réaliser des compositions étonnantes. Inspirez-vous de ces quelques idées.

■ **PAGE DE DROITE**
En Chine, des pots en terre émaillée sont souvent utilisés dans un coin de cour pour symboliser une petite mare. Celui-ci contient un nénuphar, un jonc fleuri et un arum.

■ **CI-CONTRE**
Deux couches de vernis ont suffi à transformer cette vieille caisse à vin en bac rustique et charmant. On y a planté un jardin miniature d'herbes aromatiques, à placer sur le rebord de la fenêtre de la cuisine ou à portée de main.

■ **CI-DESSOUS, À GAUCHE**
Plantez un jardin aromatique dans des bidons d'huile d'olive, de préférence de tailles différentes : ici, de la marjolaine, des capucines, du persil, de la sauge et de la bourrache.

■ **CI-DESSOUS**
On a recouvert ce pot de fleurs d'une mosaïque originale et planté un rosier miniature. Un trou percé à la base permet le drainage.

■ **CI-CONTRE**
Dénichée dans
une brocante à
un prix dérisoire,
cette grande
marmite est
devenue un
bac à plantes
d'un bel effet.

LE JARDIN D'HERBES AROMATIQUES EN POTS

Les plantes aux vertus thérapeutiques connaissent un vrai regain de popularité. Ici, on les a plantées dans des pots en terre, sur lesquels on a joliment calligraphié leur nom botanique. Composition en hommage aux apothicaires d'antan, elles sont regroupées dans une large soucoupe. Si le choix a ici porté sur le souci, le thym, la camomille, la lavande et le romarin, vous pouvez opter pour d'autres variétés.

OUTILS ET MATÉRIAUX

Feutre indélébile

5 pots en terre de 10 cm

Assortiment d'herbes : souci (*Calendula*), thym (*Thymus*), camomille (*Anthemis*), lavande (*Lavandula*) et romarin (*Rosmarinus*)

Terreau (facultatif)

Soucoupe en terre cuite de 36 cm de diamètre

Billes d'argile ou gravier

1 Au feutre indélébile, inscrivez le nom botanique des plantes sur le pourtour des pots. Plantez les herbes ; si nécessaire, ajoutez du terreau.

2 Remplissez l'assiette de gravier ou de billes d'argile et posez les pots dessus.

■ **CI-DESSOUS**
Le thym, l'une des herbes de la composition que vous utiliserez le plus, se prépare aussi en tisane ; rafraîchissante, elle favorise la digestion.

PLANTES OFFICINALES

CAMOMILLE : soulage les troubles gastriques et intestinaux.

LAVANDE : appliquez son huile essentielle sur des brûlures superficielles.

ROMARIN : à utiliser en infusion ou en après-shampoing pour des problèmes de cuir chevelu.

SOUCI : herbe cicatrisante, aux effets légèrement antiseptiques.

THYM : à boire en tisane, purifiante et désinfectante.

LE BOUQUET GARNI DÉCORATIF

Le bouquet garni traditionnel, qui se compose de persil, de thym et d'une feuille de laurier, sert à parfumer ragoûts, potages et sauces. En Provence, on y ajoute du romarin. Généralement, ces herbes se trouvent fraîches sur les marchés presque toute l'année. Ici, nous les avons plantées dans une petite caisse en bois tapissée de mousse, et elles deviendront vite indispensables sur le rebord de la fenêtre de la cuisine. Pour disposer de ces herbes même au cœur de l'hiver, pensez à en faire sécher de petites quantités.

OUTILS ET MATÉRIAUX

Perceuse

Caisse en bois de 25 × 20 × 15 cm

40 cm de corde de sisal

Feutre indélébile

Pinceau

Engrais liquide à base d'algues

Mousse

Petit laurier

Thym

2 plants de persil

Terreau

Sable à gros grain

1 Pour les poignées, percez deux trous de chaque côté de la caisse. Enfilez par l'extérieur les extrémités d'un morceau de corde de 20 cm et nouez-les.

■ **CI-DESSOUS**
Devant la fenêtre de la cuisine, à portée de main du cuisinier, les herbes du bouquet garni sont aussi utiles que décoratives.

2 Au feutre indélébile, inscrivez «bouquet garni» de chaque côté de la caisse. Enduisez le bois d'un mélange composé à mesures égales d'engrais liquide et d'eau, qui lui donnera un aspect vieilli.

3 Tapissez la caisse de mousse et plantez les herbes dans un mélange fait de trois mesures de terreau pour une mesure de sable. Ajoutez de la mousse autour des plantes et arrosez abondamment.

L'ART TOPIAIRE APPLIQUÉ AUX HERBES

Voici une façon artistique de cultiver des herbes. Plantez-les dans des pots hauts et étroits qui souligneront leurs lignes sculpturales. Les herbes qui se prêtent à la taille sont celles qui ont une tige en bois, comme le romarin, la verveine citronnelle, la santoline et la lavande.

Sélectionnez de jeunes plants avec une tige centrale robuste et droite, permettant la taille ornementale. Nourries et arrosées régulièrement, transplantées dans des pots plus larges lorsqu'elles grandissent, les herbes atteindront une taille conséquente et vivront plusieurs années. Une plante taillée comme celle-ci conviendra parfaitement pour un jardin d'herbes communes.

Du fait de leur hauteur, ces pots conservent l'humidité moins longtemps que les autres. Il faut donc les arroser plus fréquemment. À la saison de croissance, taillez les herbes tous les quinze jours. Les herbes doivent être protégées du froid : en cas d'hiver rude, mettez les pots dans une grande caisse en bois remplie d'écorces que vous transporterez dans un endroit clair, à l'abri du gel.

■ **PAGE DE DROITE**
Pour mettre en valeur une composition d'herbes en pots, exposez-la sur un fond neutre, où leurs formes se détacheront avec netteté.

OUTILS ET MATÉRIAUX

Ciseaux

Jeunes plants d'herbes : romarin, lavande, santoline ou verveine citronnelle

Pots hauts et étroits

Terreau

Sable à gros grain

Gravier lavé

1 Coupez aux ciseaux toutes les petites branches poussant autour de la tige centrale et ôtez le feuillage des deux tiers inférieurs de cette tige. Taillez le reste du feuillage à la forme désirée.

2 Transplantez les herbes dans des pots en terre cuite garnis d'un mélange de deux mesures de terreau pour une mesure de sable. Couvrez le terreau d'une couche de gravier. Arrosez et placez le pot dans un endroit abrité et ensoleillé.

■ **CI-DESSUS**
Lorsque vos roses d'été seront fanées, coupez-les et sculptez des compositions en les plantant dans de la mousse de fleuriste.

UN JARDIN D'ALPINES ET DE COQUILLAGES

Créez un étonnant jardin d'alpines dans un bac décoré de coquilles Saint-Jacques. Réalisez cette composition au printemps, après les gelées. Une fois plantée, elle demande peu d'entretien. Il suffit de l'arroser de temps à autre pour qu'elle produise, en été, quantité de petites fleurs. En hiver, la croissance ralentit, pour reprendre avec plus de vigueur au printemps suivant.

■ **PAGE DE DROITE**
Choisissez des plantes alpines aux feuilles et fleurs de petite taille, à l'échelle de ce jardin miniature.

OUTILS ET MATÉRIAUX

Cageot

Peinture vinylique jaune-vert

Pinceau

Environ 8 plantes alpines, par exemple des *Sempervivum*, *Sedum* et saxifrage

Pistolet à colle

12 coquilles Saint-Jacques

Grand sac en plastique

Ciseaux

Terreau

Assortiment de coquillages

1 Peignez le cageot à la peinture vinylique et laissez sécher. Ce type de peinture convient pour l'extérieur; en vieillissant, sa teinte s'adoucira et se patinera. Arrosez abondamment les plantes et laissez l'eau s'écouler.

2 À l'aide du pistolet à colle, fixez les coquilles Saint-Jacques autour du cageot. Tapissez le cageot d'un morceau de plastique découpé dans un grand sac. Avec les ciseaux, percez des trous de drainage.

3 Remplissez le cageot de terreau et disposez les gros coquillages dessus.

4 Ôtez les plantes des godets, placez-les dans le cageot et enfoncez-les bien dans le terreau. Si besoin, les racines peuvent être glissées sous un coquillage.

5 Arrosez abondamment le tout. En attendant que les plantes poussent, couvrez éventuellement la terre de petits coquillages.

DÉCORER LES POTS

Rien n'est plus facile que de transformer un banal pot de fleurs en objet unique. Parmi les nombreuses méthodes, vous n'aurez aucun mal à trouver celle qui correspondra le mieux au style de votre jardin. Des formes géométriques ou des motifs simples peints donnent des effets intéressants. Si vous êtes doué pour le dessin, lancez-vous dans des travaux plus complexes. Vous pouvez également coller toutes sortes de matériaux – de la céramique, pour une mosaïque, ou des coquillages –, qui donneront du relief au pot.

■ **CI-DESSOUS**
On a orné cette imposante urne de jardin de visages stylisés, qui rappellent des icônes byzantines. Elle apportera une note de charme dans un jardin ou un patio.

■ **CI-CONTRE**
Vous avez cassé une assiette ou un plat ? Servez-vous des morceaux de céramique pour réaliser sur un pot une mosaïque aux teintes coordonnées et aux motifs simples.

■ **CI-DESSOUS**
Des morceaux de verre polis par la mer et trouvées sur la plage forment une guirlande accrochée à l'aide de fil de fer autour de ce pot.

DES POCHOIRS SUR POTS EN TERRE

Achetez des pots en terre bon marché et personnalisez-les au moyen de motifs réalisés au pochoir. Choisissez des peintures en harmonie avec les couleurs des plantes. La terre cuite est un matériau poreux, qui absorbe beaucoup de peinture : selon les couleurs que vous utiliserez, plusieurs couches seront peut-être nécessaires.

OUTILS ET MATÉRIAUX

Mètre ruban

Pot en terre

Craie

Règle

Papier-cache adhésif

Peintures acryliques

Pochon

Pochoirs en feuille d'acétate

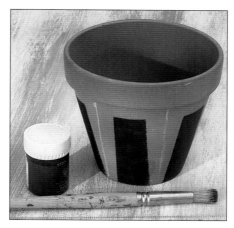

1 Mesurez les circonférences inférieure et supérieure du pot et divisez-les en sections égales. Joignez les points par des lignes tracées à la craie.

2 Collez du papier-cache sur les surfaces qui resteront brutes et peignez les formes de fond. Si nécessaire, passez plusieurs couches de peinture. Laissez sécher.

■ CI-DESSOUS

Lorsque vous aurez acquis une certaine maîtrise du pochoir, vous pourrez dessiner à main levée et tester des techniques comme la peinture à l'éponge, le pointillé ou les filets. Chaque type de peinture produit un effet différent : essayez notamment les peintures métalliques.

3 Avec du papier-cache adhésif, fixez le pochoir sur le pot, puis appliquez plusieurs couches de peinture. Déplacez le pochoir tout autour du pot et procédez de la même manière pour tous les motifs.

LES POTS MEXICAINS

Ces motifs, inspirés de l'art populaire mexicain, sont peints sur des rayures de teintes éclatantes. Pour encore plus d'effet, laissez apparaître des bandes de terre brute et utilisez des pots à bord cannelé. Empilez les pots les uns sur les autres et plantez-y des pélargoniums aux chaudes couleurs estivales : ils apporteront au jardin vie et gaieté.

OUTILS ET MATÉRIAUX

Pot en terre à bord cannelé

Papier-cache adhésif

Ciseaux

Sous-couche blanche

Pinceaux

Gouaches blanche et de couleurs vives

Vernis polyuréthane semi-brillant

Pinceau à vernis

1 Avec du papier-cache adhésif, délimitez les rayures de couleurs. Coupez des bandes de papier-cache de différentes largeurs afin de diversifier le motif. Les parties couvertes de papier-cache resteront de couleur terre.

2 Enduisez le pot, entre les bandes de papier-cache, à l'exception du bord cannelé, d'une sous-couche blanche. Une fois sèche, peignez chaque rayure d'une couleur différente.

3 Lorsque les rayures sont complètement sèches, décollez délicatement le papier-cache.

4 Avec un pinceau fin et de la peinture blanche, tracez le long de chaque rayure une série de motifs. Laissez sécher complètement et vernissez.

■ **PAGE DE DROITE**
Dans le coin le plus ensoleillé du patio, ces pots aux couleurs chaudes apporteront une note d'humour. Décorez-les de plantes fleuries, aux tons vifs, ou de cactées, plus exotiques.

UN SEAU FLEURI

Les herboristes et les jardiniers croyaient autrefois
que la bourrache avait la vertu de rendre intelligent.
Outre ses propriétés médicinales – une huile aussi puissante
que l'huile d'onagre –, la bourrache donne de jolies fleurs
bleues au doux parfum, que vous pourrez utiliser pour
décorer un verre de punch ou une salade d'été.

■ **PAGE DE DROITE**
Ces ravissantes fleurs de bourrache
se marient bien à l'argenté du seau
galvanisé. Elles rappellent le bleu des
motifs au pochoir sur l'arrosoir et le seau.

1 Dessinez deux ou trois fleurs de bourrache sur du bristol. Posez-le sur la
planche et découpez les motifs au cutter
pour réaliser des pochoirs. Avec le papier-
cache adhésif, disposez les pochoirs au
hasard sur le pourtour du seau. Peignez le
contour et l'intérieur des fleurs en bleu clair.

2 Avec un pinceau fin, dessinez les
détails des fleurs en bleu foncé et en
blanc. Protégez le décor d'une couche
de vernis polyuréthane et laissez sécher
avant de planter la bourrache.

OUTILS ET MATÉRIAUX

Crayon

Bristol

Cutter

Planche à découper

Papier-cache adhésif

Seau galvanisé de 18 cm
de diamètre

Peintures acryliques bleu clair,
bleu foncé et blanche

Pochon

Pinceau fin

Vernis polyuréthane

Pinceau à vernis

Plants de bourrache

■ **CI-CONTRE**
Orné d'un délicat motif – ici des fleurs
de bourrache – un ustensile de jardinage
revêt un tout autre aspect. Reprenez
cette idée pour d'autres objets, avec
des motifs de fleurs simples, comme
des marguerites ou des pensées.

LE SEAU VERT-DE-GRIS

Les tons bleu-vert du vert-de-gris, subtils et lumineux, ont quelque chose d'irrésistible. Ils se marient avec toutes les plantes et l'effet n'est pas difficile à reproduire sur un seau galvanisé. Si vous souhaitez imiter la rouille, remplacez la peinture acrylique bleu-vert par de la peinture couleur rouille et procédez selon la même technique.

OUTILS ET MATÉRIAUX

Papier de verre à grain moyen

Seau galvanisé

Apprêt pour métaux

Pinceaux

Peinture vinylique dorée

Laque ambrée

Peintures acryliques blanche et bleu-vert

Éponge naturelle

Vernis polyuréthane

Pinceau à vernis

■ **CI-CONTRE**
Les nuances du vert-de-gris mettent en valeur ces délicates pensées aux pétales violet foncé.

1 Poncez le seau, enduisez-le d'apprêt pour métaux et laissez sécher. Peignez le seau à la peinture dorée, puis laissez sécher au moins 2 à 3 heures.

2 Enduisez le seau de laque ambrée et laissez sécher. Mélangez les peintures acryliques bleu-vert et blanche, puis diluez jusqu'à obtenir ne consistance très fluide.

3 Passez cette peinture vert-de-gris à l'éponge sur la laque, laissez sécher 1 à 2 heures, puis appliquez une couche de vernis.

Du zinc en trompe l'œil

Au XIXe siècle, les bacs de jardin en zinc étaient couramment employés. Leurs tons de bleu-gris crayeux se marient à merveille avec les plantes. Malheureusement, le zinc pèse lourd et coûte cher. Voici une astuce simple pour en imiter l'effet.

OUTILS ET MATÉRIAUX

Papier de verre

Cheminée en plastique couleur terre cuite

Apprêt acrylique

Pinceaux moyen et gros

Peintures vinyliques anthracite et blanche

Glacis acrylique de veinage faux bois

Vernis polyuréthane

Pinceau à vernis

■ CI-CONTRE
Ce pot couleur zinc, garni de feuillage argenté et de fleurs pâles, est d'un effet raffiné.

1 Poncez la cheminée afin que la peinture y adhère bien. Enduisez-la d'une couche d'apprêt acrylique et laissez sécher 1 à 2 heures.

2 Appliquez ensuite une couche de peinture vinylique anthracite, puis laissez sécher 2 à 3 heures.

3 Teintez un peu de glacis faux bois avec de la peinture blanche et diluez à l'eau. À l'aide d'un gros pinceau, peignez la cheminée de larges touches irrégulières. Estompez la couleur en passant un pinceau humide. Laissez sécher.

4 Ajoutez un peu de vernis teinté de blanc aux endroits où la cheminée doit paraître « vieillie ». Laissez sécher, puis passez une couche de vernis polyuréthane.

LA PÉPINIÈRE EN BOÎTES DE CONSERVE

Pour tirer le meilleur parti de jeunes plants, transplantez-les de leurs godets dans des boîtes de conserve fixées sur un panneau mural. Protégés par le mur, à l'abri des derniers frimas qui les auraient menacés au sol, ils poursuivront ici leur croissance jusqu'au moment d'être repiqués. Des boîtes en fer blanc unies feraient l'affaire mais, pour une note plus gaie, procurez-vous des boîtes de conserve aux couleurs vives.

■ PAGE DE DROITE
Des boîtes de conserve, unies et colorées, regroupées sur un panneau bleu méditerranéen, dégagent un intérêt esthétique qu'on ne leur soupçonnait pas.

OUTILS ET MATÉRIAUX

Panneau de bois d'environ 60 × 30 cm

Sous-couche blanche

Pinceau

Peinture bleu métal

Assortiment de boîtes vides sans étiquettes

Ouvre-boîtes

Pince coupante

Tenaille

Marteau

Clou

Pointes

1 Enduisez le panneau de bois d'une sous-couche blanche, puis d'une ou deux couches de peinture bleue ; laissez sécher entre chaque couche.

2 Avec l'ouvre-boîtes, ouvrez les boîtes à moitié.

3 Avec la pince coupante, coupez les côtés des boîtes, de façon à obtenir deux rabats de dimensions égales.

4 À l'aide de la tenaille, ouvrez les rabats puis, avec la pince, découpez un V dans chacun d'eux. Repliez le fond des boîtes en l'alignant sur les côtés. Avec un clou, percez des trous de drainage sur les fonds.

5 Disposez toutes les boîtes sur le panneau en bois et, au marteau, enfoncez une pointe à chaque coin des rabats.

L'URNE EN MOUSSE ET GRILLAGE

Cette urne rustique est confectionnée avec du grillage et de la mousse. Pour une occasion exceptionnelle, un assortiment de ces pots élégants, exposé sur des marches ou le long d'une balustrade, constituera une décoration originale. Pour préserver leur couleur, placez les urnes dans un endroit sombre : en effet, à la lumière du jour, la mousse perd rapidement de son éclat.

OUTILS ET MATÉRIAUX

Pince coupante

Grillage

Mousse

Fil de fer de fleuriste

Pot en plastique de 20 cm de diamètre

1 Coupez 1,5 m de grillage. Pliez-le en deux, de façon à ce que les bords coupés se rejoignent, puis insérez une couche de mousse à l'intérieur.

2 Pliez le grillage et la mousse dans le sens de la longueur en formant un tube. Attachez solidement les bords ensemble avec du fil de fer de fleuriste.

3 Insérez le pot en plastique par l'extrémité supérieure du tube (celle dont les bords n'ont pas été coupés). Formez la bordure de l'urne en repliant le grillage vers l'extérieur.

4 En laissant le pot à l'intérieur, pressez fermement le grillage à deux mains, juste sous le pot, afin de former le pied de l'urne.

5 Faites la base en repliant par-dessous les bords coupés et en la pressant pour lui donner la forme désirée. Posez l'urne debout afin de vous assurer que la base est bien plate.

■ **CI-CONTRE**
Pour cette urne singulière, on peut aussi bien utiliser de la mousse fraîche que sèche.

DES POTS COULEUR TERRE

L'engrais liquide à base d'algues est d'une riche teinte marron.
Diluez-le et peignez-en des pots en terre pour favoriser
le développement de mousse et donner aux pots une
apparence vieillie. Non diluée, la couleur est très intense
et se marie bien à la terre cuite. Pour la préserver,
vernissez le pot. Si vous laissez les pots non vernis dehors,
la couleur de l'engrais s'estompera et se patinera
peu à peu en formant des motifs irréguliers.

OUTILS ET MATÉRIAUX

Papier-cache adhésif

Pots en terre

Engrais liquide à base d'algues

Pinceaux

Vernis polyuréthane mat

Pinceau à vernis

1 Avec du papier-cache, protégez les parties du pot que vous ne souhaitez pas peindre. Enduisez les parties entre les bandes de papier d'engrais liquide à base d'algues. Laissez sécher complètement.

2 Décollez le papier-cache. Si vous désirez conserver la riche teinte de l'engrais, enduisez tout le pot d'une couche de vernis mat.

■ CI-DESSUS
De superbes pots, aux chaudes nuances de peinture couleur terre et de terre cuite, contiennent une composition hivernale de branchages et de pommes de pin.

LES DÉCORATIONS

ET ACCESSOIRES

··

Il s'agit maintenant d'apporter la touche finale au jardin. L'agencement dans ses grandes lignes et la sélection des plantations sont définis et vous souhaitez mettre le tout en valeur. Pour cela, choisissez quelques objets et accessoires décoratifs qui seront votre marque personnelle.

L'essentiel est que vous preniez plaisir à arranger et décorer votre jardin. N'hésitez pas à détourner un objet de sa fonction première en transformant, par exemple, une cage à oiseaux ancienne en panier suspendu fleuri. Pensez aussi à accrocher dans des branchages ou contre un mur des mobiles et carillons aux doux tintements. Prévoyez des petits abris pour les oiseaux qui viendront s'y réfugier en hiver. Des objets disséminés çà et là – comme des cœurs pour une note romantique – contribueront à créer une atmosphère particulière.

■ **CI-DESSUS**
Objets en métal galvanisé et poteries en terre cuite décorent un coin du jardin.

■ **PAGE DE GAUCHE**
Tout en protégeant vos fruits, légumes et jeunes plants, cet épouvantail
vous donnera l'occasion de réaliser une sculpture insolite.

LES SCULPTURES DE JARDIN

Depuis des siècles, statues, bustes et fontaines ornent les jardins classiques, au détour d'une allée ou au centre d'une composition. Aujourd'hui, ces reproductions de sculptures antiques, de chérubins de style baroque ou encore de *puttis* sont toujours en vogue.

■ **PAGE DE DROITE**
Cette sculpture, qui a souffert du temps, a trouvé sa place dans un charmant recoin du jardin.

LES CLASSIQUES

Les véritables statues de pierre anciennes, patinées par le temps, sont superbes, mais malheureusement hors de prix. Vous pouvez néanmoins acheter des copies meilleur marché, et accélérer le processus de vieillissement en les enduisant de yaourt et en les laissant dans un endroit humide et sombre.

LES VALEURS MODERNES

Des œuvres contemporaines correspondront toutefois peut-être mieux au style de votre jardin. Les sculptures en métal et fil de fer ou de branches de saules entrelacées sont actuellement très à la mode et s'adaptent bien à un cadre extérieur. La mosaïque transforme également toutes sortes d'objets peu esthétiques en sculptures insolites. Pratiquez l'art topiaire en taillant des arbustes à petites feuilles persistantes en spirale, en cône ou en globe, ou en une forme animale. Le processus est lent, car il faut laisser à l'arbuste le temps de se développer ; néanmoins, les jardineries vendent des arbustes prétaillés qu'il suffit de retailler régulièrement.

■ **CI-DESSUS**
Cette petite vasque en métal, avec un motif sculpté en son centre, attirera certainement les oiseaux.

■ **CI-CONTRE**
Encadré de deux jeunes arbres bien taillés, ce cadre de fauteuil en métal rouillé est devenu sculpture à part entière.

426

■ CI-CONTRE
Ces vieux baquets en métal galvanisé sont décorés de mosaïques vives et colorées, composées de morceaux de céramique.

■ CI-DESSUS
Une statue placée dans le prolongement d'une tonnelle constitue une perspective intéressante.

■ CI-CONTRE
Cette urne en pierre traditionnelle, d'une grande sobriété, convient parfaitement pour un jardin classique.

■ **CI-CONTRE**
Ici, des pots et
bacs de plantes
remplacent des
sculptures plus
traditionnelles.
Elles adoucissent
la perspective
tout en longueur
de ce jardin.

■ **CI-CONTRE**
L'art topiaire
revient à la
mode et adopte
des formes
résolument
contemporaines.

429

DES ORNEMENTS DE PLEIN AIR

La sculpture est l'un des grands classiques de la décoration extérieure. Cependant, si vous n'avez ni l'argent ni l'espace disponibles pour envisager de tels ornements, de nombreuses alternatives s'offrent à vous.

Tout comme l'urne classique, les gros pots et bacs sont à la fois décoratifs et fonctionnels. Regroupez-les avec des objets inhabituels utilisés en guise de pots pour réaliser une composition intéressante.

Passoires, paniers et seaux feront d'amusants paniers suspendus. Exposez des compositions de plantes en pots aux couleurs variées sur des supports inattendus – une vieille brouette, par exemple.

Agrémentez le jardin d'accessoires purement décoratifs : moulins à vent, carillons éoliens, collections de galets et de bois flotté. N'hésitez pas non plus à confectionner vos propres décorations : cœurs et étoiles faits de branchages, de fil de fer ou de raphia.

■ **PAGE DE DROITE**
Une décoration amusante et inattendue : un vieux mannequin en osier et sa réplique miniature en fil de fer.

■ **CI-DESSUS**
Ce carillon éolien est constitué d'une série de coquilles de berniques percées, suspendues à du raphia.

■ **CI-DESSUS**
Une cage à oiseaux bon marché, en bambou peint et remplie d'œillets en pots, devient ainsi un ornement de jardin ravissant.

■ **CI-CONTRE**
Ces objets naïfs en métal galvanisé ont trouvé leur place dans le potager.

LES BOULES EN MOSAÏQUE

Ces boules en mosaïque, inspirées des perles africaines, constitueront d'originales décorations de jardin. Il s'agit de sphères de bois ou de polystyrène recouvertes de morceaux de céramique, de carreaux de verre ou de fragments de miroir. Les boules de polystyrène, plus légères, pourront être suspendues dans les arbres.

■ CI-DESSOUS
Des étoiles de mosaïque colorées se fondent parfaitement au feuillage de ce rosier en fleurs.

OUTILS ET MATÉRIAUX

Boules en polystyrène ou en bois

Colle vinylique à bois

Pinceau

Crayon

Vieilles céramiques

Miroir

Pince à rogner

Gants en caoutchouc

Colle à carrelage

Joint de carrelage en poudre

Peinture acrylique mate

Brosse à ongles

Chiffon doux

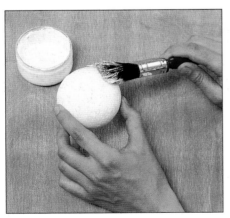

1 Enduisez les boules de polystyrène ou de bois de colle vinylique diluée. Laissez sécher.

2 Au crayon, tracez sur la boule un dessin simple. Les formes circulaires conviennent parfaitement, mais vous pouvez aussi réaliser des motifs géométriques et abstraits.

3 À l'aide de la pince à rogner, coupez la céramique et le miroir en morceaux de différentes tailles, que vous collerez sur la boule avec de la colle à carrelage. Laissez sécher jusqu'au lendemain.

■ **CI-CONTRE**
Disposez les
boules avec des
quilles pour
une composition
décorative
moderne et
peu commune.

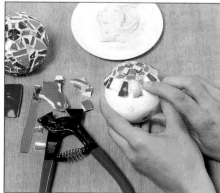

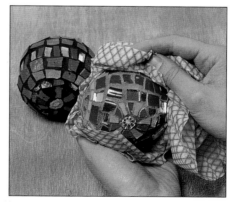

4 Mélangez le joint en poudre avec de l'eau et teintez-le d'un peu de peinture acrylique mate. Enfilez les gants en caoutchouc et enduisez-en toute la surface de la boule, en remplissant bien les interstices.

5 Laissez sécher quelques minutes, puis éliminez l'excès de joint avec une brosse à ongles dure.

6 Laissez sécher jusqu'au lendemain, puis polissez la mosaïque avec un chiffon doux et sec.

LES CADRES D'EXTÉRIEUR

Des miroirs et compositions encadrés décorent déjà l'intérieur de votre maison. Mais pourquoi ne pas accrocher des tableaux aux murs du jardin ? Qu'on les devine à travers un rideau de feuillage et de fleurs, ou qu'ils habillent une surface vide, adaptez leur style à votre espace extérieur.

Vous pouvez fixer sur les murs du jardin des plaques de pierre, de métal ou des carreaux de mosaïque, mais les tableaux encadrés peuvent aussi trouver leur place, à condition que les cadres résistent aux intempéries. Pour cela, le bois vieilli est un matériau idéal. Recyclez, par exemple, les planches d'une ancienne clôture et les morceaux de vieux meubles de jardin dont vous n'avez plus l'utilité, ou bien ramassez sur la plage des bois flottés, blanchis par le sel et le sable.

À l'intérieur des cadres, des collages réalisés avec des éléments naturels s'intégreront parfaitement dans le jardin : une composition de feuilles ou de plumes duveteuses, des galets rapportés des vacances, une mosaïque en céramique. Un vieux miroir encadré, accroché à une branche ou sur un mur créera une illusion d'espace.

■ **CI-DESSOUS**
Exploitez les matériaux naturels : ici, des bois flottés aux teintes patinées, assemblés avec un élément de table arrondi, ont transformé ce vieux cadre de miroir.

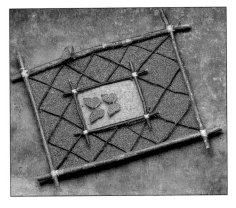

■ **CI-DESSUS**
Ce tableau de verdure et de brindilles a été conçu avec du gazon artificiel, acheté chez un fournisseur de matériel pour modélisme et collé sur un panneau d'Isorel. On y a ensuite disposé des brindilles en croisillons.

■ **CI-CONTRE**
Ces plumes de faisan, dont les couleurs du duvet rappellent celle du cadre, sont dressées dans d'anciens montants de porte d'écurie.

■ **CI-CONTRE**
Collée sur les
bords d'un miroir,
une collection de
coquillages et de
coraux, pour un
cadre d'extérieur
de style marin.

■ **CI-CONTRE**
Ce cadre,
composé
de matériaux
naturels, est un
exemple de ce
qu'il est possible
de faire avec un
galet, de la ficelle,
une algue et
un beau bois
patiné recyclé.

LES CARREAUX DE CÉRAMIQUE

La mosaïque vous séduit mais vous n'osez pas entreprendre un projet à grande échelle ? Ces petits carreaux colorés, confectionnés avec des morceaux de céramique aux motifs simples, vous permettront d'expérimenter l'art de la mosaïque avant de vous lancer dans des réalisations plus complexes.

■ PAGE DE DROITE
Ces carreaux de mosaïque peuvent être exposés isolément ou regroupés, fixés sur un mur du jardin ou posés sur une table.

OUTILS ET MATÉRIAUX

Carreaux blancs

Colle vinylique à bois

Pinceau

Crayon

Vieilles céramiques

Pince à rogner

Colle à carrelage

Peinture acrylique ou teinture à ciment

Joint de carrelage en poudre

Gants en caoutchouc

Brosse à ongles

Chiffon doux

1 Enduisez le dos d'un carreau de colle vinylique diluée et laissez sécher. Au crayon, tracez au dos du carreau un dessin simple.

2 Avec la pince à rogner, coupez des petits morceaux de céramique aux dimensions requises pour votre dessin. Triez-les par formes et couleurs.

3 Trempez les morceaux un par un dans la colle à carrelage et fixez-les sur le carreau, selon votre motif. Une fois le carreau recouvert de mosaïque, laissez-le sécher jusqu'au lendemain.

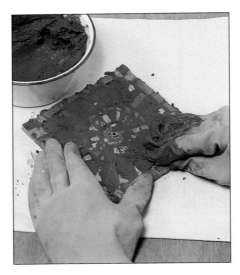

4 Faites un mélange épais de peinture acrylique ou de teinture à ciment, de joint de carrelage et d'eau. Enfilez les gants en caoutchouc et étalez le joint sur toute la mosaïque, en comblant bien tous les interstices. Laissez sécher environ 10 minutes.

5 Avec une brosse à ongles dure, frottez le carreau pour éliminer tout excès de joint, puis laissez sécher 24 heures. Polissez la mosaïque avec un chiffon doux et sec. Procédez de même avec les autres carreaux.

L'HORLOGE EN MOSAÏQUE

Cette horloge est revêtue d'une mosaïque composée de carreaux mexicains peints à la main. Bien que les carreaux soient ornés de motifs différents et de formes irrégulières, la mosaïque est conçue selon une géométrie précise qui permet de repérer facilement les aiguilles et de lire l'heure. La base de l'horloge est faite de deux pièces de bois ; le mécanisme et les piles sont logés derrière l'horloge, dans une ouverture découpée dans la pièce la plus épaisse. Cette horloge convient très bien pour un usage extérieur mais mieux vaut la placer dans un endroit abrité, protégé au maximum des intempéries.

OUTILS ET MATÉRIAUX

Contreplaqué de 4 mm d'épaisseur

Panneau de particules de bois de 2 cm d'épaisseur

Compas

Feutre indélébile ou crayon

Règle

Scie sauteuse

Perceuse et forêts

Mécanisme d'horloge et aiguilles

Colle vinylique à bois

Pinceau

Colle à bois forte

4 serre-joints ou 4 gros poids

Pince à rogner

Assortiment de carreaux unis et à motifs

Colle à carrelage

Coquillages

Joint de carrelage préparé

Spatule de vitrier

Gants en caoutchouc

Éponge

Papier de verre

Chiffon doux

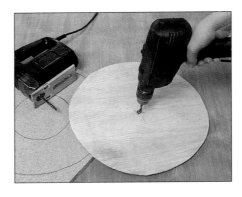

1 Tracez sur le contreplaqué et le panneau de particules de bois un cercle de 40 cm de diamètre, puis découpez-les à la scie sauteuse. Au centre du second disque, percez un trou assez large pour pouvoir y insérer la lame de la scie. Découpez une ouverture pour loger le mécanisme et les piles. Au centre du disque de contreplaqué, percez un trou pour la broche.

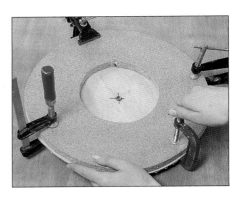

2 Enduisez les deux disques de colle vinylique diluée et laissez sécher. Ensuite, assemblez les deux disques avec de la colle à bois forte. Serrez les disques à l'aide de serre-joints ou posez des gros poids dessus, puis laissez sécher jusqu'au lendemain.

3 Tracez sur le disque de contreplaqué un cercle d'un rayon égal à la longueur de la grande aiguille. Au feutre indélébile ou au crayon, marquez les quarts d'heure et reliez les points.

4 Avec la pince à rogner, coupez les carreaux à motifs en petits morceaux de formes irrégulières. Afin de différencier les parties du cadran, le dessin se compose de trois motifs différents. Avec la colle à carrelage, collez les tesselles sur le cadran, bien à plat.

5 Coupez les carreaux unis en petits morceaux rectangulaires, destinés au bord de l'horloge. Marquez les quarts d'heure avec des coquillages ; lorsque vous les fixerez, veillez à ce qu'ils ne fassent pas obstacle au mouvement des aiguilles.

6 Avec la spatule de vitrier, passez du joint de carrelage sur la tranche de l'horloge, en lissant bien. Enfilez les gants en caoutchouc et étalez du joint sur le cadran, en comblant bien tous les interstices. Essuyez avec une éponge et laissez sécher environ 24 heures.

7 Éliminez l'excès de joint au papier de verre, puis polissez avec un chiffon doux et sec.

8 Fixez le mécanisme et les piles dans l'ouverture au dos de l'horloge. Insérez la broche dans le trou central et fixez les aiguilles.

■ CI-CONTRE
Des groupes de coquillages marquent les quarts d'heure de cette horloge.

DES ABRIS POUR LES OISEAUX

Les oiseaux sont toujours les bienvenus au jardin. Ils nous ravissent par leurs chants mélodieux et nous débarrassent des insectes nuisibles. De nos jours, de nombreuses espèces voient leur habitat naturel menacé ; même un petit jardin peut leur offrir un refuge qu'ils investiront régulièrement.

■ PAGE DE DROITE
Un charmant petit pigeonnier, folie minuscule à placer dans un jardin miniature ou dans une jardinière.

En installant dans le jardin des abris, des mangeoires et des vasques, vous favoriserez la venue des oiseaux. Des arbustes à baies, comme le cotonéaster ou le daphné, leur procureront de quoi se nourrir tout au long de l'hiver. N'oubliez pas cependant que si vous leur donnez à manger, il faudra vous y astreindre régulièrement, car ils deviendront rapidement dépendants de vous.

S'ils trouvent dans votre jardin un abri, les visiteurs occasionnels se changeront très vite en hôtes permanents. Non seulement celui-ci décorera le jardin tout au long de l'année, mais vous aurez le plaisir de pouvoir observer les oiseaux.

Même en ville, si vous leur installez un refuge adapté, les oiseaux viendront y nicher et vous aurez alors la chance de les voir nourrir et élever leurs petits. Aménagez de préférence un abri en haut d'un mur ou d'un tronc d'arbre orienté de telle façon que le nid soit protégé de la pluie et du vent, ainsi que de toute autre menace.

■ CI-CONTRE, EN HAUT
Des petites maisons peintes de couleurs lumineuses et contrastées s'alignent telles des cabines de plage.

■ CI-CONTRE
Cette petite maison pour oiseaux, au toit de bardeaux, sera montée en hauteur, à distance de chats éventuels.

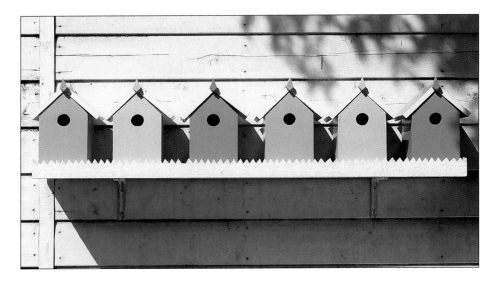

LE NICHOIR PERSONNALISÉ

On trouve dans le commerce des nichoirs de toutes formes et de toutes tailles. Les plus simples gagneront à être peints et décorés. Celui-ci est orné d'un épi de faîtage découpé dans une chute de bois et agrémenté, en guise de perchoir, d'une petite branche de pommier. Pour en profiter pleinement, placez-le de façon à pouvoir l'observer du jardin ou d'une fenêtre de la maison.

OUTILS ET MATÉRIAUX

Nichoir

Peintures vinyliques mates de deux couleurs

Pinceau

Feutre indélébile

Épi de faîtage décoratif

Colle vinylique à bois

Perceuse

Petite branche de pommier

1 Passez une couche de peinture vinylique de la couleur de votre choix sur le nichoir et laissez sécher. Au feutre indélébile, dessinez la porte et les cœurs.

2 Peignez les motifs et l'épi de faîtage avec la peinture de l'autre couleur et laissez complètement sécher.

3 À la colle vinylique, collez l'épi de faîtage devant l'arête du toit. Sous l'entrée du nichoir, percez un trou pour fixer la branche de pommier. Appliquez de la colle sur la branche et enfoncez-la dans le trou.

■ **CI-CONTRE**
Vous pouvez facilement transformer un nichoir du commerce, comme celui-ci peint en bleu-gris et agrémenté d'un toit en feuille de cuivre. La porte est également encadrée d'une feuille de cuivre, que vous replierez sur elle-même afin que l'entrée du nichoir ne présente pas d'arête coupante.

■ **PAGE DE DROITE**
Accrochez ce nichoir hors d'atteinte des prédateurs, sous un feuillage qui leur offrira un abri plus sûr.

LA MANGEOIRE SUSPENDUE

Si vous souhaitez que votre jardin devienne un havre pour les oiseaux, approvisionnez régulièrement en nourriture et en eau fraîche une mangeoire qu'ils ne tarderont pas à repérer. Chaque jour, vous pourrez, avec une grande satisfaction, observer différentes espèces s'y succéder. Cette mangeoire en bois brut est pourvue d'un rebord destiné à empêcher les graines et les fruits secs de tomber.

OUTILS ET MATÉRIAUX

2 pièces en bois brut
de 25 × 12,5 × 1 cm

2 tasseaux en bois
de 25 × 2,5 × 2,5 cm

Clous

Marteau

4 tasseaux en bois
de 28 × 5 × 1 cm

Traitement de protection bois

Petit pinceau

Crayon

Règle

4 crochets en laiton

Ciseaux

2 m de corde de sisal

1 Pour la base de la mangeoire, posez les deux pièces de bois brut côte à côte. Placez les deux tasseaux de 25 cm en travers, de chaque côté, et clouez-les solidement.

2 Clouez les quatre tasseaux de 28 cm autour de la base, pour former un rebord d'au moins 2,5 cm de haut. Enduisez toutes les surfaces de la mangeoire de traitement de protection et laissez sécher.

3 Au crayon et à la règle, marquez un point à chaque angle de la mangeoire. Vissez un crochet sur chaque point.

4 Coupez la corde de sisal en quatre morceaux de longueur égale et faites une petite boucle à l'extrémité de chacun. Passez chaque boucle sur un crochet, puis rassemblez les cordes au-dessus de la mangeoire et faites une boucle pour la suspendre.

■ **CI-CONTRE**
Les marchands spécialisés vous renseigneront sur les types de graines à prendre selon les différentes espèces d'oiseaux.

■ **PAGE DE DROITE**
À chaque angle de la mangeoire, des cordes retenues par des crochets permettent de suspendre la mangeoire dans un arbre, hors d'atteinte des prédateurs.

LA VASQUE EN CUIVRE

Vous prendrez sûrement grand plaisir à observer les oiseaux se laver et se lisser les plumes dans cette vasque en cuivre martelé.

Assurez-vous qu'elle soit constamment pourvue en eau fraîche et propre, afin que les oiseaux y viennent régulièrement.

1 Reliez le crayon gras au centre de la feuille de cuivre par de la ficelle. Tracez un cercle de 45 cm de diamètre.

2 Enfilez les gants et découpez le disque à la cisaille. Limez l'arête coupante.

OUTILS ET MATÉRIAUX

Crayon gras

Ficelle

Feuille de cuivre de 2 mm d'épaisseur

Gants protecteurs

Cisaille

Lime

Couverture

Marteau

4 mètres de fil de cuivre moyen

Étau d'établi

Crochet solide

Perceuse électrique à petite vitesse

Forêt de 3 mm

3 Posez le disque de cuivre sur une couverture et martelez-le légèrement en allant du centre vers les bords, jusqu'à obtenir la forme désirée. Pour le perchoir, pliez un morceau de fil de cuivre d'1 m de long et maintenez les extrémités dans un étau. Fixez un crochet à la perceuse, accrochez-le à la boucle du fil et faites tourner la perceuse pour entortiller le fil. Percez trois trous, à égale distance, sur le bord de la vasque. Coupez le reste du fil de cuivre en trois morceaux égaux et faites un nœud à l'extrémité de chacun. Insérez les fils, par-dessous, dans les trous percés dans la vasque. Faites glisser le fil torsadé du perchoir sur deux fils droits. Rassemblez les trois fils au-dessus de la vasque et formez une boucle pour suspendre la mangeoire.

■ **CI-DESSUS**
Cette élégante vasque aux lignes modernes et épurées est munie d'un perchoir permettant aux oiseaux de se tenir au-dessus de l'eau lorsqu'ils boivent.

LA MANGEOIRE-LANTERNE

Confectionnée avec une lanterne de verre et quelques boîtes en fer blanc, cette petite mangeoire se balancera doucement dans le feuillage d'un arbre.

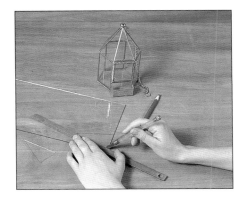

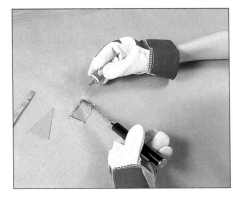

OUTILS ET MATÉRIAUX

Lanterne en verre

Mètre ruban

Plaque de verre fin

Crayon gras

Équerre en acier

Diamant de vitrier

Règle

Gants protecteurs

Boîte de conserve brillante, lavée et séchée

Cisaille

Flux décapant et fer à souder

Étain à braser

Treillis métallique fin

1 S'il manque du verre à votre lanterne, mesurez les dimensions des pièces requises et réduisez toutes les mesures de 6 mm, en prévision du montage de la bordure métallique. Au crayon gras, tracez sur le verre les contours des pièces puis découpez-les en passant une fois, le long d'une règle, le diamant de vitrier. Enfilez les gants et frappez doucement le long des contours, pour briser le verre. Avec la pince coupante, découpez dans la boîte de conserve des bandes de 9 mm.

2 Repliez les bandes de métal sur les bords de chaque panneau de verre. Égalisez puis enduisez les surfaces de jointoiement de chaque angle de flux décapant. Pour souder les raccords d'angle de chaque panneau, chauffez chaque raccord au fer à souder et appliquez l'étain à braser. Ôtez le fer à souder pour permettre à l'étain de refroidir et de durcir.

■ CI-DESSOUS

Installez cette mangeoire raffinée dans un coin retiré du jardin.

3 Mesurez les ouvertures des mangeoires et découpez des morceaux de métal aux dimensions. Avec une équerre ou une règle, pliez-les selon des lignes droites. Soudez les raccords de chaque mangeoire. Découpez une plate-forme dans le grillage fin puis soudez la plate-forme, les panneaux et les mangeoires sur le cadre.

ESTHÉTIQUE ET FONCTIONNALITÉ

Le matériel de jardinage peut être très décoratif. Une vieille fourche au manche poli par l'usage, un arrosoir galvanisé aux couleurs patinées par le temps, une brouette usagée s'intégreront bien au jardin si leurs formes sont plaisantes De plus, les outils de jardinage nous rappellent les tâches quotidiennes à accomplir dans un espace extérieur aménagé. Laissez-les à l'endroit où vous vous en êtes servi s'ils ne craignent pas les intempéries, ou bien en un coin approprié et abrité du jardin, afin de les avoir toujours à portée de main lorsque vous en aurez de nouveau besoin.

■ **PAGE DE DROITE**
Un vieil arrosoir insolite trouve sa place dans un parterre de fleurs.

■ **CI-DESSOUS**
Même si, de nos jours, un cadran solaire n'a plus de réelle utilité, il n'en demeure pas moins un objet décoratif à part entière.

■ **CI-CONTRE**
Laissez vos vieux outils de jardinage à l'endroit où vous les avez utilisés pour la dernière fois.

UN TUTEUR À L'INDIENNE

Les tuteurs de plantes ont avant tout une fonction pratique, mais ce n'est pas une raison pour négliger leur aspect esthétique. Celui-ci, constitué de branches entrelacées d'osier, fera au sein d'un parterre de fleurs un élément décoratif singulier. Vous pouvez aussi l'habiller de clématites ou de toute autre plante grimpante.

OUTILS ET MATÉRIAUX

3 branches élaguées, d'environ 90 cm de long

Corde ou brins d'osier

3 branches élaguées, d'environ 30 cm de long

Grande quantité de branchettes de saule fraîchement coupées

2 Intercalez les petites branches entre les grandes, toujours en formant un tipi, et attachez-les de la même manière. En commençant par le bas, entrelacez les branchettes de saule aux branches principales du tipi.

1 Rassemblez les trois grandes branches en forme de tipi et attachez-les au sommet avec de la corde ou de l'osier.

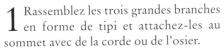

3 Lorsque vous aurez atteint une hauteur suffisante pour que les branches courtes tiennent en place, détachez le lien qui les retient à leur sommet. Continuez à « tisser » presque jusqu'en haut des branches courtes.

■ **CI-CONTRE**
Recouvert de pois de senteur ou de capucines, ce tuteur apportera une jolie note colorée à un massif de fleurs d'été.

LA CLOCHE EN GRILLAGE

Cette singulière cloche en grillage servira, par exemple, à protéger une plante des oiseaux et des limaces. Vous pouvez aussi la dresser au sein d'un massif de fleurs, tel un obélisque miniature.

OUTILS ET MATÉRIAUX

Pince coupante

Grillage à mailles fines

Tenaille

Fil de fer moyen

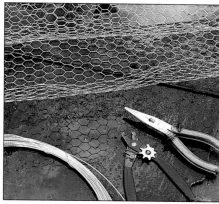

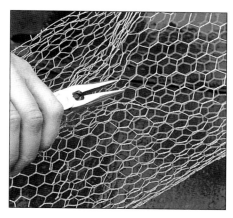

2 Avec la tenaille, resserrez les mailles pour donner la forme de la cloche : au sommet, resserrez-les autant que possible ; puis continuez en descendant, en serrant de moins en moins au fur et à mesure que vous arrivez vers la base.

1 Avec la pince coupante, découpez un morceau de grillage de 50 × 50 cm. Roulez-le en formant un tube : les côtés torsadés des losanges doivent se trouver à la verticale. Fermez le tube en entortillant fermement les extrémités coupées de fil de fer les unes autour des autres.

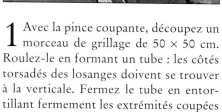

3 Faites une collerette à la base, en resserrant à nouveau les mailles, puis en laissant la forme joliment s'évaser. Pour finir, entourez le sommet de fil de fer bien serré.

■ **CI-CONTRE**
Amusez-vous à inventer une cloche pour salade ou pour toute autre plante fragile à l'aide d'un simple grillage.

JOINDRE L'UTILE À L'AGRÉABLE

Apprenez à mettre en valeur votre potager
en exploitant les formes et les couleurs
étonnantes des fruits et légumes. Choisissez
des éléments décoratifs pour faire grimper
les plants. Que vous les cultiviez dans un
espace nettement séparé du reste du jardin
ou que vous les fassiez pousser parmi les
plantes et les massifs de fleurs, vous pouvez
tirer le meilleur parti de vos fruits et légumes.

■ PAGE DE DROITE
Lorsque les plants s'épanouissent, il devient quasiment
impossible de retrouver les étiquettes. Vous résoudrez
le problème en utilisant ces étiquettes comme éléments
décoratifs. Avec une plaque de contreplaqué, fabriquez
un panneau décoré au sommet d'un motif ornemental,
comme ces tulipes. Peignez-le de couleurs vives, puis vissez-y
des crochets. Il vous servira à conserver les informations
concernant les plantations tout en embellissant le jardin.

■ CI-DESSUS
Les plants de pois, qui refusent de se laisser discipliner,
ont un charme particulier. Les gousses et les feuilles
grimpent le long de branches enchevêtrées,
aux ramifications multiples, qui leur servent de support.

■ CI-DESSUS
On a suspendu à ces tiges de bambou, alignées très
régulièrement, les étiquettes des végétaux plantés à leur pied.

LA POULE-JARDINIÈRE

Au printemps, lorsque les plantes sont à peine écloses, placez quelques fleurs en hauteur. Voici un moyen judicieux de les surélever : une jardinière fixée sur un pied, garnie de pots de fleurs et surmontée d'une poule aux couleurs vives.

■ **PAGE DE DROITE**
Cette poule égaye un coin du jardin d'un peu de vie et de couleurs, le temps que la belle saison s'installe.

OUTILS ET MATÉRIAUX

Crayon

Papier

Mètre ruban

Ciseaux

Panneau de fibres de bois de 60 × 60 cm

Scie sauteuse

Plaques de contreplaqué de 25 mm d'épaisseur, d'au moins 75 × 45 cm

6 vis

Tournevis

Sous-couche blanche

Pinceaux

Peintures laquées rouge, orange, blanche, bleue, noire et verte

Montant en bois de 7,5 × 5 cm, d'environ 120 cm de long

1 Dessinez une poule de 17 × 9 cm sur papier. Découpez ce gabarit et utilisez-le pour reproduire le dessin sur le panneau de fibres de bois, puis découpez-le à la scie sauteuse. Découpez dans le contreplaqué trois éléments de 17 × 9 cm et une pièce de 17 × 5 cm.

2 Vissez deux des larges pièces de contreplaqué de chaque côté de la poule. Pour faire la base, vissez entre elles deux la pièce étroite, à 3 cm du bord inférieur des panneaux latéraux. Fixez le dernier panneau sur le devant.

3 Enduisez les côtés de la poule et de la jardinière de sous-couche blanche, puis laissez sécher.

4 Sur les deux faces de la poule, tracez les contours du motif, puis laquez-le. Peignez la jardinière en vert. Laissez sécher 24 heures.

5 Vissez le montant de bois à l'arrière de la jardinière. Ainsi, vous pourrez la planter droite dans le sol.

LE CARILLON ÉOLIEN

Ramassez, lors de vos promenades sur la plage ou en forêt, bois flotté, branches et brindilles. Passez dans votre abri de jardin : vous y trouverez sûrement les autres matériaux nécessaires à la fabrication de ce carillon éolien rustique. Ici, les cloches sont réalisées à partir de petits pots en terre cuite. S'ils ne sont pas fissurés, le carillon produira un tintement semblable à celui des cloches d'un troupeau de vaches.

OUTILS ET MATÉRIAUX

Pince coupante

Fil de fer galvanisé

Perceuse et foret

3 bouchons en liège

4 branches sèches (ou bois flotté) de différentes longueurs, la plus grande devant mesurer au moins 30 cm

2 œilletons métalliques

2 mini-pots en terre

1 Coupez un morceau de fil de fer de 50 cm et deux de 30 cm. Percez un trou au centre de chaque bouchon. À une extrémité du long fil de fer, faites une boucle pour suspendre le carillon. Sous la boucle, entortillez le fil de fer autour du centre de la plus grande branche, puis insérez-le dans un bouchon.

2 Montez la branche suivante, soit en entortillant le fil de fer autour, comme précédemment, soit en y perçant un trou et en l'enfilant sur le fil de fer. Faites ensuite glisser un bouchon, la troisième branche et le dernier bouchon. Repliez l'extrémité du fil de fer en crochet, que vous couperez si nécessaire. Percez un trou à l'extrémité de la dernière branche et accrochez-la au crochet de fil de fer.

3 Enfilez un œilleton sur chaque petit morceau de fil de fer et repliez 2,5 cm de fil de fer, à plat contre l'œilleton. Enroulez en spirale l'extrémité longue du fil de fer autour de l'œilleton. Passez chaque œilleton dans le trou de drainage d'un pot en terre, afin que l'extrémité large de l'œilleton constitue le battant de la cloche et que l'extrémité étroite dépasse à l'extérieur du pot.

4 Suspendez le carillon et accrochez-y les cloches, en veillant à ce que le carillon soit bien équilibré. Entortillez solidement les fils de fer dépassant des cloches autour de la branche.

■ **CI-CONTRE**
Le charme de ce carillon éolien réside dans sa simplicité. Les carapaces d'oursins plats (dollars des sables) définissent sa forme, tandis que les coques suspendues à du raphia produisent un doux tintement.

■ **PAGE DE DROITE**
Ce carillon éolien fabriqué avec des matériaux naturels, trouvés en partie dans le jardin, s'intègre bien au décor.

LE MOBILE EN COQUILLAGES

Lors d'une promenade sur la plage, cherchez les matériaux qui vous serviront à confectionner ce mobile. Les coquilles de bernicles et certains galets, usés par la mer et le sable, sont souvent percés, de sorte qu'on peut facilement les suspendre en chapelets. Pour permettre au mobile de se balancer sous la brise, choisissez des galets légers. Vous trouverez aussi dans le commerce des perles imitant la pierre, très lisses, de différentes formes et aux couleurs naturelles.

OUTILS ET MATÉRIAUX

Morceaux de bois flotté

Perceuse

Ciseaux

Corde brute

Perles imitant la pierre

2 coquilles de coques

Coquilles de bernicles percées

Raphia naturel

Grosse coquille de bigorneau

5 coquilles de conques

Colle Araldite

Ruban adhésif

1 Percez un trou à chaque extrémité de deux morceaux de bois flotté d'environ 36 cm de long. Coupez deux morceaux de corde de 56 cm et attachez une perle à 3 cm de leurs extrémités. Enfilez les morceaux de corde dans les trous du morceau de bois qui constituera la partie supérieure du cadre, puis faites un nœud. Enfilez à l'autre extrémité des cordes le morceau de bois qui sera la partie inférieure du cadre. Enfilez une coque percée et faites un nœud au bout des cordes.

2 Pour le carillon éolien de coquilles de bernicles, percez six trous, espacés d'environ 2 cm, le long d'un petit morceau de bois flotté. Coupez six morceaux de corde de 38 cm. Enfilez et attachez les coquilles sur les cordes que vous enfilerez ensuite dans les trous percés dans le morceau de bois flotté. Nouez les extrémités des cordes au-dessus du bois et coupez la longueur inutile.

3 Coupez ensuite des petits morceaux de raphia et collez-en quatre ou cinq dans l'ouverture de chaque coquille de conque, avec de l'Araldite. Laissez sécher. Percez un trou au sommet de la grosse coquille de bigorneau.

4 Tressez trois longs brins de raphia. Entourez d'adhésif une extrémité de la tresse et enfilez-la dans le trou percé du bigorneau. Faites un nœud à l'autre extrémité de la tresse et tirez-la à l'intérieur de la coquille.

5 Attachez sur la tresse des perles et des petits morceaux de bois flotté. Rassemblez les coques et collez les extrémités des brins de raphia à l'intérieur de l'ouverture du bigorneau, de façon à ce qu'ils pendent comme des breloques.

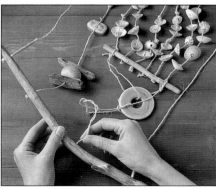

6 Pour assembler le mobile, percez deux trous dans la pièce supérieure du cadre. Enfilez la tresse de raphia dans l'un des trous et nouez-la au-dessus du bois. Attachez une double longueur de ficelle à chaque extrémité de la pièce supérieure du carillon. Attachez les deux brins de corde autour d'une grosse perle ronde puis enfilez leurs extrémités dans le second trou de la pièce supérieure du cadre et nouez-les au-dessus du bois.

■ **CI-DESSUS**
Suspendez le mobile à un endroit exposé à la brise. Son doux tintement vous rappellera vos vacances à la mer.

LE CŒUR EN MOSAÏQUE

Tout jardin recèle des trésors, aussi modestes soient-ils. Lorsque l'on retourne la terre, on découvre souvent des morceaux de céramique ou de verre usés par le temps. Conservez-les pour confectionner des petites mosaïques. Vous éprouverez une réelle satisfaction à transformer vos trouvailles en ravissants accessoires de décoration.

■ **PAGE DE DROITE**
On a moulé ces petits cœurs à l'emporte-pièce dans du plâtre, puis on les a recouverts d'une mosaïque de verre dépoli. Accrochez-les sur un mur, une clôture, ou exposez-les au milieu d'un jardin de rocaille.

1 À la main (éventuellement avec des gants en caoutchouc), enduisez de vaseline l'intérieur de l'emporte-pièce, afin de faciliter le démoulage de la mosaïque.

2 Coupez un petit morceau de fil de fer et repliez-le en boucle. Placez-le en haut du cœur, l'extrémité sous le bord de l'emporte-pièce, la boucle tournée vers le dessous.

3 Protégez votre plan de travail avec une feuille de carton et posez le moule dessus. Emplissez-le à moitié de plâtre. Avec les doigts, lissez bien la surface.

OUTILS ET MATÉRIAUX

Emporte-pièce de pâtissier en forme de cœur

Vaseline

Gants en caoutchouc (facultatif)

Fil de fer de jardinage vert

Ciseaux

Carton épais

Plâtre fin

Morceaux de verre vert dépoli

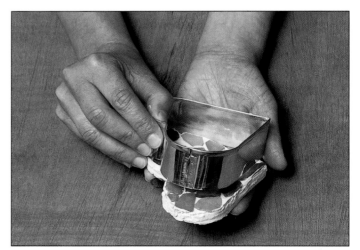

4 Enfoncez légèrement les morceaux de verre dans le plâtre. Laissez sécher pendant au moins 24 heures.

5 Lorsque le plâtre paraît solide au toucher, démoulez délicatement la mosaïque. Laissez-la complètement sécher avant de l'exposer à l'extérieur.

DES CŒURS DANS LE JARDIN

Le cœur, symbole universel, trouvera également sa place dans le jardin. Les matériaux les plus rudimentaires, à condition qu'ils résistent aux intempéries, vous surprendront : fil de fer, grillage, brindilles et raphia produiront de ravissants cœurs décoratifs. L'avantage de cette forme est qu'elle est très facile à réaliser : prenez un cercle de fil de fer ou réunissez par leurs extrémités deux courbes de brindilles entrelacées et donnez-leur la forme d'un cœur.

■ CI-DESSUS
Simplicité d'un cœur en grillage, décoré et suspendu avec de la ficelle. Mettez-le sur la porte d'une remise ou sur un mur nu, à condition qu'il soit abrité.

■ CI-DESSUS
Une couronne en forme de cœur pour les fêtes de fin d'année : des brindilles entrelacées de lierre panaché et de baies rouges, surmontée d'une rose de Noël.

■ CI-DESSUS
Un cœur en fil de fer, habillé de pompons de raphia teint en vert et ocre.

■ CI-CONTRE
Un cœur de lavande romantique et parfumé : attachez de la lavande fraîche sur un cœur en fil de fer, puis laissez-la sécher.

LE CŒUR EN FIL DE FER

Ce joli cœur est facile à confectionner et suffisamment résistant pour supporter un hiver dans le jardin. Il se compose de petits cœurs en fil de fer tordu à la tenaille, assemblés avec du fil métallique. Fabriquez-en un modèle unique à suspendre dans un arbre, ou confectionnez-en plusieurs, de tailles différentes, à assembler en composition.

OUTILS ET MATÉRIAUX

Pince coupante

Fil de fer moyen

Tenaille

Fil de fer de fleuriste

Raphia

■ **CI-DESSOUS**
Un petit cœur fantaisie, décoration de jardin charmante et originale, d'une délicatesse surprenante pour un matériau aussi ordinaire que du fil de fer.

1 Coupez des petits morceaux de fil de fer, pliez-les en deux et recourbez leurs extrémités à la tenaille. Confectionnez ainsi plusieurs cœurs de différentes tailles.

2 Pour le gros cœur, donnez à un morceau de fil de fer une forme de cœur à la base. Faites une boucle à chaque extrémité. Coupez un morceau de fil de fer plus court et faites une boucle à chaque extrémité. Assemblez les boucles de cette pièce avec celles de la base du cœur. Remplissez ce grand cœur avec les petits.

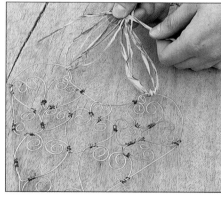

3 Avec du fil de fer de fleuriste, attachez les petits cœurs ensemble et au grand cœur, afin que l'ensemble soit stable. Fixez au grand cœur un morceau de raphia, qui permettra de le suspendre.

LE NUMÉRO EN MOSAÏQUE

Cette plaque de mosaïque indiquant le numéro de la maison personnalisera votre porte d'entrée ou le portail du jardin. On a utilisé ici des morceaux de carrelage en céramique de couleurs vives, agrémentés de fragments de miroir. Comme la mosaïque sera exposée à toutes les intempéries, il est recommandé d'utiliser pour les jointures un enduit étanche incolore ; dans ce cas, éliminez-en toute trace à la surface de la mosaïque avant qu'il ne sèche.

OUTILS ET MATÉRIAUX

Panneau d'aggloméré d'1 cm d'épaisseur

Scie sauteuse

Crayon

Mètre ruban

Feutre indélébile

Colle vinylique à bois

Pinceaux

Pince à rogner

Vieilles céramiques

Fragments de miroir

Colle à carrelage

Spatule de vitrier

Chiffon humide

Joint de carrelage noir

Éponge

Peinture extérieure

Attache pour accrocher la plaque

Chiffon doux

Produit d'entretien pour vitres

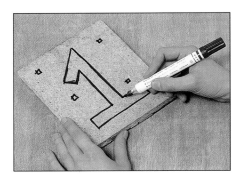

1 Découpez le panneau d'aggloméré aux dimensions requises. Dessinez le numéro de la maison, en traçant des traits d'au moins 1,5 cm de large. Marquez l'emplacement des fragments de miroir.

2 Enduisez toute la surface et les bords du panneau d'une couche de colle vinylique. Laissez sécher complètement.

3 À l'aide de la pince à rogner, coupez la céramique et le miroir en petits morceaux. Commencez par couvrir le numéro en collant la mosaïque avec de la colle à carrelage. Puis couvrez le fond en appliquant à intervalles irréguliers des fragments de miroir. Essuyez tout excès de colle avec un chiffon humide puis laissez sécher pendant 24 heures minimum.

4 Couvrez la plaque de joint de carrelage noir, en veillant à ce que tous les interstices soient comblés. Étalez le joint le long des bords de la plaque et laissez sécher 10 minutes. Essuyez à l'éponge tout excès de joint et laissez sécher 24 heures. Peignez le dos de la plaque à la peinture extérieure et fixez-y une attache. Polissez la mosaïque au chiffon doux avec un produit d'entretien pour vitres.

■ **PAGE DE DROITE**
Cette mosaïque, résistante et étanche, est prête à affronter les intempéries. Utilisez pour le numéro une couleur fortement contrastée, afin qu'on puisse le lire d'assez loin.

LES PLAISIRS DU JARDIN

Pour profiter pleinement de votre jardin, faites-en un lieu privilégié. Aménagez, dans un endroit du jardin protégé, un espace dédié à la détente, et décorez-le selon vos envies : objets et accessoires, plantes odorantes ou pièce d'eau.

Une fois que vous aurez créé ce petit coin de paradis, vous souhaiterez en faire profiter vos amis. Qu'il s'agisse d'un déjeuner, d'un goûter d'anniversaire ou d'un dîner en tête à tête, c'est toujours un grand plaisir de recevoir au jardin. Le soir, imaginez une atmosphère pour chaque occasion, à l'aide d'éclairages différents : lumières électriques, lampes à huile parfumée ou bougies anti-moustiques.

Décorez ensuite votre table selon un thème : de profonds bleus marins ou de chaudes couleurs méditerranéennes. Apportez la dernière touche avec une composition fleurie ou de beaux fruits et légumes du jardin.

■ CI-DESSUS
Une fois le jardin décoré, il ne reste plus qu'à l'éclairer,
pour y passer de merveilleuses soirées en été.

■ PAGE DE GAUCHE
Difficile de résister au charme de cet élégant « salon » de jardin.

CRÉER UN ESPACE CONFORTABLE

Pour avoir envie de vivre au jardin, il faut y aménager un coin confortable. Si tables et chaises sont déjà installées dehors, il ne restera plus qu'à sortir le café et les croissants pour le petit déjeuner. Quand les enfants disposent d'une aire de jeux, ils y passent le plus clair de leur temps. Délimitez en priorité un coin abrité, pas nécessairement grand, offrant autant de confort qu'une pièce de la maison. S'il ne se trouve pas près de la maison, entourez-le de haies ou de treillages, pour renforcer l'impression d'intimité.

■ PAGE DE DROITE
Plutôt que d'éclairer la table avec des bougies lors d'un dîner en été, choisissez des lampes à huile. Ajoutez quelques gouttes d'essence de lavande qui dégageront des senteurs aromatiques très parfumées.

En concevant cet espace, cherchez à stimuler chacun de vos sens. Disposez les chaises pour avoir une vue agréable, par exemple sur un beau spécimen de plante. La nature offre de quoi ravir nos oreilles : bourdonnement d'abeilles, gazouillis d'oiseaux, murmure de la brise dans les arbres..., auxquels vous pourrez ajouter la mélodie d'un carillon éolien ou d'un filet d'eau.

Pour les plaisirs olfactifs, plantez, à proximité, des fleurs qui dégagent de subtils arômes, notamment des variétés de roses anciennes et de chèvrefeuilles, mais également de la lavande ou du romarin. La plupart des fleurs, comme celles du jasmin et du tabac *(Nicotiana)*, libèrent leur parfum la nuit. Jouez sur les contrastes de texture et regroupez des végétaux très différents, tels des nigelles de Damas, des fougères et des cactées. Enfin, mettez-vous l'eau à la bouche grâce aux herbes aromatiques ou aux fruits parfumés – fraises ou mûres par exemple.

■ CI-DESSUS
Un agréable déjeuner d'été en perspective : les meubles de jardin peints en bleu et la ravissante composition de fleurs sauvages, les salades et fruits frais, présentés sur de la vaisselle colorée, forment un décor au charme champêtre.

■ CI-DESSUS
Drapez la table d'une nappe à carreaux bleus, ajoutez quelques pots garnis de plantes de saison : par une belle journée de printemps, voici un décor idéal pour siroter un jus de fruits au jardin.

LES AMIS DES ANIMAUX

Même au cœur des zones urbaines les plus peuplées, de nombreuses créatures élisent domicile dans les espaces verts. La plupart d'entre elles y sont d'ailleurs les bienvenues : il est enrichissant d'observer leur comportement, et ces animaux sont souvent essentiels au maintien de l'équilibre écologique, y compris dans votre jardin.

De nombreux animaux et insectes sont susceptibles d'investir votre jardin. Pour les y encourager, mettez à leur disposition de l'eau fraîche, des plantes ou des graines. Quelques plantes sont réputées pour attirer certains insectes, comme le buddleia pour les papillons, ou la lavande et le chèvrefeuille aux puissants parfums pour les abeilles. Apprivoisez les oiseaux avec une mangeoire en hiver et une vasque en été. Quant aux crapauds, grands consommateurs de mouches, ils aiment s'établir dans les endroits frais et humides : laissez-leur un pot de fleurs couché, à l'abri d'un feuillage épais, ou sous un tas de cailloux. Une fois qu'ils auront adopté les lieux, ils se rendront utiles en éliminant de nombreux insectes nuisibles.

■ **CI-DESSUS**
Pour attirer les papillons, plantez dans votre jardin des espèces riches en nectar comme le buddleia ou le *Sedum,* qui se couvre en été de superbes fleurs roses.

■ **CI-CONTRE**
Ici, cette vasque en mosaïque, nichée dans un massif de soucis et de giroflées, égaie le jardin et attire toutes sortes d'oiseaux.

■ **CI-DESSUS**
Une mangeoire, même toute simple,
favorisera la venue des oiseaux.

■ **CI-CONTRE**
Mélangez des fruits secs et des graines
dans du saindoux, puis façonnez avec
cette mixture des boules que vous
accrocherez au bout d'une corde.
En hiver, les oiseaux s'en régaleront.

■ **CI-DESSOUS**
Enfilez sur une ficelle un assortiment
de fruits secs, suspendez-la dans un coin
du jardin et observez les espèces qui
viennent s'en nourrir et à quel moment.

DES EFFETS DE LUMIÈRE

Pour jouir du jardin, la nuit tombée, il faut l'éclairer. Pourtant, nombreux sont les jardins privés qui manquent de lumière. Si vous devez réaménager entièrement le vôtre, envisagez la pose de câbles électriques et réfléchissez à un plan d'éclairage d'ensemble. Outre l'éclairage général, prévoyez de mettre en valeur certaines parties du jardin par des sources de lumière d'appoint. Si vous ne souhaitez pas engager d'importantes dépenses, vous pouvez procéder à diverses installations de base.

■ PAGE DE DROITE
Grande fête au jardin ou soirée calme et intime, l'atmosphère dépend aussi de l'éclairage.

Il est moins facile d'éclairer l'extérieur que l'intérieur, mais créer des effets d'éclairages ne vous posera cependant pas de gros problèmes. Le charme nocturne du jardin est essentiellement lié aux jeux d'ombre et de lumière, à l'atmosphère et à la présence de la lune et des étoiles.

Concernant l'éclairage général, la solution la plus simple consiste à fixer un halogène puissant sur la façade de la maison qui éclairera de façon suffisante les parties du jardin où l'on vit, souvent proches de la maison. N'hésitez pas à demander à un électricien de monter une prise de courant à l'extérieur : elle vous sera d'une grande utilité, surtout si vous organisez des soirées en plein air, nécessitant son et lumière. Pour les grandes occasions, louez des guirlandes lumineuses – sinon, de simples ampoules blanches sont tout à fait adaptées – que vous accrocherez dans les arbres.

Si l'éclairage a une fonction pratique – signaler les dénivelés ou les bords d'un chemin –, il permet également de mettre en valeur les éléments esthétiques du jardin. Illuminé avec soin, le jardin aura une toute autre atmosphère que dans la journée.

■ CI-DESSUS
Ce spot, placé au sein d'un parterre de fleurs, illumine le rebord du bassin en pierre.

■ CI-DESSUS
Pourquoi ne pas accrocher une lanterne à la potence d'un panier suspendu ? À la nuit tombée, les fleurs seront auréolées d'un halo de lumière.

LE CHARME DES BOUGIES

Les bougies diffusent une lumière douce et romantique, et leurs flammes baignent la table d'un halo d'intimité. Elles évoquent également les campements de nuit autour d'un grand feu.

De plus, les bougies sont extrêmement pratiques : contrairement aux lampes branchées sur le secteur, il est possible de les placer presque n'importe où.

Les bougies ordinaires que vous utilisez dans la maison conviennent parfaitement pour un dîner aux chandelles dans le jardin. Si une brise nocturne se lève, vous placerez les bougies dans des lanternes ou sur tout autre support qui protégera la flamme.

Choisissez des lanternes assez grandes pour contenir les bougies et assurez-vous que leur structure métallique est résistante : il arrive que les soudures de lanternes en aluminium de qualité médiocre fondent au contact de la flamme.

Vous pouvez aussi opter pour de grosses lanternes de verre suspendues, des photophores à accrocher en hauteur au moyen d'un fil métallique ou des pots de jardin et des seaux galvanisés dans lesquels la flamme sera à l'abri du vent.

Les torches de jardin, qui se consument en trois heures, sont spécialement conçues pour résister aux aléas climatiques. La lumière que leur flamme diffuse est étonnamment vive ; elles s'avèrent donc idéales pour éclairer des allées ou un grand espace.

Que vous préfériez des bougies ou des torches, n'oubliez jamais de tenir compte du vent : installez-les toujours loin des feuillages et des meubles.

■ CI-DESSUS
Au jardin, les lanternes sont des supports adaptés pour des bougies, car elles protègent la flamme du vent.

■ CI-CONTRE
Des photophores suspendus à des fils métalliques éclairent les arbres d'une lueur romantique.

■ CI-DESSUS
Les torches de jardin diffusent une lumière vive. De plus, elles sont souvent parfumées et repoussent les insectes.

■ **CI-DESSUS**
Ces pots en terre cuite ont été
transformés pour l'occasion en support
de bougies aux formes de légumes.

■ **CI-DESSUS**
Cette jolie table est décorée de bougies
aux teintes pastel, en harmonie
avec la couleur de la nappe et les tons
des plantes en pots. Elles apportent
la touche finale à cette composition
d'un soir d'été.

■ **CI-CONTRE**
Pour une soirée particulière au jardin,
ce photophore suspendu dispense un
éclairage doux. Telles des fleurs de lotus,
des bougies flottent à la surface de l'eau,
au-dessus d'un lit de coquillages. Vous
pouvez également faire brûler des huiles
essentielles ou des bougies parfumées.

LES POTS DORÉS

Des pots de terre ordinaires, dorés et remplis de cire, deviendront de ravissants éclairages de jardin. Choisissez-les de tailles variées et regroupez-les sur une table, des étagères ou dans le patio : le soir, dans la pénombre, ils scintilleront de vives lueurs.

■ PAGE DE DROITE
Lors d'un dîner en famille ou d'une soirée entre amis, ces petits pots dorés étincelleront à la lueur des bougies.

OUTILS ET MATÉRIAUX

Assortiment de pots en terre

Argile autodurcissante

Cire à dorer assiette rouge

Pinceaux

Colle spécial dorure à base d'eau

Feuille d'or

Chiffon doux ou pinceau
à poils doux

Laque ambre

Peintures acryliques blanche
et bleu-vert

Ciseaux

Mèche

Brochettes en bois

Cire de bougie

Casserole en fonte

1 Bouchez le trou de drainage de chaque pot avec un peu d'argile et laissez durcir. Enduisez les pots de cire assiette rouge et laissez sécher 3 à 4 heures.

2 Appliquez une couche de colle spécial dorure et laissez sécher environ 30 minutes ou jusqu'à ce que la colle devienne transparente et poisseuse.

3 En les manipulant avec précaution, posez les feuilles d'or sur la colle et lissez-les délicatement une à une avec un chiffon ou un pinceau à poils doux. Éliminez tout excès de feuille d'or au pinceau, et polissez avec un chiffon doux.

4 Pour protéger la feuille d'or, appliquez une couche de laque ambrée dessus et laissez sécher complètement.

5 Mélangez les deux peintures ensemble et avec de l'eau. Peignez-en le pot et essuyez avec un chiffon. Laissez sécher. Suspendez un morceau de mèche sur une brochette en bois que vous posez en travers du pot ; la mèche doit toucher le fond du pot. Faites fondre la cire dans la casserole en fonte, puis versez-la dans le pot. Laissez durcir jusqu'au lendemain.

LES BOUGIES À LA CITRONNELLE

En été, le plaisir d'un dîner au jardin peut être gâché par la présence de moustiques ou d'autres insectes. Les bougies parfumées avec des huiles essentielles répulsives ont une double utilité : elles répandent une douce lumière et repoussent les insectes indésirables. L'huile de citronnelle est la plus communément employée pour éloigner les moustiques. Toutefois, si vous n'en aimez pas l'odeur, vous pouvez la remplacer par de la lavande, de la menthe poivrée ou un mélange d'essences de géranium et d'eucalyptus. Avant le dîner, versez dans une lampe à huile posée près de la table quelques gouttes d'essence aromatique, qui vous assureront une soirée plus calme. Ces bougies continueront d'exercer leur effet tout au long du repas.

OUTILS ET MATÉRIAUX

2 pots en terre de 7,5 cm de diamètre

Argile autodurcissante

175 g de paraffine

50 g de cire d'abeille naturelle

Récipient résistant à la chaleur

Casserole d'eau frémissante ou casserole en fonte

Cuillère en bois

Ciseaux

2 mèches

2 brochettes en bois

Huile essentielle de citronnelle

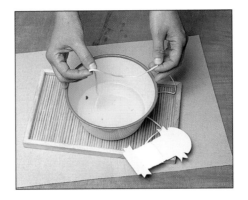

1 Bouchez les trous de drainage des pots avec de l'argile autodurcissante et laissez sécher. Dans un récipient résistant à la chaleur posé sur une casserole d'eau frémissante ou dans une casserole en fonte, faites fondre, à feu doux, la paraffine et la cire d'abeille. Coupez deux mèches de 15 cm et plongez-les dans la cire. Laissez durcir quelques minutes. Remettez fréquemment le récipient sur la casserole afin d'éviter que la cire ne durcisse.

2 Posez les brochettes en bois en travers des pots. Placez les mèches au centre des pots et repliez leur extrémité autour des brochettes. Ajoutez l'huile essentielle dans la cire et remuez pour bien mélanger.

3 Versez la cire dans les pots, jusqu'en dessous du bord. Tapez doucement les côtés des pots pour libérer les bulles d'air. Réservez le reste de cire. Quand les bougies refroidiront, un creux se formera autour des mèches. Refaites fondre la cire et ajoutez-en dans ces creux. Coupez les mèches.

■ **PAGE DE DROITE**
Lors d'une soirée au jardin, ces bougies dans des pots en terre seront une douce source de lumière et chasseront les insectes.

LA LANTERNE EN FER VIEILLI

Donnez à une lanterne d'aluminium neuve un aspect vieilli. Même très simple, elle sera plus décorative une fois que vous l'aurez patinée.

OUTILS ET MATÉRIAUX

Papier-cache adhésif

Lanterne en métal

Papier de verre à grain moyen

Apprêt blanc pour métaux

Pinceaux

Peinture argentée

Petite éponge naturelle

Peinture vinylique noire

Peinture fer couleur rouille

Pulvérisateur d'eau

Vernis polyuréthane satiné

Pinceau à vernis

1 Collez du papier-cache sur les parties vitrées de la lanterne. Poncez les parties métalliques de la lanterne, puis enduisez-les d'une couche d'apprêt. Laissez sécher 2 à 3 heures avant de passer une couche de peinture argentée.

2 Trempez l'éponge naturelle dans la peinture noire et tamponnez-en la lanterne. Laissez sécher 1 à 2 heures.

■ **CI-DESSOUS**
Cette petite lanterne doit son aspect patiné à quelques couches de peinture.

3 Diluez la peinture fer dans un peu d'eau puis, avec un pinceau, laissez-la couler sur la lanterne pour imiter la rouille. Pulvérisez de l'eau sur la lanterne. Laissez sécher 1 à 2 heures. Vernissez, laissez sécher complètement, puis ôtez le papier-cache.

LE PHOTOPHORE EN VERRE TEINTÉ

Éclairé par une bougie, ce photophore en verre teinté projettera sur les feuillages proches des taches de lumière colorée. On a collé des éclats de verre peints sur un bocal en verre, puis comblé les interstices avec du mastic.
Si vous ne pouvez vous procurer deux bocaux de la même taille, prenez le plus petit pour confectionner la base.

OUTILS ET MATÉRIAUX

2 bocaux en verre

Vieux torchon

Lunettes protectrices

Gants protecteurs

Marteau

Papier brouillon

Journaux

Ruban adhésif repositionnable

Peintures à vitraux

Pinceaux

Colle Araldite à prise rapide

Mastic de vitrier blanc

Spatule de vitrier

Poudre à récurer

Papier de verre

Peinture acrylique

1 Enveloppez un bocal dans le torchon. Enfilez les lunettes et les gants, couvrez-vous les cheveux, puis brisez le bocal au marteau. Posez les morceaux utilisables sur du papier, bords coupants vers le dessous. Enveloppez le verre non utilisable dans du papier journal et jetez-le, en veillant à ce que personne ne puisse se blesser.

2 En les attrapant avec du ruban adhésif, retournez les morceaux de verre, bords coupants vers le haut. Avec des peintures pour vitraux de différentes teintes, peignez la surface concave de chaque fragment. Laissez sécher. Avec de la colle Araldite, collez les fragments peints sur le premier bocal. Laissez sécher complètement.

3 Enduisez entièrement la surface du bocal de mastic cellulosique blanc. Lissez bien le haut et le bas du bocal et essuyez tout excès de mastic. Laissez sécher. Une fois le mastic sec, éliminez tout excès avec de la poudre à récurer, de l'eau et du papier de verre. Peignez le mastic avec de la peinture acrylique.

■ **CI-CONTRE**
Tel un vitrail miniature, ce ravissant photophore répandra la nuit une lueur douce et colorée.

RECEVOIR DANS LE JARDIN

Quelle joie, lorsque le jardin est entièrement aménagé, d'inviter vos amis à partager de bons moments. Le caractère spontané des repas en plein air en fait tout le charme. Servez des mets simples : des salades, des légumes et des fruits frais de votre potager, si vous en avez un. Faites griller au barbecue de la viande ou du poisson aromatisé aux herbes fraîches du jardin. Un peu de pain et de vin, et voilà tous les ingrédients réunis pour passer une excellente soirée !

Dresser une belle table au jardin est très simple : placez au centre de la table un bouquet de fleurs fraîches ou des pots garnis de feuillages glanés dans le jardin, que vous compléterez d'une série de bougies aux douces lueurs.

■ **CI-CONTRE**
À l'heure du thé, la chaleur commence à se dissiper : c'est le moment idéal pour se retrouver au jardin à bavarder gaiement autour d'une boisson chaude.

■ **CI-DESSOUS**
Par une après-midi radieuse, le doux murmure du jardin et le parfum capiteux des fleurs vous laisseront un souvenir délicieux.

■ **PAGE DE DROITE**
Utilisez les fines herbes de votre jardin pour parfumer et décorer les boissons fraîches. Pour une touche de raffinement, congelez dans des glaçons des herbes et des fleurs comestibles.

DÉCORER LA TABLE AUTOUR D'UN THÈME

Au jardin comme à la maison, une table bien décorée charmera vos hôtes. Laissez-vous guider par votre environnement pour adopter un style. Troquez le damas blanc et apprêté ainsi que les couverts en argent contre des matériaux naturels comme le bois, le raphia ou les coquillages et contre une vaisselle rustique dont les tons de brun et d'écru évoqueront la campagne ; ou optez pour de la faïence vernissée aux teintes lumineuses et ensoleillées, agrémentée de bouquets de fleurs cueillis dans le jardin.

■ CI-DESSUS

Le bleu et le blanc évoquent la vaisselle chinoise ancienne et les motifs anglais traditionnels. Ces deux couleurs sont souvent associées sur la vaisselle et le linge de table. Tous les bleus se marient entre eux et les combinaisons n'en ont que plus d'éclat sous un splendide ciel d'été. Selon vos goûts, limitez votre composition au bleu lavande ou bien apportez-lui des nuances de bleu plus foncé ou de bleu-vert. Pour que l'effet d'ensemble soit réussi, mariez au moins trois teintes. La lavande séchée, qui se conserve longtemps, et les muscaris s'harmonisent bien au décor, mais l'on aurait aussi pu orner la table d'un bouquet de fleurs blanches fraîchement cueillies.

■ **CI-DESSUS**
Exploitez les teintes naturelles et les formes insolites des éléments que vous trouverez sur la plage : mariez les nuances subtiles de gris argenté et de beige des galets, du bois flotté et du métal galvanisé, ainsi que des roses et ocres des coraux et coquillages La clé de la réussite : la simplicité. Une coupe remplie de coquilles de moules et des chardons dans un pot en métal rappellent certaines des couleurs du bord de mer. Complétez la composition par un joli morceau de bois flotté.

■ **CI-DESSOUS**

Le style méditerranéen, simple, rustique et coloré, est empreint de la chaleur des étés grecs, portugais ou provençaux. La palette méridionale typique se compose de blanc crayeux, de bleu intense et de turquoise sur fond d'ocre rouge et de blanc. Dans les régions méditerranéennes, la couleur est très employée et rien n'y échappe : le bois, le mobilier, le linge de table et jusqu'aux emballages. Ici, des assiettes aux motifs simples et un plat ancien, des serviettes brodées et des fleurs de couleurs vives sont disposés pour un agréable déjeuner en plein air. Dans un instant, les invités vont arriver, on servira alors le vin et les hors-d'œuvre.

■ **CI-CONTRE**
Recevoir au jardin
est toujours
un grand plaisir.
Qu'il s'agisse
d'un repas prévu
de longue date
ou d'un déjeuner
improvisé, pensez
à décorer votre
table : des fleurs
de saison toutes
simples feront
l'affaire. Ici,
on est allé cueillir
des soucis, des
feuilles d'iris
et du lierre.

■ **CI-CONTRE**
Ne croyez pas
que décorer
une table
soit difficile :
choisissez
un thème et
rassemblez les
éléments qui
seront les
plus appropriés
– vaisselle,
accessoires,
linge de maison.
Vous pouvez
également
décliner un
thème autour
d'une couleur.

LES DÉCORATIONS DE TABLE

Cherchez à intégrer vos compositions de milieu de table
au style du jardin. Vous y trouverez sans peine tous les
éléments qui vous serviront à les réaliser : fleurs, feuillages,
fruits et légumes, et même vos petites plantes en pots.
Rassemblez-les sur la table et arrangez-les de la façon
la plus simple et la plus naturelle possible.

■ **CI-DESSUS**
Ces plants de lierre dans leurs pots
de métal galvanisé, agrémentés de
pailles bleu pastel, constitueront une
décoration appropriée à l'occasion
d'un cocktail.

■ **CI-CONTRE**
Une décoration estivale pour les
gourmands : des fraisiers en pots
à l'intérieur d'un pichet en fil de fer,
rehaussés d'une belle note de rouge
par quelques fruits bien mûrs.

■ **CI-CONTRE**

Une composition rustique et délicate, en harmonie avec le jardin : des pots de verveine et de minuscules pots de lierre panaché sont disposés dans une corbeille de fil de fer et de raphia.

■ **CI-DESSOUS**

Ces choux d'ornement transforment totalement cette table préparée pour un déjeuner au jardin. Complétez le décor en parant chaque serviette d'une feuille de chou.

489

■ CI-CONTRE
Ce bouquet de fleurs séchées resplendit des couleurs méditerranéennes ensoleillées. Il orne un pot en terre ceint d'un tissu assorti aux teintes éclatantes d'une nappe provençale en coton.

■ CI-DESSUS
Décorez votre table d'une charmante composition de fleurs et de fruits. Ici, une coupe de fruits est posée au centre d'une couronne de mousse de fleuriste ; elle est agrémentée de marguerites sur un lit de romarin et d'origan parfumés : une composition qui rappelle une prairie en plein été.

■ CI-CONTRE
Pour parfumer votre table, pensez aux herbes aromatiques : ici, un bouquet de sauge coordonné aux brins de romarin liant les serviettes.

■ **CI-CONTRE**
De ravissantes guirlandes de fleurs
sauvages ornent cette table d'été.
La confection des guirlandes nécessite
une grande quantité de fleurs : si vous
n'en avez pas assez dans votre jardin,
achetez chez le fleuriste des variétés
de fleurs de culture se rapprochant
des espèces sauvages. Celle-ci est faite
de faux anis blanc, moutonneux, de
bepleurum vert et de centaurée violette.

■ **CI-DESSUS**
Une couronne de menthe, de persil
à feuilles plates et de fleurs de fenouil
accompagne une coupe de fruits d'été.
Si vous préférez une composition
plus colorée, ajoutez-y quelques fleurs
parfumées de camomille.

■ **CI-CONTRE**
Cette composition est réalisée avec
des fleurs de ciboulette, du romarin
et de la consoude, mais vous pouvez
adapter cette idée à toute autre fleur
de saison. Les herbes aromatiques
parfumeront agréablement un repas.

LA NAPPE LESTÉE

Voici une astuce simple pour habiller vos tables de jardin de nappes sans que celles-ci s'envolent à la moindre brise. Il suffit de la lester : pour cela, glissez dans les angles des petits poids en métal pour rideaux qui maintiendront la nappe en place ; il sera très facile de les enlever avant de laver la nappe. Ainsi, vous profiterez en toute tranquillité d'une jolie table lors de vos repas au jardin.

OUTILS ET MATÉRIAUX

2 m de tissu d'1,50 m de largeur

Ciseaux

Fer à repasser

Mètre ruban

Machine à coudre

Fil à coudre assorti au tissu

15 cm de Velcro résistant auto-adhésif

4 poids en métal pour rideaux

Vernis polyuréthane satiné

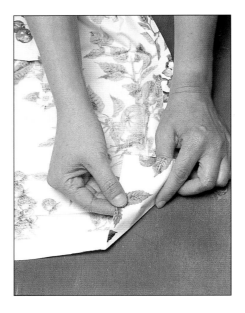

1 Repliez le tissu sur lui-même en diagonale, pour former un triangle-rectangle. Coupez le tissu dépassant du triangle, de façon à obtenir un carré. (Avec le reste de tissu, confectionnez des serviettes.)

2 Ouvrez le carré, repliez chaque bord sur 2,5 cm et repassez cet ourlet. Repliez les angles de la nappe, de façon à former des triangles de 8 cm de hauteur puis repassez ces triangles.

3 Repliez chaque bord sur 6 cm et repassez de façon à former un onglet à chaque angle. Cousez tout le tour de la nappe, à 5 mm du bord, puis à 5 mm du bord de l'ourlet.

4 Ôtez le papier de protection d'une pièce de Velcro, insérez-la dans l'un des angles de la nappe, puis collez-la en place. Fixez la pièce opposée de Velcro sur l'un des poids. Procédez de la même manière pour les trois autres angles. Au moment d'utiliser la nappe, glissez les poids dans les angles : le Velcro les maintiendra en place.

■ **PAGE DE DROITE**
Lestez vos nappes de jardin : vous éviterez ainsi les mauvaises surprises d'un coup de vent.

LA NAPPE EN ORGANDI

L'extrême légèreté et la finesse du dessin des plumes se marient bien à la délicatesse de l'organdi. Les plumes, logées dans des petites poches de tulle, sont faciles à retirer pour laver la nappe. Achetez-en un grand nombre et sélectionnez-en vingt-quatre de la même taille. Attachez celles qui vous restent avec des petits nœuds d'organdi, qui orneront les angles de la nappe.

■ **PAGE DE DROITE**
De délicates plumes de pintade mouchetées décorent avec élégance cette nappe d'organdi. Recouvrez-en la table du jardin à l'heure du thé.

OUTILS ET MATÉRIAUX

1 pièce d'organdi de coton blanc de 110 × 120 cm

Ciseaux

Aiguille

Fil à coudre blanc

1 pièce de tulle blanc de 100 × 10 cm

Épingles

Fil à broder torsadé blanc

24 plumes de pintade

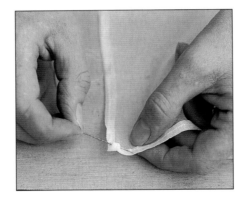

1 Coupez un carré d'organdi de 110 cm de côté. Retournez chaque côté et cousez un double ourlet. Coupez 12 rectangles de tulle d'environ 7,5 × 5 cm.

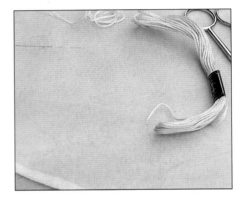

2 Épinglez ces poches sur l'organdi : quatre réparties sur une diagonale, trois de chaque côté de celle-ci, en lignes parallèles, et une près de chacun des deux autres angles. Cousez chaque poche sur trois côtés, en laissant ouvert un petit côté.

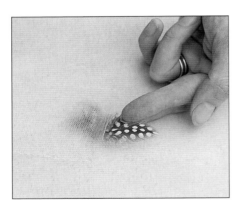

3 Sélectionnez douze plumes de même taille et glissez-en une dans chaque poche, penne vers le bas. Coupez quatre bandes d'organdi de 22 × 2,5 cm, une pour chaque angle de la nappe.

4 Pliez chaque bande d'organdi en deux dans la longueur, rentrez les bords et les extrémités et cousez-les tout autour de façon à former un lien. Cousez un petit bouquet de trois plumes au milieu du lien. Nouez le lien d'organdi autour des plumes. Attachez un bouquet de plumes noué dans un lien à chaque angle de la table.

LES COUSSINS

Votre siège préféré, ou votre hamac, est installé à l'endroit idéal, près d'une table où poser café et lunettes de soleil; un bon livre vous attend… Il ne manque plus qu'un détail pour transformer le jardin en véritable havre de paix : un jeu de coussins, que vous vous calerez sous la tête, derrière le dos et sous les pieds, afin de profiter d'une détente totale.

Bien sûr, chaque fois que vous allez vous asseoir au jardin, vous pouvez emporter des cousins de la maison. Mais il est plus pratique d'avoir un assortiment de coussins réservés à un usage extérieur. Car, même si vous êtes soigneux, vous risquez à tout moment de les salir. Rangez ces coussins dans la cabane de jardin pour les avoir toujours à disposition.

■ CI-DESSUS
Difficile de résister à la tentation de ce hamac garni de gros coussins brodés.

■ CI-DESSUS
Ce petit coussin de lin, rembourré de lavande séchée, dégagera à la chaleur du soleil son parfum puissant.

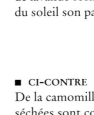

■ CI-CONTRE
De la camomille et de la lavande séchées sont cousues à l'intérieur du rembourrage de ce coussin en vichy. Lorsque vous y poserez la tête, à la fin d'une journée épuisante, vous ressentirez les bienfaits relaxants de ces herbes.

■ **CI-CONTRE**
Accrochez des
petits coussins
garnis d'herbes
aromatiques au
dossier d'une
chaise. Lorsque
vous vous
y assiérez,
de délicieuses
bouffées de
parfum s'en
dégageront.

■ **CI-CONTRE**
Profitez
doublement de
ces fleurs de
houblon en en
remplissant un
coussin de fine
mousseline ou de
gaze transparente,
orné de rosettes
de dentelle : vous
pourrez ainsi
les voir tout
en bénéficiant
de leur vertu
apaisante.

LE PLATEAU DE BRINDILLES

Ce plateau de brindilles, facile à confectionner, vous surprendra par sa solidité. Et il ne vous coûtera que le prix de quelques brins de raphia. Celui-ci est fait de jeunes pousses de saule, mais vous pouvez utiliser d'autres branches de la même épaisseur, si elles sont relativement droites. Sur ce plateau rustique, apportez au jardin des apéritifs ou un repas léger.

OUTILS ET MATÉRIAUX

Raphia

Environ 60 jeunes pousses de saule (ou similaires) de 45 cm de long

Sécateur

1 Pliez un brin de raphia en deux et placez l'extrémité d'une branche de saule dans la boucle. Passez la partie inférieure du brin de raphia sur le dessus et la partie supérieure en dessous, afin de bloquer la branche. Placez une autre branche entre les deux morceaux de raphia.

2 Entrecroisez les deux brins de raphia comme précédemment pour bloquer la seconde branche, puis placez la troisième. Rapidement, vous acquerrez la technique. Assemblez ainsi 44 branches pour constituer la base du plateau. De la même manière, tressez sur les branches trois lignes de raphia, espacées d'environ 9 cm, plus une ligne près du bord opposé, afin que la base soit plate et solide.

3 Coupez huit branches de la longueur des petits côtés du plateau. Posez quatre branches longues à angle droit avec quatre branches courtes. Attachez-les au centre, avec un brin de raphia autour d'une des branches longues. Placez une branche courte sur ce nœud, perpendiculairement à la branche longue, et attachez-la. Assemblez ainsi les huit branches puis attachez-les solidement.

4 Procédez de la même manière pour les trois autres angles, de façon à obtenir un cadre rectangulaire qui formera les bords du plateau.

5 Posez ce cadre sur la base. Insérez le raphia dans le côté de la base, à l'extrémité d'une des lignes de tissage. Comme précédemment, entrelacez les deux brins de raphia tout le long du bord du plateau et attachez-les en bas. Répétez cette opération à chaque point où le cadre est en contact avec l'extrémité d'une ligne de raphia de la base et en deux points des petits côtés, à égale distance des bords.

6 Pour fixer les petits côtés, pliez un brin de raphia en deux et insérez l'une de ses extrémités entre deux branches, par-dessous la base, par-dessus la branche inférieure du cadre et à nouveau entre les deux branches de façon à ce qu'elle rejoigne l'autre extrémité. Attachez les deux extrémités du brin de raphia sous la base. Puis faites ressortir l'une des extrémités entre les deux branches suivantes, par-dessus la branche inférieure du cadre, puis à nouveau par-dessous. Attachez à nouveau les deux extrémités, en serrant bien. Procédez ainsi jusqu'à ce que toute la largeur du cadre soit attachée à la base. Procédez de même pour l'autre côté.

■ **CI-CONTRE**
Ce plateau, réalisé avec des matériaux naturels, se fondra tout à fait dans le décor du jardin.

■ **CI-DESSUS**
Confectionnez le plateau avec des jeunes pousses droites et de même dimension.

DES ACCESSOIRES DE JARDINAGE DÉCORATIFS

Dans un jardin, le matériel de jardinage peut être aussi agréable à regarder que tout autre élément. En outre, si vous personnalisez vos outils, vieux ou neufs, vous n'en aurez que plus de plaisir à jardiner.

Des outils bien entretenus, avec leurs manches polis par l'usage, peuvent s'avérer réellement décoratifs. Quelques modifications sur vos accessoires suffiront à les rendre plus attrayants.

■ **CI-DESSUS**
Cousez sur votre tablier des poches en toile de jute munies d'anneaux de laiton : vous pourrez ainsi garder à portée de main tout accessoire indispensable.

■ **CI-DESSUS**
Avec cet élégant panier en lattes de bois, la cueillette des fruits deviendra un vrai plaisir. Celui-ci est décoré de pommes et de poires réalisées au pochoir ; une couche de vernis teinté lui donne son aspect vieilli.

■ **CI-DESSUS**
Pour reconnaître vos bottes au milieu de toutes les autres
paires, personnalisez-les avec des motifs champêtres. Utilisez
des peintures spécial plastique et inspirez-vous du jardin.

■ **CI-DESSUS**
Pourquoi ne pas peindre un motif différent sur chaque botte ?

■ **CI-DESSUS**
On a vite fait de perdre un outil à manche ordinaire. Avec celui-
ci, pas de risque ! Son manche est peint en jaune vif et couvert
d'autocollants d'insectes, enduits de vernis pour les protéger.

■ **CI-DESSUS**
Chaque jour, vous aurez besoin de petits outils au jardin,
tels un déplantoir ou un sécateur. Choisissez-les maniables
et bien adaptés à vos besoins.

■ **CI-DESSUS**
La corbeille de jardinier est un ustensile traditionnel encore apprécié aujourd'hui pour sa solidité, sa fonctionnalité et son esthétique. Personnalisez la vôtre avec des colorants pour bois : elle décorera ainsi le jardin d'une belle note de couleur.

■ **CI-DESSUS**
On accumule souvent dans la remise de jardin un vrai bric-à-brac. Cette étagère vous permettra de ranger vos accessoires. Confectionnez-la avec un cadre en fil de fer, entouré de grillage solidement fixé avec du fil de fer.

■ **CI-CONTRE**
Ces petits tiroirs de rangement sont pratiques pour stocker les accessoires que l'on perd facilement, tels anneaux et étiquettes pour plantes. Identifiez chaque tiroir en y fixant l'objet qu'il contient.

■ **CI-DESSUS**

Les sacs en toile de jute sont parfaits pour stocker les bulbes que l'on souhaite conserver après leur floraison, car ils leur évitent de pourrir. Découpez la photo des bulbes sur les emballages d'origine afin d'identifier facilement chaque sac.

■ **CI-DESSUS**

Si vous récupérez vos propres graines, rangez-les dans des sachets en papier reproduisant en photocopie couleur les photos de vos fleurs. Si vous avez des graines en surplus, vous pourrez ainsi faire de ravissants petits cadeaux à vos amis jardiniers. Inscrivez au dos de chaque sachet les informations relatives à la plante et à sa culture.

■ **CI-CONTRE**

Une boîte en bois munie d'un couvercle adapté vous permettra de ranger les paquets entamés de graines réutilisables à la saison prochaine. Ici, des gravures anciennes de fruits et légumes ont été découpées pour décorer le couvercle.

ADRESSES UTILES

ARCQ PÉPINIÈRES
Château de Lumigny
77540 Lumigny
Tél. : 01 64 25 63 47

Pépiniériste, paysagiste.

L'ATELIER NATURE
1, rue Boursier
91400 Orsay
Tél. : 01 69 28 89 69

Décoration florale.

CASTORAMA JARDINERIE
Centre commercial Grand Plaisir
78370 Plaisir
Tél. : 01 30 07 56 00

Route de Pontoise
78500 Sartrouville
Tél. : 01 61 04 60 60

Centre commercial Parinor
93600 Aulnay-sous-Bois
Tél. : 01 48 67 87 87

43, allée du Plateau
93250 Villemomble
Tél. : 01 56 63 94 00

Voie Laitière – Parc Médicis
94260 Fresnes
Tél. : 01 49 84 51 00

Centre commercial Pince-Vent
Ormesson
94435 Chennevière-sur-Marne
Tél. : 01 49 62 23 23

*Jardinerie, plantes d'intérieur,
décoration florale, produits de jardin,
outillage, matériaux de construction.*

CHRISTIAN TORTU
6, carrefour de l'Odéon
75006 Paris
Tél. : 01 43 26 02 56

*Compositions florales à base de fleurs
fraîches ou de fleurs déshydratées ou
naturalisées.*

CÔTÉ NATURE
RN 19
94440 Santeny
Tél. : 01 43 86 50 60

Francilienne sortie 42
91240 Saint-Michel-sur-Orge
Tél. : 01 64 49 58 85

*Jardinerie, fleuriste, plantes d'intérieur,
paysagiste, décoration florale,
produits de jardin.*

LES COUTURIERS DE LA NATURE
23, rue Saint-Sulpice
75006 Paris
Tél. : 01 56 24 06 08

*Compositions de fruits et fleurs séchés
ou lyophilisés.*

DÉBALLAGE ET MERCERIE
DU MARCHÉ SAINT-PIERRE DREYFUS
2-6, rue Charles-Nodier
75018 Paris
Tél. : 01 46 06 92 25

Tissus et articles de mercerie.

HERVÉ GAMBS
24, boulevard Raspail
75007 Paris
Tél. : 01 42 22 86 21

*Compositions de fleurs séchées ou
lyophilisées. Pots-pourris. Boules de
mousse, de lierre, de clous de girofle.
Arbres en lierre stabilisé.*

GRAPHIGRO
133, rue de Rennes
75006 Paris
Tél. : 01 42 22 51 80

207, bd Voltaire
75011 Paris
Tél. : 01 43 48 23 57

157, rue Lecourbe
75015 Paris
Tél. : 01 42 50 45 49

120, rue Damrémont
75018 Paris
Tél. : 01 42 58 93 40

*Fournitures d'artiste, matériel
de graphisme.*

L'HERBIER DE PROVENCE
99, rue de Rivoli
75001 Paris
Tél. : 01 42 86 83 23

44, rue de Lévis
75017 Paris
Tél. 01 42 27 28 59

Centre commercial La Défense
92800 Puteaux
Tél. : 01 40 90 93 01

Centre commercial Rosny II
93110 Rosny-sous-Bois
Tél. : 01 48 54 76 06

Centre commercial Leclerc
rue Jean-Lolive
93500 Pantin
Tél. 01 48 43 71 55

9, rue du Lieutenant-Colonel-Pélissier
31000 Toulouse
Tél. : 05 61 23 99 58

38, rue Émile-Zola
10000 Troyes
Tél. : 03 25 73 44 87

Produits cosmétiques à base de plantes, aromates, pots-pourris, diffuseurs de parfum, bougies parfumées.

JARDILAND
Avenue pierre Semard – RN 67
94380 Bonneuil-sur-Marne
Tél. : 01 56 71 24 10

Rue du Commerce
78310 Maurepas
Tél. : 01 30 66 73 00

Jardinerie, fleuriste, plantes d'intérieur, paysagiste, décoration florale, produits de jardin.

NOUTRE PÉPINIÈRES
Route de Villebon
91140 Villejust
Tél. : 01 69 31 75 75

Pépiniériste, paysagiste.

TRUFFAUT
85, quai de la Gare
75013 Paris
Tél. : 01 53 60 84 50

Route d'Orléans
91620 La Ville-du-Bois
Tél. : 01 69 63 32 32

Centre commercial Parly II
78150 Le Chesnay
Tél. : 01 39 23 90 20

Sainte-Appoline
Route nationale 12
78370 Plaisir
Tél. : 01 30 79 20 50

41, avenue de l'Europe
78140 Vélizy-Villacoublay
Tél. : 01 30 70 88 33

Route de Saint-Cyr-en-Val
45650 Saint-Jean-le-Blanc
Tél. : 02 38 22 69 70

Jardinerie, fleuriste, paysagiste, plantes d'intérieur, décoration florale, produits de jardin.

UN DIMANCHE DANS NOS CAMPAGNES
102, rue de Rennes
75006 Paris
Tél. : 01 45 48 15 66

Pots-pourris, jardinières, cadres avec feuilles, huiles pour bain, eau de linge, bougies parfumées.

INDEX

CRÉDITS PHOTOGRAPHIQUES

L'auteur et l'éditeur remercient chaleureusement Robert Crawford Clarke qui a interprété les plans de jardins. Ces plans ne reflètent pas nécessairement les plans originaux. Les concepteurs de jardins sont, le cas échéant, cités ci-dessous.

h = haut, b = bas, g = gauche, d = droite, c = centre

A-Z Botanical Collection Ltd : pp. 69hd Sylvia O'Toole ; 79hg Mike Vardy ; 149h ; 178 James Braidwood ; 179h Adrian Thomas (conçu par Wendy Bundy) ; 233h A. Stenning ; 245h Adrian Thomas.
Pat Brindley : pp. 38h ; 55h ; 121g ; 179b.
Jonathan Buckley : pp. 13 (photographié au Priest House, West Hoathly, Angleterre) ; 85h ; 118 ; 33b ; 146 ; 174 ; 217 ; 232 ; 271 ; 284bg ; 310h, b ; 311, 326, 329.
John Freeman : pp. 405h, b ; 429.

The Garden Picture Library : pp. 12 Gil Hanly (Ethidge Gardens), Timaru, Canterbury, Nouvelle-Zélande, Nan and Wynne Raymond ; 23 Gil Hanly (Penny Zino Garden, Flaxmere, Hawarden, Nouvelle-Zélande) ; 34 Henk Dijkman ; 36 J. S. Sira ; 37h Ron Sutherland (Michelle Osborne Design) ; 37b Ron Sutherland (Smyth Garden, Jersey, Anthony Paul Design) ; 38b Ron Sutherland (Paul Bangay Design) ; 39h Ron Sutherland (Chelsea Flower Show, Londres, Hiroshi Nanamori Design) ; 43b Jerry Pavia ; 43c David Askham ; 43bg Steven Wooster (Sticky Wicket, Dorset) ; 49 Ron Sutherland (Murray Collis Design, Australie) ; 51h J. S. Sira ; 51hg Ron Sutherland (Paul Bangay Design) ; 59g Ron Sutherland (Anthony Paul Design) ; 62 J. S. Sira (Chelsea Flower Show, Londres) ; 63 Brigitte Thomas ; 64h Jerry Pavia ; 64b Ron Sutherland ; 61 Henk Dijkman ; 66 Steven Wooster ; 67h Marijke Heuff ; 67b Ron Sutherland (John Zerning Balcony) ; 68bg Friedrich Strauss ; 72b Ron Sutherland (Anthony Paul Design) ; 77hg Ron Sutherland (Eco Design, Melbourne, Australie) ; 81h Ron Sutherland (Anthony Paul Design) ; 81h Brigitte Thomas ; 90 J. S. Sira (conçu par Japanese Garden Company, Chelsea Flower Show, Londres 1991) ; 92 Ron Sutherland (Paul Flinton Design, Australie) ; 93h Lamontagne ; 93b Alan Mitchell ; 94 Ron Sutherland (Anthony Paul Design) ; 95h Ron Sutherland ; 95b Ron Sutherland (Anthony Paul Design) ; 100b Ron Sutherland (Paul Flemming Design, Australie) ; 105h Lamontagne ; 103h Ron Sutherland ; 109g Ron Sutherland (Paul Flemming Design, Australie) ; 111h Ron Sutherland (Hiroshi Nanamori Design) ; 113b Ron Sutherland (Anthony Paul Design) ; 119 Brigitte Thomas (Preen Manor, Shropshire) ; 200 Ron Sutherland (Anthony Paul Design) ; 1121h John Glover ; 122 Ron Sutherland ; 123h Ron Sutherland (Anthony Paul Design) ; 123b Steven Wooster (Duane Paul Design Team, Chelsea Flower Show) ; 135 Jerry Pavia ; 139 Brian Carter (Van Hage Design) ; 143 Steven Wooster (Mailstone Landscaping) ; 151b John Neubauer (Solomon Garden, Washington) ; 156b Steven Wooster (Julie Toll Design, John Chamber's Garden, Chelsea Flower Show, 1990) ; 157h Mayer/Le Scanff (jardin de Campagne, France) ; 167h Steven Wooster (Gordon Collet Design) ; 176b Ron Sutherland (Paul Flemming Design, Melbourne, Australie) ; 177 Gil Hanley (Bruce Cornish Garden, Auckland) ; 191bg John Glover ; 199h Marianne Majerus (John Brooks Design, BBC Garden) ; 202 J. S. Sira (Action for Blind People, Chelsea Flower Show, 1991) ; 204 Steven Wooster (designer H. Weijers) ; 205h Marie O'Hara ; 207 Brian Carter (conçu par Geoff et Faith Whitten, Chelsea Flower Show, Londres 1989) ; 221 Ron Sutherland (Michael Balston Design) ; 223b Ron Sutherland (Rick Eckersley Design) ; 225 Ron Sutherland (Godfrey Amy's Garden, Jersey, Anthony Paul Design) ; 227h David Askham ; 359b ; 381hd ; 474bg ; 475.
Michelle Garrett : pp. 262hd ; 292 ; 319d ; 325 ; 327 ; 355 ; 368 ; 369 ; 408 ; 409 ; 410 ; 411 ; 415 ; 418 ; 419 ; 424 ; 425 ; 444 ; 445 ; 446 ; 447 ; 458 ; 459 ; 462 ; 463 ; 473 ; 480 ; 481 ; 483 ; 484 ; 491 ; 498 ; 502 ; 503 ; 504 ; 505 ; 506 ; 507.
Marie O'Hara : pp. 332b ; 340 ; 341 ; 390 ; 403.
Robert Harding Picture Library : pp. 72h Ian Baldwin Pool ; 193h James Merrell ; 195b BBC Enterprises/Redwood Publishing (conçu par David Sanford) ; 197h BBC Enterprises/Redwood Publishing (conçu par Jean Bishop).

Harry Smith Horticultural Collection : pp. 30 ; 147 ; 148.
Houses & Interiors : pp. 169h ; 205b.
Tim Imrie : pp. 267 ; 272 ; 275 ; 293 ; 345 ; 346 ; 347 ; 364 ; 365 ; 372 ; 406 ; 414 ; 434 ; 435 ; 438 ; 439 ; 440 ; 441 ; 466 ; 467.
Andrew Lawson Photographic : p. 175.
Simon McBride : pp. 265 ; 320g ; 337b ; 391hd ; 393bg.
Peter McHoy : pp. 13 (David Sanford) ; 27 ; 29 ; 35 ; 40 ; 41 ; 42 ; 43h ; 44 ; 45 ; 46 ; 47 ; 55bg, bd ; 57 (conçu par Kathleen McHoy) 57b ; 60 ; 61 ; 69hd, bg ; 70 ; 71 ; 72h ; 73b ; 74 ; 75 ; 87h ; 88hd ; 88bd ; 89 ; 91 ; 96 ; 97 ; 98 ; 99 ; 100h ; 101 ; 102 ; 103 ; 111b ; 115 ; 116 ; 117g, cb, r ; 124 ; 125 ; 126 ; 127 ; 128 ; 129 ; 130 ; 130b (conçu par Alpine Garden Society) ; 131 ; 137 (conçu par Natural and Oriental Water Gardens) ; 141 ; 144c, bg ; 145c ; 145hd ; 145bd ; 149b ; 150 ; 151h ; 152 ; 153 ; 154 ; 155 ; 157b ; 158h ; 159b ; 161h ; 163h ; 165b (conçu par Jean Bishop) ; 171h ; 172 ; 173 ; 176h ; 180b ; 181b ; 182 ; 183 ; 184g ; 185b ; 186g, bg ; 200h, c, b ; 201 ; 203 ; 206 ; 209 ; 210h b ; 211h, b ; 212h, b ; 213b ; 219h ; 223hg, hd ; 228h, bd, bg ; 229 ; 231 ; 232 ; 231b ; 234 ; 235h, b ; 236h, b ; 237h, c, b ; 238h, b ; 239 ; 240 ; 241 ; 242h, b ; 243 ; 247h ; 249 (conçu par Christopher Costin) ; 249 ; 253hd, c, b ; 256 ; 259, 258, 259 ; 260 ; 289.
David Parmiter : pp. 442 ; 443 ; 448 ; 449 ; 473h, bg.
Spike Powell : pp. 287 ; 293 ; 304 ; 305 ; 320 ; 358 ; 359hg, hd, 362 ; 363 ; 372d ; 373h ; 378b ; 437h.
Derek St Romaine : pp. 253g ; 255h.
Adrian Taylor : p. 323hg, hd.
Juliet Wade : p. 474d.
Peter Williams : pp. 302 ; 303 ; 374 ; 375 ; 436bd ; 437h ; 460 ; 461 ; 504hd.
Polly Wreford : pp. 357 ; 361 hd ; 373b ; 399h, b ; 402g, d ; 485 ; 486 ; 487 ; 488 ; 489 ; 492h, c, b ; 493bd ; 499b.

L'éditeur tient à remercier les artistes suivants pour leur contribution aux projets présentés dans ce livre : Helen Baird, Stephanie Donaldson, Mijke Gesthuizen, Andrew Gillmore, Karin Hossack, Gilly Love, Mary Maguire, Cleo Mussi, Andrew Newton-Cox, Jenny Norton, Liz Wagstaff, Wendy Wilbraham et Peter Williams.